HEYNE‹

D1108726

KARSTEN DUSSE

DAS KIND IN MIR WILL ACHTSAM MORDEN

ROMAN

WILHELM HEYNE VERLAG
MÜNCHEN

Sollte diese Publikation Links auf Webseiten Dritter enthalten,
so übernehmen wir für deren Inhalte keine Haftung, da wir uns
diese nicht zu eigen machen, sondern lediglich auf deren Stand
zum Zeitpunkt der Erstveröffentlichung verweisen.

Penguin Random House Verlagsgruppe FSC® N001967

10. Auflage
Originalausgabe 06/2020
Copyright © 2020 by Karsten Dusse
Copyright © 2020 by
Wilhelm Heyne Verlag, München,
in der Penguin Random House Verlagsgruppe GmbH,
Neumarker Str. 28, 81673 München
Redaktion: Heiko Arntz
Printed in Germany
Umschlaggestaltung: Cornelia Niere, München,
unter Verwendung von Motiven von © Shutterstock
(STILLFX, Gumenyuk Dmitriy, Julia Lemba, MILKXT2)
Satz: Leingärtner, Nabburg
Druck und Bindung: GGP Media GmbH, Pößneck

ISBN: 978-3-453-42444-9

www.heyne.de

Für Lina.
Und Rosa.

INHALT

PROLOG

»Es ist nie zu spät für eine unglückliche Kindheit.
Es ist auch nie zu spät für eine glückliche Kindheit.
Ihre Kindheit ist aber vor allem eins: Vergangenheit.
Ob und wie die Vergangenheit Ihre Gegenwart beeinflussen soll,
entscheiden allein Sie.«

JOSCHKA BREITNER,
»DAS INNERE WUNSCHKIND«

DER MASSIGE RUSSE wirkte fast wie ein verschrecktes Kind, als er in den Kofferraum seines eigenen Wagens kletterte.

»Und gleich sehe ich Dragan?«, fragte mich Boris.

»Gleich siehst du Dragan«, beruhigte ich ihn.

Im Einklang mit mir selbst schloss ich den Kofferraum. Wertungsfrei und liebevoll. Achtsam eben.

Ich setzte mich hinter das Steuer von Boris' Auto und startete den Motor. Ich war zufrieden. Auch wenn ich gelogen hatte. Boris würde Dragan nie wiedersehen. Jedenfalls nicht in diesem Leben. Denn Dragan war seit einer Woche tot.

Boris allerdings würde nicht sterben. Ich hatte das Morden satt. Irgendwann musste auch mal gut sein. Für Boris hatte ich mir mit Sascha eine andere Lösung ausgedacht.

Ich fuhr mit Boris im Kofferraum vom Autobahnparkplatz. Nachts um halb vier war kaum Verkehr. Eine Viertelstunde bewegten wir uns durch die mich wohlig umschließende Dunkelheit. Dann rief ich Sascha an.

»Folgt uns jemand?«, wollte ich wissen. Der drahtige Bulgare war mir in einigem Abstand hinterhergefahren, um genau das heraus zu finden.

»Niemand. Es haben dich alle überholt.«

»Das ist gut.« Ich atmete erleichtert aus.

»Keine Toten mehr?«, wollte Sascha wissen.

»Keine Toten mehr.«

Ich hörte, wie Sascha erleichtert ausatmete.

»Wir treffen uns am Kindergarten«, bestätigte ich unseren Plan.

»Die Kellertür ist offen«, verabschiedete sich Sascha.

Ich legte auf.

1 DAS INNERE KIND

»Unsere Seele ist aufgebaut wie eine russische Matrjoschka-
Puppe. Wenn es in unserer Erwachsenen-Seelen-Puppe rappelt,
ist das in Wahrheit das Geräusch der verletzten Kinder-Seelen-
Puppe innen drin.«

JOSCHKA BREITNER,
»DAS INNERE WUNSCHKIND«

ZWEI DINGE SIND in meiner Kindheit ganz offensichtlich schiefgelaufen: mein Vater und meine Mutter. Das jedenfalls erfuhr ich vierzig Jahre nach meiner Kindheit, als ich mich auf Druck meiner Frau zum ersten Mal mit meinem inneren Kind beschäftigte.

Wäre ich nicht durch meine sehr positiven Erfahrungen mit dem Thema Achtsamkeit für psychologische Themen sensibilisiert gewesen, hätte ich das mit dem inneren Kind wahrscheinlich zunächst einmal für kompletten Humbug gehalten. Alles, was bei einer Vorsorgeuntersuchung vom Proktologen nicht entdeckt werden kann, steckt auch nicht in uns. Das war früher meine Meinung.

Noch vor einem Jahr hätte ich ein Buch über das innere Kind deshalb schlicht für Schwangerschaftsliteratur gehalten. Eines der Bücher, die einem Mann zwar jede Menge Informationen über die biologischen Vorgänge innerhalb seiner Partnerin vermittelten, die aber als Erklärung für sein eigenes Seelenleben ansonsten eher bedeutungslos waren.

Inzwischen weiß ich, dass der psychologische Ansatz des »inneren Kindes« mit Geburtsvorbereitung nicht das Geringste zu tun hat. Er spielt komplett auf der anderen Seite der Gebärmutter. Für beide Geschlechter. Nach der Lehre vom »inneren Kind« sind wir emotional aufgebaut wie eine russische Matrjoschka-Puppe. Wenn es in unserer Erwachsenen-Seelen-

Puppe rappelt, ist das in Wahrheit das Geräusch der verletzten Kinder-Seelen-Puppe innen drin.

Nicht wir stehen unserem Glück im Wege. Unser inneres Kind tut das. Weil es mit allen Verletzungen aus unserer Kindheit ein Teil von uns ist. Wollen wir das Rappeln stoppen, müssen wir das innere Kind heilen.

Die Beschäftigung mit meinem inneren Kind stellte sich für mich als die ideale Methode heraus, um die Ursachen der Probleme zu beseitigen, deren Folgen ich täglich mit Achtsamkeit minderte.

In meiner Kindheit gab es noch keine »Siri« und »Alexa«. Die Typen, die zu Hause das Licht an- und ausmachten, die Stereoanlage bedienten und jede noch so dumme Frage falsch beantworteten, hießen »Mama« und »Papa«. Wenn also etwas in meiner Kindheit verkorkst worden ist, dann von diesen beiden.

Das war insofern beruhigend, als ich mit dieser Erkenntnis im Hinterkopf bequem meinen Eltern die Schuld für meine Eheprobleme, meine Zukunftsangst, für meine generelle Gereiztheit und für mehrere Morde in die Schuhe schieben konnte.

Dass ich erst im Alter von dreiundvierzig Jahren Vater meines inneren Kindes wurde, lag unter anderem daran, dass ich ohne Verhütung mit meiner von mir getrennt lebenden Ehefrau gestritten hatte. Katharina hatte schon immer eine sehr effektive Herangehensweise, um Probleme zu lösen. Für die Lösung ihrer Probleme war immer derjenige verantwortlich, ohne den sie diese Probleme nicht hätte. Für das Verhüten von Streitigkeiten in unserer sich dem Ende zuneigenden Ehe war somit ich verantwortlich.

Und genau das hatte ich im letzten gemeinsamen Sommerurlaub leider vergeigt. Weil ich mich gegen ihren ausdrücklichen Willen in den Alpen mit einem Hüttenkellner angelegt hatte. Das allein reichte ihr als Anlass, von mir zu verlangen, mich endlich mal therapeutisch mit meinen ständigen Stimmungsschwankungen auseinanderzusetzen. Dass der Kellner aufgrund eines kleinen Nachtretens meinerseits im Anschluss unglücklicherweise gestorben war, hatte sie da noch gar nicht mitbekommen.

Als guter Ehemann und Vater, der ich war, vereinbarte ich noch in den Alpen einen Termin mit meinem Achtsamkeitscoach für die Woche nach dem Urlaub. Die Tatsache, dass Katharina umgehend mit unserer gemeinsamen Tochter Emily abgereist wäre, wenn ich das nicht getan hätte, war auch nicht ganz unbedeutend.

Völlig unabhängig von den Befindlichkeiten meiner Frau war mir zu diesem Zeitpunkt jedoch selbst längst klar, dass ich an mir arbeiten musste. Irgendetwas in mir hinderte mich immer wieder daran, das Leben einfach nur zu genießen. Wären Sorgen eine Flüssigkeit, so hatte ich das Gefühl, als würden die Sorgen im Fass meiner Seele dank Achtsamkeit zwar keine großen Wellen schlagen, aber das Fass war dennoch immer randvoll. Und manchmal, wenn eine überflüssige Sorge dazu kam, schwappte eben doch etwas über den Rand. Und ließ mich wegen Dingen, die für andere Menschen nach Kleinigkeiten aussahen, ausrasten.

Meine Ausraster waren bislang Petitessen:

Ich warf nachts Eiswürfel nach grölenden Assis im Park gegenüber von meiner Wohnung.

Ich beriet Mandanten, die mich nervten, als Anwalt absichtlich falsch.

Ich brachte dem Gefangenen in meinem Keller das Essen einfach mal zwei Stunden zu spät.

Alles Dinge, die in der gleichen Situation jeder machen würde, wenn er genervt ist. Und solange er nicht erwischt wird.

Dass ich einen Hüttenkellner in eine Schlucht stürzen ließ, hatte da allerdings schon eine andere Qualität.

Ich wollte diese Eskalation nicht.

Und so stand ich an einem regnerischen Abend Anfang September wieder vor der Tür von Joschka Breitner. Eine Woche nach meinem Urlaub. Knapp ein halbes Jahr nach meinem letzten Achtsamkeits-Coaching.

Bevor ich die Türklingel betätigte, stellte ich mich zunächst einmal einfach nur so vor seine Tür und spürte in mich hinein. In den letzten sechs Monaten hatte sich viel verändert.

Damals war es Frühling. Der Sommer stand vor der Tür.

Jetzt war es Herbst. Der Winter nahte.

Vor einem halben Jahr hatte ich die Praxis von Herrn Breitner voller neuer Energie bei Tageslicht verlassen. Ich strömte förmlich mit meinen neuen Erkenntnissen über eine achtsame Lebensführung hinaus in eine aufblühende Welt.

Jetzt war ich von der Flut des Lebens wieder zurückgespült worden. Es war bereits dunkel, und zwischen meinen Füßen raschelten die ersten vergilbten Blätter.

Dabei hätte mein Leben eigentlich rundum glücklich sein sollen. Ich hatte mir im letzten halben Jahr mein berufliches und privates Umfeld mit viel Liebe und Achtsamkeit so umgestaltet, wie ich es mir immer erträumt hatte:

Ich hatte eine lähmende Festanstellung in einer Großkanzlei gegen eine finanziell solide abgesicherte Freiberuflichkeit als Einzelanwalt ausgetauscht.

Katharina und ich hatten aus der Sackgasse einer gestressten Alltagsehe zwei parallel verlaufende Lebenswege getrennt wohnender Eltern geformt.

Unsere Tochter Emily genoss ihren von mir hart erkämpften Kindergartenplatz und war ein fröhliches, lebensbejahendes Mitglied der Nemo-Gruppe.

Ich hatte im wunderschönen Altbau des Kindergartens nicht

nur meine Kanzlei, sondern obendrein auch meine eigene Wohnung. Das ganze Haus wurde von mir verwaltet. Für meinen Hauptmandanten – Dragan, den abgängigen Chef eines Mafia-Clans.

All diese Veränderungen der letzten Monate hatten viel damit zu tun, dass ich Dragan vor einem halben Jahr getötet hatte. Die Tatsache, dass das niemand wusste, war für mein Glück nicht ganz unbedeutend. Und damit auch in Zukunft niemand davon erfuhr, blieb mir gar nichts anderes übrig, als dessen verbrecherisches Firmenkonsortium in seinem, Dragans, Namen weiterlaufen zu lassen. Und gegenüber Dragans Clan so zu tun, als würde sein Boss noch leben.

Das fiel mir als Anwalt theoretisch nicht schwer. Ich hatte den legalen Deckmantel für Dragans Drogen-, Prostitutions- und Waffengeschäfte schließlich selber gestrickt und jahrelang als Berater de facto geführt. Und genau das spielte ich auch weiterhin allen vor. Mehr nicht.

Aber ein einziger Fauxpas, ein unbedachter Ausraster, ein kritischer Blick von außen zu viel auf mein Leben – und dieses ganze von mir konstruierte Lügengebilde würde in sich zusammenstürzen.

Ich musste in allem, was ich tat, unter dem Radar von Mafia und Polizei bleiben. Das versehentliche Töten eines Kellners war da eher kontraproduktiv. Nicht nur für mein Seelenleben. Sondern für mein Leben überhaupt.

Der Fehler an meinem Leben war, dass mir kein einziger Fehler unterlaufen durfte.

Meine Gegenwart mochte schöner sein als meine Vergangenheit. Aber ich hatte eine ungeheure Angst vor der Zukunft.

Das war Stress. Diesen Stress konnte ich mit Achtsamkeit unter Kontrolle halten. Aber ich wurde seine Ursachen nicht los.

Achtsamkeit verlangsamte zwar mein Hamsterrad. Aber ich kam irgendwie nicht raus. Deswegen stand ich jetzt wieder hier, vor der Tür von Joschka Breitner. Das Ordnen meiner Gedanken brachte bereits ein wenig Klarheit in die aufgewühlten Schwebeteilchen meiner Seele. Dennoch zögerte ich zu klingeln. Unter anderem auch, weil ich mir noch nicht ganz sicher war, wie viel ich Herrn Breitner von meinen Problemen überhaupt erzählen konnte.

Von den schnippischen Bemerkungen Katharinas, die mir immer wieder klarmachten, wie fragil und ungeklärt unsere Beziehung im Grunde sei, würde ich ihm sicherlich erzählen können.

Von meinen Schuldgefühlen gegenüber Emily, weil wir mit unserer Ehe gescheitert waren, würde ich reden.

Von meinem Wunsch, neben Familie und Mandanten einfach auch mal Zeit für mich selber zu haben, wollte ich sprechen.

Von meinen kleinen Ausrastern würde ich berichten, auch wenn sie mir peinlich waren.

All das würde ich zur Sprache bringen. Und bei alldem würde mir Herr Breitner mit Sicherheit helfen können.

Aber über die Dinge, die mich massiv belasteten, würde ich nicht reden können.

Über die Morde, die ich im letzten Frühjahr begangen hatte, würde ich kein Wort verlieren.

Über das Doppelleben, das ich seitdem führte, würde ich schweigen.

Und ganz sicher würde ich nicht über Boris sprechen.

Boris, den russischen Mafioso, den ich im Keller des Kindergartens gefangen hielt. Boris, den einzigen Menschen, der bereits jetzt sowohl das Wissen als auch das Interesse hatte, meine ganze Heile-Welt-Blase platzen zu lassen.

Boris, den ich vor einem halben Jahr entführt hatte, um mein Leben und das Leben meiner Tochter zu retten.

Boris, den ich nicht töten wollte, weil ich das Morden leid war. Der für mich der lebende Beweis war, dass ich zum Morden auch »nein« sagen konnte. Den ich aber weder lebenslang gefangen halten konnte, noch jemals frei lassen durfte. Für dessen Zukunft ich schlicht noch immer keine Lösung gefunden hatte.

Boris, dessen Tod mich genauso belasten würde, wie es sein Leben bereits tat.

Über Boris würde ich nicht sprechen können.

Ich würde Herrn Breitner also nicht alles erzählen. Ich würde einfach so tun, als wäre ich für ein ganz normales Anschluss-Coaching da. Als wollte ich nach einem halben Jahr lediglich mal mit ihm gemeinsam schauen, was sich in meinem Leben Neues ergeben hatte. Ein paar Stellschrauben justieren. Wir hatten ja auch so genug zu besprechen, wenn ich ihm ehrlich erzählte, wie ich aus vielen kleinen Alltagsmücken gedanklich große emotionale Elefanten machte. Die durch den Porzellanladen meiner ansonsten gut gelaunten Seele marschierten. Ich würde offen zugeben, dass ich jedes einzelne dieser Probleme mit einer Achtsamkeitsübung wieder relativ zügig auf seinen tatsächlichen Kern zusammenschmelzen lassen konnte. Aber dass nach einem kurzen Moment der Ruhe und Zufriedenheit sich immer wieder eine grundsätzliche Unruhe, Unsicherheit und Kälte in mir einstellte.

Ich würde offen zugeben, dass ich zwar verstanden hatte, wie ich mit Achtsamkeit so gut wie jedes meiner Probleme in den Griff bekam. Aber dass mir nicht klar war, warum überhaupt immer wieder die gleichen Probleme auftauchten.

Das war der Teil der Wahrheit, den es zu besprechen galt. Deswegen stand ich nun wieder vor der Tür von Joschka Breitner. Und klingelte.

Ich hörte, wie im Inneren des Hauses Scharniere quietschten und Holz über Fliesen glitt. Das Licht im Flur ging an und erleuchtete warm das bunte Milchglasfenster der massiven Holztür. Ruhige, gelassene Schritte näherten sich. Wenige Momente später öffnete sich die Tür. Joschka Breitner stand vor mir. Er begrüßte mich mit einer Vertrautheit, als wäre ich nicht vor einem halben Jahr, sondern erst vor zwei Minuten aus der Tür gegangen.

»Herr Diemel! Schön, dass Sie wieder da sind. Kommen Sie rein.«

»Danke, dass Sie Zeit für mich haben.«

Wir gaben uns die Hand. Er trat zur Seite und ließ mir den Vortritt. Ich ging durch den langen Flur in sein Besprechungszimmer. Nichts hatte sich am Ende dieses Weges verändert. Zwei Stühle, ein Tisch, ein Regal mit Büchern, ein Beistelltisch mit einer gläsernen Teekanne. Herr Breitner trug die gleiche legere Kleidung wie immer. Ausgewaschene Jeans, Baumwollhemd, grobe Strickjacke. Seine nackten Füße in Filzpantoffeln.

Er vermittelte dabei nicht den Eindruck, als wäre die Zeit spurlos an ihm vorübergegangen. Er vermittelte den Eindruck, als sei er selbst die Zeit, und die Welt wäre spurlos an ihm vorübergegangen.

Während ich meine Jacke auszog, musterte mich Herr Breitner interessiert.

»Sie sehen verändert aus«, bemerkte er wertungsfrei.

Ich schaute an mir herunter. Vor einem halben Jahr hatte ich noch Maßanzüge und Designerkleidung getragen. Heute trug auch ich Jeans, dazu T-Shirt, Pullover und Sneaker.

»Ja …«, sagte ich mit einem Lächeln und zuckte mit den Schultern. Es war beruhigend, zunächst mal mit den positiven Veränderungen anfangen zu können. »Ich habe jetzt weniger Kleidungszwänge.«

Aber das war nicht die Veränderung, die Joschka Breitner aufgefallen war.

»Ich meine Ihre Augen. Als wir uns das letzte Mal sahen, war da ein Strahlen. Jetzt haben Sie Ringe unter den Augen«, stellte Herr Breitner liebevoll ehrlich fest.

Liebevolle Ehrlichkeit kann brutal sein. Ich war noch keine zwanzig Sekunden bei ihm, und mir wurde bewusst, dass dies eben kein dahinplätschernder Anschlusstermin werden würde. Sondern eine anstrengende Beschäftigung mit mir selbst. Herrn Breitner war dies offensichtlich bereits klar gewesen, als ich ihn um den Termin gebeten hatte. Das war schließlich sein Job. Er zeigte auf einen der bequemen, mit Kord bespannten Chromrohrstühle. Ich hängte meine Jacke über die Lehne und setzte mich, während Herr Breitner mir aus seiner Glaskanne grünen Tee einschenkte. Mein Schweigen auf seine Feststellung war Bestätigung genug.

»Wir haben uns lange nicht gesehen. Was haben Sie in der Zwischenzeit erlebt?«, fragte er.

Ich trank einen Schluck des lauwarmen Tees und überlegte. Ich hatte vier Menschen ermordet, meine ehemaligen Arbeitgeber erpresst, die früheren Betreiber des Kindergartens gezwungen ihre Anteile zu verkaufen, damit meine Tochter einen Platz bekam, und einen russischen Mafioso entführt. Nichts davon würde Gegenstand dieses Gespräches werden können. Und dass sich im Urlaub ein Kellner wegen mir das Genick gebrochen hatte, würde ich auch nicht explizit erwähnen.

»Ich habe mich beruflich verändert. Ich habe gekündigt und bin jetzt freiberuflich tätig. Meine Tochter ist im Kindergarten. Und wir waren im Urlaub«, druckste ich stattdessen herum.

»Dann zunächst einmal meinen herzlichen Glückwunsch zu der beruflichen Entscheidung.« Herr Breitner wusste, wie sehr ich in der Mühle der Großkanzlei gelitten hatte. »Das erklärt Ihren neuen Kleidungsstil. Was ist der Grund für die Traurigkeit um Ihre Augen?«

Ich sagte nichts. Ich wollte, aber ich konnte nicht. Stattdessen spürte ich, wie sich die Traurigkeit um meine Augen in meinen Augen zu Tränen verflüssigte. Allein schon die Frage überwältigte mich. Wann hatte das letzte Mal ein Mensch festgestellt, dass ich traurig war? Ohne der Grund dafür zu sein? Ich brauchte zwei Atemzüge, um mich zu fassen.

»Ich … Es ist …« Ich suchte nach Worten, die, wenn sie schon nicht die Wahrheit waren, dieser zumindest nicht widersprachen.

Herr Breitner half mir. »Es ist alles gut. Sie sind hier. Verraten Sie mir einfach, warum?«

»Nun, meine Frau meint, dass …«

»Das war nicht meine Frage«, sagte er sanft.

»Bitte?« Ich war irritiert.

»Ich wollte nicht wissen, was Ihre Frau meint«, erklärte mir Joschka Breitner und lächelte sanft. »Würde mich das interessieren, würde ich Ihre Frau fragen. Nicht Sie. Ich wollte wissen, warum *Sie* hier sind.«

»Weil … nun … weil …« Ich streckte die Waffen. Nicht vor Herrn Breitner. Sondern vor mir selber. Ich war nicht der erfolgreiche, selbstständige Anwalt, der alle Probleme seines Lebens geregelt hatte und jetzt ein kleines Achtsamkeits-Update haben wollte. Das konnte ich weder Herrn Breitner noch mir selber vormachen. Ich war hier, weil ich Angst hatte, dass mir mein ganzes Leben in naher Zukunft um die Ohren fliegen würde. Ich brach so ehrlich wie möglich zusammen.

»Weil ich keine Ahnung habe, wie es mit meinem Leben weitergehen soll … mit meiner Ehe, mit meinem … beruflichen Umfeld … mit dem, was noch kommt. Ich habe keine Zeit für mich in der Gegenwart und Angst vor der Zukunft … Und ich habe keine Ahnung, wo ich anfangen soll.«

Herr Breitner schaute mich beruhigend an. Nicht bemitleidend.

»Wissen Sie was? Es wird ja einen Auslöser gegeben haben, der dazu geführt hat, dass Sie bei mir angerufen und um diesen Termin gebeten haben, richtig?«

»Richtig.« Der Vorfall mit dem Hüttenkellner.

Und so begann ich von dem unbeabsichtigten Auslöser für diesen Termin zu erzählen. Nicht ahnend, dass dies der Einstieg werden würde zu einer sehr intensiven Beschäftigung mit meinem inneren Kind. Einem Wesen, das innerhalb kürzester Zeit mit einer unbefangenen Leichtigkeit das fortsetzen würde, womit ich vor knapp sechs Monaten erleichtert aufgehört hatte: das achtsame Morden.

2 URLAUB

»Der Sinn des Urlaubs ist das Abschalten. Je konsequenter Sie
die Reize abschalten, die Sie im Alltag negativ beeinflussen,
desto größer die Entspannung. Abschalten bedeutet nicht Isolation.
Ersetzen Sie die Push-Nachricht auf dem Handy einfach durch
ein Gespräch mit einer Urlaubsbekanntschaft.«

JOSCHKA BREITNER,
»ENTSCHLEUNIGT AUF DER ÜBERHOLSPUR –
ACHTSAMKEIT FÜR FÜHRUNGSKRÄFTE«

VON MEINEM VERGANGENEN Urlaub zu erzählen war sicheres Terrain für mich. Hier gab es nicht zu viel zu verschweigen. Sicherlich würde ich ein paar Dinge kreativ umschreiben müssen. Zum Beispiel den mich belastenden Tod des Kellners. Aber der sollte die lediglich für mich sichtbare Spitze des Eisberges bleiben, auf den das Schiff meines Lebens gerade zusteuerte. Herr Breitner würde die Kollisionsgefahr als Profi sicherlich auch so erkennen.

»Wir waren letzte Woche für ein paar Tage in den Alpen«, begann ich.

»Wer ist wir?«

»Meine Frau Katharina, meine Tochter Emily und ich.«

»Sie wohnen weiterhin getrennt?« Joschka Breitner hatte vor einem halben Jahr die Idee ins Spiel gebracht, dass wir uns räumlich trennen, um achtsamer mit uns und unseren Eheproblemen umgehen zu können. Und das hatte in der Tat das Verhältnis zwischen Katharina und mir verbessert.

»Ja – und das funktioniert gut.«

»So gut, dass Sie trotz räumlicher Trennung gemeinsam in Urlaub fahren?«

»Nun, wir haben gemeinsam einem wunderbaren Kind das Leben geschenkt. Und unseren zwei getrennten Leben ein wunderbares gemeinsames Kind. Der Teil des anderen, der in Emily steckt, wird für immer in Liebe ein Teil des Lebens des anderen

31

sein. Auf der Basis kann man durchaus gut gemeinsam in den Urlaub fahren.«

»Haben Sie und Ihre Frau Sex?«, wollte Herr Breitner unvermittelt wissen.

»Ich kann nicht für meine Frau sprechen, aber wenn Sie mich fragen …«

»Ich meine Sie gemeinsam. Sie sind verheiratet und fahren gemeinsam in Urlaub. Haben Sie ein gemeinsames Sexleben?«

Ich überlegte, wie ich das formulieren sollte. Wir hatten ein sehr fantasievolles Sexleben. Insofern, als Sex nur noch in unserer Fantasie stattfand. Zumindest in meiner. Ich hätte jederzeit gern mit Katharina geschlafen. Im Bett hatten wir uns immer gut verstanden. Aber mit unserer räumlichen Trennung, die uns guttat, war auch eine körperliche Trennung zwischen uns eingetreten. Die ich bedauerte. Ich drückte es so aus: »Im Urlaub haben wir uns zwar ein Zimmer geteilt. Aber ›miteinander schlafen‹ hieß da maximal ›Rücken-an-Rücken‹.«

Herr Breitner nickte verständnisvoll. »Verstehe. Eine Stellung, die im Kamasutra nicht erwähnt wird. Haben Sie mal offen mit Ihrer Frau über Ihr fehlendes Sexleben gesprochen?«

»Meine Frau verwendet eine Schlafbrille und Ohropax, wenn sie neben mir im Bett liegt. Da sind auch die Gespräche sehr einseitig. Aber ehrlich gesagt, ist mein fehlendes Sexleben nicht der Grund, weshalb ich hier bin.«

»Vor zwei Minuten konnten Sie den Grund, warum Sie hier sind, noch nicht formulieren. Deswegen wollten wir erst einmal über den Anlass Ihres Anrufes reden. Den Gründen, warum Sie hier sind, nähern wir uns erst noch«, erläuterte mir Herr Breitner. »Aber ich will Sie nicht länger unterbrechen. Sie hatten also einen gemeinsamen Familienurlaub. Erzählen Sie bitte weiter.«

»Den Zeitpunkt des Urlaubs hatten wir ganz bewusst gewählt.

Katharina will zum ersten Oktober wieder halbtags ihre alte Stelle als Abteilungsleiterin bei einer Versicherung übernehmen. Emily ist jetzt ein gut eingewöhntes Kindergartenkind. Im September sind die Schulferien vorbei, der größte Touristen-Ansturm ist vorüber. Es war der ideale Zeitpunkt, vorher noch einmal gemeinsam in Urlaub zu fahren.«

»Und warum die Alpen?«

Dass wir schlicht und ergreifend keine Lust hatten, den ersten und vor allem den letzten Urlaubstag einer Mallorca-Reise mit einer Dreijährigen inmitten von betrunkenen Pauschalurlaubern auf einem Flughafen zu verbringen, klang mir zu profan.

»Wir hatten Lust auf Berge.«

Und ab dem Moment, wo wir uns für die Berge entschieden hatten, stimmte das auch. Wir hatten vom Allgäuer Tourismusbüro einen kleinen Familienbauernhof für einen entschleunigten Urlaub empfohlen bekommen. Und diese Empfehlung erwies sich als goldrichtig. An unserem Zielort passte einfach alles. Der Hof lag idyllisch in einer Senke zwischen zwei Dörfern. Mitten in einem vielversprechenden Funkloch. Digital Detox war hier noch keine Modeerscheinung, sondern jahrhundertealte Tradition. Der Dieselmotor wurde noch bestimmungsgemäß dazu genutzt, Distanzen zwischen Menschen zu überbrücken – nicht, sie zu schaffen. Kühe galten hier seit Jahrtausenden als natürliche Existenzgrundlage – nicht als Klimakiller. Nachts hörte man bei offenem Fenster nur das Rauschen der Bäume – und keine Menschen im Vollrausch. Elektrobatterien wurden zum Einzäunen von Rindviechern benutzt – nicht zu deren Fortbewegung auf Kinderrollern.

Kurz: Hier war die Welt noch wie früher – in Ordnung.

»Und eigentlich war der Urlaub auch perfekt. Bis wir diese Hüttenwanderung machten.«

Katharina, Emily und ich hatten nach einer zweistündigen Wanderung verschwitzt, durstig und hungrig die Terrasse einer wunderschönen Berghütte erreicht. Die Hütte schmiegte sich oberhalb der Baumgrenze auf einem kleinen Plateau an die Nordseite der Allgäuer Voralpen. Es war kurz vor Mittag, und die Sonne beschien trotz der Nordseitenlage die ganze Terrasse. Das Plateau fiel zu einer Seite steil in eine kleine Schlucht ab, an der die Hütte über eine Lastenseilbahn zu erreichen war. Ansonsten war die Hütte rundherum von Almwiesen umgeben. Das Läuten der Kuhglocken hatte den gleichen Effekt wie Meeresrauschen an der Küste: Ein entspannender Klangteppich legte sich über die Sorgen des Alltags. Exakt so, wie von mir erhofft.

Ich trug seit anderthalb Stunden Emily auf den Schultern. Es war eine Freude gewesen, durch die Augen meiner Tochter noch einmal einen Berggipfel, eine Seilbahn, eine Kuhweide entdecken zu dürfen. Katharina war ausgeglichen wie lange nicht mehr. Kein Lästern über andere. Sie schien unter dem Eindruck der Natur und der körperlichen Anstrengung tatsächlich in sich selbst zu ruhen. Es war noch nicht ganz Mittagszeit, und auf der Alm waren fast alle der zehn langen Holztische mit rustikalen Bänken frei und luden uns ein, an ihnen Platz zu nehmen. Nur an zwei Tischen saßen andere Wanderer und tranken still und zufrieden ihre Getränke. Das Wetter war fantastisch, und jeder einzelne Platz bot einen fast einhundert Kilometer weiten Blick auf die malerischen Landschaftswellen des Allgäus.

»Als ich Emily von den Schultern und den Rucksack vom Rücken genommen hatte, fehlte mir zu meinem Glück nur noch ein dampfender Teller mit von Puderzucker bedecktem Kaiserschmarrn, eine eisgekühlte Flasche Almdudler und ein auf Hochglanz polierter Landjäger. Und ein Klo.«

»Warum?«, fragte Herr Breitner.

»Ich musste mal.«

»Nein, ich meine, warum ausgerechnet diese Essenskombination? Dampfender Teller. Puderzuckerbedeckter Kaiserschmarrn. Eisgekühlter Almdudler. Auf Hochglanz polierter Landjäger. Das sind alles sehr konkrete, sehr bildliche Beschreibungen.«

»Weil das Bilder aus meiner Kindheit waren. Kindheitserlebnisse, die ich an Emily weitergeben wollte. Ein Kaiserschmarrn mit meiner Tochter. Erschöpft, hungrig und glücklich. Nach einer tollen Bergwanderung. Das hatte ich mir für diesen Tag vorgenommen.«

»Sie waren als Kind oft in den Alpen?«

Ich überlegte. Ich hatte eigentlich nur ein einziges Mal mit meinen Eltern Urlaub in den Alpen gemacht.

»Nein … nicht so oft.«

»Aber Sie haben damals auf den Hütten regelmäßig Kaiserschmarrn, Almdudler und Landjäger bekommen?«

Ich überlegte und spürte, wie mir bei dem Thema selbst hier bei Herrn Breitner aus dem Nichts heraus unwohl wurde. »Ist das wichtig?«

»Vielleicht. Aber erzählen Sie weiter.«

Herr Breitners Einwand irritierte mich kurz. Aber ich fuhr fort.

»Jedenfalls – Katharina setzte sich in die Sonne, Emily rannte zur nächsten Kuh auf der Weide neben der Hütte, ich zur Toilette.«

Auf meinem Weg zu den sanitären Anlagen im Inneren der Hütte traf ich Nils. Er stand neben dem Hütteneingang, trank eine Flasche Almdudler und checkte auf seinem Handy irgendeinen Social-Media-Account. Anhand seines elektronischen Bestellblocks, den er in einer Tasche am Gürtel stecken hatte, war er als Kellner der Hütte zu erkennen. Und an seinem Namensschild.

Ich fragte Nils freundlich, ob ich drinnen meine Wünsche äußern solle, oder ob wir gleich draußen am Tisch bestellen könnten. Ein genervtes »Ja, ja. Komme gleich« war alles, was er mir ohne aufzublicken zuraunte. Das war weder eine Antwort auf meine Frage noch das entgegenkommende Verhalten, das ich mir als Gast auf einer Almhütte wünschte.

»Ich wollte Sie nur höflich fragen, ob ...«, versuchte ich den Teil meines Urlaubs, den ich zwangsläufig mit ihm auf dieser Hütte verbringen musste, harmonisch zu gestalten.

»Hab grad Pause.« Komme-gleich-Nils drehte sich von mir weg, offensichtlich in seine Pause hinein, und bediente dort ausschließlich sein Handy.

Ich schaute mir den Teil von ihm, den ich noch sah, ein wenig genauer an.

Nils war zwar maximal Ende zwanzig, wirkte aber wie jemand, den das Leben seit minimal vierzig Jahren zu Tode langweilt. Seine Gäste trugen Wanderschuhe, Wanderhosen, durchschwitzte Oberteile und hatten eine gesunde Bräune im Gesicht. Nils war leichenblass und trug lilafarbene Wildleder-Sneakers, eine schwarze Skinny-Jeans und ein zu großes, dunkelgrünes V-Neck-T-Shirt mit Glitzer-Camouflage-Pailletten. Die Pailletten bildeten den schönen Schriftzug »Save the planet«. Nils hätte genauso gut Barista-Imitator im Prenzlauer Berg seien können. In die Alpen passte er wie Heidi ins Berghain.

Mit seinen zirka eins fünfundsiebzig wirkte er für sein Gewicht fast einen halben Meter zu groß. Seine Frisur war das Einzige, was in die Landschaft passte. Sie sah aus, wie von einer Kuh in Form geleckt. Sein flaumiger Oberlippenbart wiederum passte weder in die Alpen noch in sein Gesicht. Nils war exakt der Typ von Mensch, dessentwegen man Urlaub in den Alpen macht: um ihm wenigstens für eine Woche mal nicht zu begegnen.

Um sein »Komme-gleich« nicht an logistischen Hürden scheitern zu lassen, versorgte ich ihn vor meinem Weitergang zur Toilette noch mit allen zu unserem Auffinden notwendigen Informationen.

»Gut – also wir sitzen am dritten Tisch vom Eingang. Aber das sehen Sie ja dann, nach der Pause. Ist ja eh noch fast alles leer draußen.«

»Ja, ja«, erwiderte Nils, erneut ohne aufzublicken.

Es wäre für alle Beteiligten besser gewesen, wenn Nils und ich uns nie getroffen hätten.

3 ANDERE MENSCHEN

»Achtsamkeit beseitigt den Stress, den Sie sich wegen anderer
Menschen machen.
Achtsamkeit beseitigt nicht die anderen Menschen.
Aber vor allem: Achtsamkeit beseitigt nicht die Ursachen dafür,
dass Sie sich immer wieder von anderen Menschen triggern lassen.
Diese Ursachen liegen in Ihnen. Nur Sie können sie entdecken
und beheben.«

JOSCHKA BREITNER,
»DAS INNERE WUNSCHKIND.«

EIGENTLICH HÄTTE ICH nach der schönen Wanderung erschöpft in mir selbst ruhen sollen. Aber aus irgendeinem Grund gingen mir Nils der Kellner und sein ablehnendes Verhalten nicht aus dem Kopf. Das stand in direktem Gegensatz zu der Atmosphäre, die ich mir für unsere Wanderpause auf der Alm vorgestellt hatte. Aber als achtsamer Mensch hatte ich das Handwerkszeug gelernt, solchem Kleinigkeiten-Ärger mit Gelassenheit zu begegnen. Ich machte noch in der Toilettenkabine eine kleine Steh-Meditation. Ich hatte Urlaub. Ich war mit Frau und Tochter in den Bergen. Bei bestem Wetter. Mir fehlten nur noch die eisgekühlte Flasche Almdudler sowie der Kaiserschmarrn und ein paar Landjäger zum perfekten Tag.

Auf der Terrasse setzte ich mich zu Katharina und Emily, deren Interesse an Kühen zwischenzeitlich einem Interesse an elterlicher Nähe gewichen war. Die Terrasse füllte sich nach und nach mit weiteren Wanderern, die offenbar ebenfalls ein Interesse an Nahrungsaufnahme hatten. Nur einer Person schien dieses geballte Interesse egal zu sein: Nils. Er glänzte die nächsten zehn Minuten durch Abwesenheit. Katharina und Emily nutzten derweil das majestätische Panorama als größtmögliches »Ich sehe was, was du nicht siehst«-Spielfeld. Emily genoss dabei ihr Lieblingsgetränk: ein von mir im Schweiße meines Angesichts im Rucksack auf den Berg geschlepptes »Fruchtquetschie«. Ich saß mit meinem Hunger und meinem Durst daneben und schaute mir die Terrasse an.

Bis auf einen waren nun alle Tische mit Gästen besetzt. Katharina fragte mich, ob ich nicht auch mitspielen wolle. Mir fehlte dazu aber die Muße. Ich konnte nicht gleichzeitig einen abwesenden Kellner beobachten und Dinge nicht sehen, die andere sahen. Multitasking hatte ich mir aus Achtsamkeitsgründen abgewöhnt. Dass der Kellner nicht kam, nervte mich.

»Ich sehe nicht, was du nicht siehst, und das ist Kellner«, merkte ich deswegen lakonisch an. Katharina, die meinen Humor oftmals nicht teilte, verzog erstmals an diesem Tag missbilligend das Gesicht.

Emily liebte meine Abwandlung des Spiels und fuhr begeistert fort: »Ich sehe nicht, was du nicht siehst, und das ist Einhorn!« Da meine Tochter noch keinen Kaiserschmarrn kannte, enttäuschte sie dessen kellnerbedingte Abwesenheit offensichtlich nicht in gleichem Maße wie mich.

Den letzten freien Tisch nahm dann eine Gruppe von fünf Bundeswehrsoldaten in Zivil ein, deren tarnfarbene Rucksäcke alles über ihren Beruf verrieten. Ich versuchte, mich nicht darüber aufzuregen, dass wir jetzt nur noch ein Tisch unter vielen waren und meine Kaiserschmarrn-Bestellung in immer weitere Ferne rückte. Ich versuchte stattdessen, achtsam den Augenblick zu genießen. Aber irgendwie fand ich den Augenblick vor zehn Minuten schöner. Als wir noch die einzigen neuen Gäste waren. Und voller Hoffnung auf eine schnelle Bedienung.

Der »Wir. Dienen. Deutschland.«-Slogan der Bundeswehr war mir bereits heute Morgen auf einem Bus an der Talstation aufgefallen. Der Slogan »Wir. Bedienen. Deutschland.« als Hüttenmotto wäre mir in diesem Moment wesentlich lieber gewesen.

»Björn, bestellst du uns bitte einen Kaiserschmarrn mit Apfelmus? Wir sind mal kurz für kleine Mädchen«, riss mich Katharina aus meinen trübseligen Gedanken und verschwand mit Emily in Richtung Toilette. Emily ließ ihren leeren Fruchtquetschie auf dem Tisch liegen.

Und da, endlich, kam Nils auf die Terrasse. Mit einem Stapel Speisekarten unter dem Arm. Er verteilte die Karten wahllos an den verschiedenen Tischen. Ohne jedes erkennbare System. Ich sah meine Chance, sein offensichtlich fehlendes Wissen über die Reihenfolge der Gäste durch eigene Schnelligkeit auszugleichen.

»Ich brauche keine Karte, ich kann sofort bestellen. Ich hätte gerne Kaiserschmarren, Almdudler und ... haben Sie Landjäger?«

»Sind das diese Fleischdinger?«, war seine leicht angewiderte Gegenfrage. »Von mir aus sollte auf Hütten nur vegan gegessen werden. *Aber bitte*. Moment ...«

Nils versuchte, seinen elektronischen Bestellblock auf den restlichen Speisekarten in der Hand zu lagern. Erfolglos. Ich versuchte zu verstehen, was Menschen, die sich völlig freiwillig dazu entschlossen hatten, andere Menschen gegen Geld zu bedienen, dazu brachte, diese Menschen kostenlos zu belehren. Ebenfalls erfolglos. Ich wagte einen weiteren Anlauf.

»Sie brauchen den Computer doch gar nicht. Ich möchte nur drei ganz einfache ...«

»Moment, ich muss erst die Speisekarten verteilen«, unterbrach mich Nils, verschwand mit den Speisekarten an einen anderen Tisch und glänzte statt mit Leistung lediglich mit seinen »Save the Planet«-Glitzerpailletten. Den Anspruch, die Welt zu retten, hielt ich ein wenig gewagt für jemanden, der noch nicht einmal siebzig Quadratmeter Almterrasse im Griff hatte. Nils ließ mich sprachlos und mit aufkeimender Wut zurück.

In dem Moment kamen Katharina und Emily wieder. Emily setzte sich freudig auf meinen Schoß. Katharina setzte sich mir gegenüber, schaute irritiert über den nach wie vor leeren Tisch und fragte vorwurfsvoll: »Hast du etwa noch nicht bestellt?«

Fünf Minuten vorher war ich noch der Buhmann, weil ich mich über die Abwesenheit des Kellners beschwert hatte. Jetzt wurde mir offensichtlich ein persönlicher Vorwurf aus dem Verhalten des anwesenden Kellners gemacht. Zweieinhalb Stunden erwanderter Entspannung waren verflogen. Ich fing an, mich innerlich aufzuregen. Vor allem darüber, dass ich mich innerlich aufregte. Und: War das nicht Kaiserschmarrn, was ich da gerade roch?

»Ich hätte ja gern bestellt. Aber das Einhorn, das Emily nicht gesehen hat, ist ein wenig organisierter als der Kellner, der noch nicht da war.«

»Reg dich nicht auf. Wir haben Urlaub.«

»Wir ja. Der Kellner aber nicht.«

Als Nils wieder an unserem Tisch vorbeikam, hatte er nicht nur bereits wieder vergessen, was ich bestellen, sondern dass ich überhaupt bestellen wollte. Er sah allerdings Emilys leeres Fruchtquetschie. Er nahm es mit spitzen Fingern an sich. Anstatt meine Bestellwünsche zu erfragen, äußerte er uns gegenüber seine Wünsche nach einer perfekten Welt:

»Wussten Sie, dass bei der Produktion einer einzigen Fruchtquetschie-Verpackung hundert Gramm CO_2 frei werden? Wenn es nach mir ginge, dann wären die Alpen plastikfreie Zone.«

Ich bin ein Freund von umweltbewusstem Handeln. Und ich freue mich über jedes neue Wissen, das mir kostenlos vermittelt wird. Aber in diesem Moment war ich hungrig und hatte eines gründlich satt: ungefragte Belehrungen von Servicepersonal auf leeren Magen.

»Plastikfreie Zone hatte dein Vater ja offensichtlich schon untenrum bei deiner Zeugung. Das war ja wohl auch kein so erfolgreiches Konzept.«

Hatte ich das eben laut gesagt? Katharina legte mir entsetzt ihre Hand auf den Arm, mit dem ich gerade den Kellner zu mir ziehen wollte. Ich war selber ein wenig erstaunt darüber, dass ich spontan dazu in der Lage war, zwei völlig unzusammenhängende Sachverhalte zu einer gezielten Beleidigung zusammenzufassen. Eigentlich war das gar nicht meine Art. Zum Glück intervenierte in diesem Moment die Bundeswehr deeskalierend. Die Soldaten riefen laut nach Getränken. Nils floh ohne ein weiteres Wort einfach zum lautesten Tisch.

»Wo hatte der Vater von dem Mann denn plastikfreie Zone?«, wollte Emily wissen und bewahrte mich mit dieser Frage vor einer sofortigen Zurechtweisung durch Katharina.

»Der Papa hat nur einen Scherz gemacht, mein Schatz«, klärte Katharina Emily auf. Mit einem Blick zu mir, der verriet, dass sie absolut nicht zu Scherzen aufgelegt war. Aber wir hatten uns zum Prinzip gemacht, uns vor Emily nie offen zu streiten.

»Papa – ich hab Hunger«, unterbrach Emily mein Wegducken unter dem bösen Blick Katharinas. Das war der Punkt, an dem ein weiteres Warten für mich keine Option mehr darstellte. Mich und meine gastronomischen Kindheitserinnerungen konnte man meinetwegen mit Füßen treten. Aber die realen Kindheitsbedürfnisse meiner Tochter nach Nahrung und Getränken nicht.

Nils wollte gerade wieder an unserem Tisch vorbei wahllos zu anderen wartenden Gästen gehen, als ich zur Tat schritt. Ich hielt ihn am Saum seines Glitzer-T-Shirts fest und zog ihn zurück an unseren Tisch. Schon wieder war ich ein wenig verwundert, warum ich das tat. Ich verabscheute körperliche Auseinandersetzungen. Katharina guckte entsetzt.

»Halt! Wir sind jetzt dran.«

»Ich … will nur kurz …«, stotterte der Kellner.

»Man sagt nicht ›Ich will‹, sondern ›Ich möchte‹. Und ich möchte jetzt bestellen. Sofort!«, sagte ich mit zurückgenommener, aber sehr entschlossener Stimme.

Als Nils verstand, dass sich mein Griff um seinen T-Shirt-Zipfel nur lockern würde, wenn er hier und jetzt seinen Gastro-Computer hervorholte, war endlich der Weg frei für unsere Bestellung: zwei Kaiserschmarrn, eine eisgekühlte Flasche Almdudler und einen Landjäger zum Mitnehmen.

»Das war inakzeptabel und grob«, tadelte mich Katharina, als Nils kleinlaut von unserem Tisch verschwand.

»Wäre dir ein sanfterer Weg eingefallen?«, fragte ich zurück.

»Nein, aber du warst in den letzten Wochen so ein ausgeglichener Mensch. Auch in den Bergen kann man achtsam wandern.«

»Ich würde sogar achtsam bestellen. Dafür bedarf es aber eines aufmerksamen Kellners. Und nicht so einer Nulpe.«

»Zerstöre bitte nicht diesen schönen Tag mit deiner schlechten Laune. Unser Essen kommt ja sicher gleich.«

Nicht das Problem zerstört den schönen Tag, sondern derjenige, der auf das Problem hinweist. Das war Katharinas Lebenseinstellung.

Unser Essen kam. Allerdings weder gleich noch zu uns. Die ersten beiden Kaiserschmarrn bekam ein Tisch, der lange nach uns bestellt hatte. Meine eisgekühlte Flasche Almdudler bekam einer der Berufssoldaten, der sie zwischen zwei längst erhaltenen Hefeweizen wegzischte, weil Nils offensichtlich nicht mehr wusste, welche Nummer zu welchem Tisch gehörte. Katharina und ich nutzten die Zeit, um uns in der warmen Sonne mit einem eisigen Schweigen zu erfrischen. Nach zwanzig Minuten bekamen wir endlich unseren Kaiserschmarrn. Und eine lauwarme Flasche Almdudler. Mein Landjäger allerdings hatte die Küche immer noch nicht verlassen, als unsere Teller längst leer waren. Dafür hatte Emily unseren Tisch verlassen und spielte fröhlich und ausgelassen am Wassertrog vor der Hüttenterrasse mit dem eiskalten, glasklaren Wasser, das ich auch sofort und umsonst hätte trinken können.

Und was tat ich? Ich kochte vor Wut. Katharina sah mir das an. Sie versuchte einen versöhnlichen Anlauf.

»Der Kaiserschmarrn war lecker!«, sagte sie zufrieden und beruhigend.

Ich sagte nichts.

»Was ist los?«, fragte sie schon wieder vorwurfsvoller.

»Der Idiot hat meinen Landjäger vergessen«, stellte ich fest.

»Dann frag halt noch mal nach, und lass deine Laune nicht an mir aus.«

»Darum geht's doch überhaupt nicht«, brüllte ich fast. »Ich muss das ganze Jahr über funktionieren. Und im Urlaub soll ich mich dann Idioten unterordnen, die keinen Plan davon haben, was sie tun?«

»Aber du kannst dich doch nicht wegen einer fehlenden Wurst so …«

»Hier geht es nicht um die Wurst! Hier geht es …« Ich hatte ehrlich gesagt selber keine Ahnung, warum mich diese fehlende Wurst so unfassbar wütend machte oder worum es mir tatsächlich ging. Aber tief in meinem Inneren hatte ich das unglaublich klare Gefühl, unglaublich ungerecht behandelt worden zu sein. Sofort ein dampfender Teller Kaiserschmarrn, eine eisgekühlte Flasche Almdudler, ein auf Hochglanz polierter Landjäger – das waren drei selbstverständliche Kleinigkeiten. Mehr wollte ich gar nicht. Nichts davon hatte ich bekommen. In mir schrie eine kleine Stimme, laut und fast unhörbar hoch, gegen diese Ungerechtigkeit an. Katharina sah nur die fehlende Wurst. Für mich hatte der Kellner mein permanent randvolles Sorgenfass mit seiner Ignoranz zum Überlaufen gebracht.

»Hier geht es ausnahmsweise mal um mich! Kann vielleicht wenigstens einmal im Urlaub auch etwas so passieren, wie ich mir das wünsche?«

»Ach, mal wieder geht es nur um dich? Weißt du eigentlich, was du für ein selbstsüchtiger Egoist bist?«

»Solange ich egoistisch alles zahle, scheint dir das ziemlich egal zu sein.«

Nils stand vier Tische weiter und ignorierte auch jedes Zeichen von mir, dass ich zahlen wollte. Ich wollte aufstehen und zu ihm gehen. Katharina hielt mich zurück.

»Lass es. Das bringt doch nichts, wenn …«

Wurde ich gerade von meiner Frau wie ein Kind zurückgehalten? Nicht mit mir. Ich stand auf. Ging zu Nils. Stellte mich neben ihn.

»Zahlen.«

»Sofort, ich …«

»Jetzt. Da vorne.«

Ich stapfte zurück zu unserem Tisch. Die Gäste an den anderen Tischen schauten verständnisvoll. Im Nachhinein glaube ich allerdings, dass sie voller Verständnis für Katharina waren. Nicht für mich.

»Ich zahle«, bestimmte Katharina. »Du vertrittst dir bitte die Beine und kommst erst mal wieder runter.«

Ich wollte Katharina mein Portemonnaie geben, doch sie winkte ab. Zickig.

»Ich habe selber immer genügend Bargeld dabei. Seit mein Mann sein eigenes Leben lebt.«

Aha. Finanziell überflüssig war ich also auch. Und vielen Dank, Nils, dass du uns ausgerechnet im Urlaub wieder auf das Eis unserer Eheprobleme geschoben hast.

»So eine Hüttenscheiße hier«, sagte ich.

Der soll sich den Landjäger sonst wohin schieben, dachte ich.

»Vielen Dank für deine Unterstützung!« Wütend stampfte ich weg und ließ eine jetzt ebenfalls wütende Ehefrau zurück.

»Wofür machst du eigentlich dieses ganze Achtsamkeitsgedöns?«, hörte ich sie mir noch hinterherraunzen.

Ja, wofür? Ich erkannte mich selbst nicht wieder. Ich war nie ein Choleriker gewesen. Ganz im Gegenteil. Früher fraß ich Ärger eher in mich hinein. Bis ich die Achtsamkeit für mich entdeckte, dank der ich in den letzten Monaten wunderbar funktioniert hatte. Und jetzt brachte mich eine fehlende Rohwurst so aus dem Konzept? Aber vielleicht war es genau das. Vielleicht hatte ich es einfach satt, monatelang mit eiserner Disziplin an mir selbst zu arbeiten, wenn jeder dahergelaufene Kellner achtlos auf meinen Bedürfnissen rumtrampeln durfte. Und meine Frau mich wie ein Kind behandelte. Ich war stinksauer. Aber Katharina hatte in einem Punkt recht. Ich sollte mich selbst aus dieser Sackgasse befreien, statt gegenüber Nils noch eine weitere Szene zu veranstalten. Deshalb war ich aufgestanden. Deshalb suchte ich nach einem Ort, um mich zu beruhigen. Ich beschloss, eine Runde ums Haus zu gehen.

Ich hatte die Hütte zur Hälfte umrundet und stand auf einmal auf der Laderampe der Lastenseilbahn. Völlig allein. Von der Gästeterrasse aus war die Laderampe nicht sichtbar. Ich stand hier inmitten von zahlreichen leeren Kisten Almdudler, die auf den Abtransport ins Tal zu warten schienen. Die Rampe sah aus wie der Hinterhof einer Kneipe. Was sie im Grunde ja auch war.

Es war angenehm kühl hier, weil die Hütte Schatten warf. Es war still, und die Luft war frisch.

»Um selber auch innerlich abzukühlen, stellte ich mich, die Füße schulterbreit auseinander, die Arme locker am Körper abfallend, ans Geländer, schaute ins Tal und spürte meinen Atem.« Diesen Teil der Geschichte konnte ich Herrn Breitner sogar voller Stolz erzählen. »Wie von Ihnen gelernt, beruhigte ich mich sehr schnell wieder. Alles halb so schlimm. Im Hier und Jetzt war ich satt. Ich hatte keinen Durst mehr. Meine Tochter genoss den Ausflug. Ich hatte Urlaub, und uns erwartete eine schöne Seilbahnfahrt zurück zur Talstation.«

»Sie haben sich aufgeregt. Das kommt bei den meisten Menschen vor. Sie haben sich selbst wieder abgeregt. Das kommt bei den wenigsten Menschen vor. Wo liegt das Problem?«, wollte Herr Breitner wissen.

»Das Problem liegt darin, dass sich die gleiche Stimme, die sich zuvor schon über die Ungerechtigkeit empört und mich auf hundertachtzig gebracht hat, wieder bei mir meldete.«

Ich erzählte also weiter: Dieselbe kindliche Stimme, die vorhin so hoch und laut und fast unhörbar in mir geschrien hatte, sagte mir nun, nachdem ich mich beruhigt hatte, ziemlich entrüstet, dass es das ja wohl noch nicht gewesen sein konnte. Nils hatte mir meinen Wunsch-Hütten-Tag versaut. Ich sollte ihm zumindest auch ein Stück weit den seinen versauen. Und egal woher diese innere Stimme kam – ich hatte das Gefühl, dass sie recht hatte. Ein ganz klein wenig Rache würde mir guttun.

Während ich meinen Blick über den kleinen Hinterhof gleiten ließ, kam mir eine Idee. Die Absperrung zur Lastenseilbahn bestand aus einem kleinen Tor, das mit zwei Riegeln verschlossen war. Die Almdudler-Kisten standen neben dem Tor. Wenn nun jemand die Almdudler-Kisten vor das Tor schieben, leicht kippen und die Riegel öffnen würde? Dann würde die nächste Kiste Leergut, die irgendein vertrottelter Kellner auf den Getränkekisten-Turm stellen würde, diesen zum Kippen bringen. Die Kisten würden gegen das Tor fallen. Das Tor würde sich öffnen und ein paar Dutzend Flaschen Leergut würden samt Kisten ins Tal stürzen. Zu wissen, dass Nils sich dafür aller Wahrscheinlichkeit nach Ärger einfangen würde, war mir Befriedigung genug.

Ich zog die drei übereinandergestapelten Kisten mit leeren Flaschen einen Meter weit nach links, vor das Tor der Lastenseilbahn. Ich kippte den kleinen Turm in Richtung Tor und klemmte einen flachen Stein unter die unterste Kiste. Der Turm neigte sich Richtung Tal, kippte aber noch nicht. Erst die nächste Kiste würde ihn zum Einsturz bringen. Ich entriegelte das Tor. Etwas in mir kicherte vergnügt. Ich ging mit kindlicher Vorfreude über das sichere Gelingen meines kleinen Streiches zurück zur Terrasse.

Katharina hatte gerade gezahlt. Und sich ebenfalls beruhigt. Ich legte ihr als Zeichen der Versöhnung wortlos die Hand auf die Schulter. Sie schob sie weg. Mit einem leidenden Gib-mir-Zeit-dein-Verhalten-zu-verarbeiten-bis-dahin-bin-ich-einfach-sehr-enttäuscht-von-dir-Blick. Vorwurfsvolles Schweigen fand ich noch entwürdigender als ausgesprochene Vorwürfe. Ich hatte schon für wesentlich weniger vorwurfsvolle Seufzer den jährlichen Geburtstags-Pflichtanruf bei meiner Mutter beendet.

Ich schulterte den Rucksack und folgte Emily, die bereits in Richtung Seilbahn vorausgelaufen war. Katharina trottete in zwanzig Meter Abstand schweigend hinter uns her.

Den Rettungshubschrauber der Bergwacht sahen wir, als wir dreißig Minuten später mit der Gondel zur Talstation hinunterfuhren.

4   SELBSTVORWÜRFE

»Selbstvorwürfe sind sinnlos. Sie lösen ein Problem nicht.
Sie kopieren es lediglich aus der Realität in Ihre Gedanken.
Und lassen es dort zu einer Größe anwachsen, die es in
der Realität nie erreichen würde.«

JOSCHKA BREITNER,
»ENTSCHLEUNIGT AUF DER ÜBERHOLSPUR –
ACHTSAMKEIT FÜR FÜHRUNGSKRÄFTE«

DER HUBSCHRAUBER landete nicht auf der Almwiese vor der Hütte des Alpenvereins, sondern er schwebte über der Bergstation der Lastenseilbahn. Ein Rettungskorb und ein Bergretter wurden dort offensichtlich abgeseilt. Ich hatte das ungute Gefühl, dass das etwas mit ein paar wackeligen Getränkekisten und einem nicht ordnungsgemäß verschlossenen Tor zu tun haben könnte. Als wir im Tal angekommen waren, fragte ich am Kassenhäuschen mit rein touristischem Interesse in der Stimme, was denn da oben für eine Rettungsaktion laufen würde. Der Mann gehörte, wie alle Mitarbeiter der Bergbahn, zu den freiwilligen Bergrettern und war über Funk bestens über die Rettungsaktion informiert.

»Ganz üble Sache. Ein Kellner ist von der Terrasse abgestürzt.«

Ach. Du. Scheiße. Der Streich war wohl offensichtlich übers Ziel hinausgeschossen. Mir wurde eiskalt.

»Hat er ... Ist es schlimm?«

»Keine Ahnung. Scheint zumindest nicht mehr allein hochklettern zu können. Die Kollegen sind auf dem Weg zu ihm.«

Also mindestens ein gebrochenes Bein. Verdammt. Das hatte ich nicht gewollt. Ein bisschen Ärgern wäre okay gewesen. Aber das war zu viel und tat mir bereits jetzt unendlich leid. Da ich allerdings weder von meiner Frau noch von mir selber wie ein Kind behandelt werden wollte, musste ich den Tatsachen erwachsen ins Auge sehen: Ich hatte großen Mist gebaut. Von meinen Selbst-vorwürfen würde es Nils allerdings nicht besser gehen. Und von meinem Selbstmitleid schon mal gar nicht.

»Ganz armer Bua«, murmelte der Ticketverkäufer vor sich hin.

Katharina, der der Kellner im Gegensatz zu mir tatsächlich egal war, wollte schon weitergehen, aber irgendetwas in mir wollte mehr erfahren

»Kennen Sie den Kellner?«

»Nein, aber mein Bruder. Der betreibt die Hütte. Der Kellner ist so ein Stadtmensch aus dem Norden. Wollte hier freiwillig ir-gendein Nachhaltigkeitspraktikum im Gastrobereich machen. Keine Ahnung, was das ist. Aber ist jetzt wohl vorbei.«

»Und wie ist er in die Schlucht gefallen?«, wollte Katharina nun doch wissen.

»Wollte anscheinend auf einer Getränkekiste kurz Pause ma-chen, und irgendwie ist die dann ins Tal gestürzt. Hat wohl ver-gessen das Absperrgitter zu schließen.«

Der Mitarbeiter der Bergbahn musste den nächsten Touristen, die bereits am Schalter warteten, Tickets verkaufen. Unfälle in den Bergen gehörten für ihn zum Alltag.

Wir verließen die Seilbahnstation in Richtung Auto.

»Der arme Kellner. Und du hast dich noch so kindisch über ihn aufgeregt«, legte Katharina mir gegenüber leise nach.

Ich hatte keinerlei stichhaltige Argumente, um mich gegen die-sen Vorwurf zu verteidigen. Ganz im Gegenteil. Zum Glück war Katharina der kindischste Teil – mein Rachestreich – gänzlich unbekannt. Ich konnte also nur ein wenig vor mich hin stammeln, um überhaupt was zu sagen. Was die Sache nicht besser machte.

»Ja … gut … Der hat sich aber auch idiotisch verhalten. Ich meine – wer macht schon ein Nachhaltigkeitsprakti…« Weiter kam ich nicht.

»Ich habe auf der Hütte nur einen einzigen Menschen mit idiotischem Verhalten bemerkt. Und das warst du. Ich bin deine ständigen Gefühlsschwankungen satt. Du versprichst mir hier und jetzt, dass du das in den Griff kriegst.«

»Wie stellst du dir das vor?«

»Das Achtsamkeitstraining hat doch bestens funktioniert. Du rufst noch heute Abend bei diesem Herrn Breitner an und machst einen Termin, um an dir zu arbeiten …«

»Sonst?«

»Sonst ist der Urlaub hiermit beendet.«

»Und dann habe ich Sie angerufen«, schloss ich meine Erzählung gegenüber Herrn Breitner.

»Und wie geht's dem Kellner?«, wollte Herr Breitner wissen.

»Beinbruch.« Was nicht ganz falsch war. Das Bein war auch gebrochen.

Neben dem Genick.

Wie ich am Abend – nach dem Anruf bei Herrn Breitner – aus dem Internet erfuhr.

Zum Glück lagen Emily und Katharina da schon im Bett. Letztere mit Schlafbrille und Ohropax. Keine der beiden bekam meinen Zusammenbruch mit.

Das hatte ich nicht gewollt. Ich hatte vor sechs Monaten vier Menschen ermordet. Absichtlich. Achtsam. Um meine Familie und mich zu schützen. Das war keine Freude, aber den damit verbundenen Stress bin ich mit Achtsamkeit hervorragend losgeworden. Ich wollte keine weitere Gewalt mehr in meinem Leben haben. Und dennoch hatte jetzt ein junger Mensch sein Leben verloren, weil ich mich über Nichtigkeiten aufgeregt hatte. Irgendetwas hatte mich da oben zu einem mir eigentlich nicht bekannten Verhalten getriggert. Und mich zu einem Streich animiert, der eskaliert war. Nils war tot. Das war eine Tatsache.

Die schrecklich war. Und nicht rückgängig zu machen. Ich musste damit klarkommen.

Als ich paralysiert, bleich, kalt, zitternd auf dem Sofa des Urlaubsapartments saß und auf die Meldung der Lokalzeitung im Internet starrte, half mir wieder die Achtsamkeit, aus meinem Zusammenbruch herauszukommen. Ganz konkret das Gelassenheitsgebet.

Ich bat in der Stille unserer Ferienwohnung leise um die Kraft, Dinge zu ändern, die ich ändern konnte. Die Gelassenheit, Dinge hinzunehmen, die ich nicht ändern konnte. Und um die Weisheit, das eine vom anderen zu unterscheiden.

Dass Nils tot war, ließ sich nicht ändern. Ich brauchte also keine Kraft mehr, sondern lediglich Gelassenheit. Was schwierig genug war. Wie ich mit Weisheit erkannte.

Aber achtsam betrachtet, brachten Selbstvorwürfe an dieser Stelle nichts.

Nils würde es nicht besser gehen, wenn es mir deswegen schlecht ging. Und sosehr eine Beichte meine Seele kurzfristig erleichtert hätte – diese kurzfristige Erleichterung hätte mein Leben langfristig katastrophal verschlimmert. Mein achtsam ausbalanciertes Doppelleben wäre schneller ins Tal gekracht als Nils, wenn ich mich freiwillig den Behörden gestellt hätte.

Nur ich selber konnte mich belasten. Niemand hatte mich gesehen. Wir hatten auf der analogen Hütte keinerlei digitale Spuren hinterlassen. Katharina hatte bar bezahlt. Selbst die Tickets der Seilbahn hatte ich cash gekauft. Mit der Gäste-Card war der Preis ohnehin überschaubar.

Dass ich über Zeugen auf der Hütte, die Überwachungskamera der Bergbahn und den Datensatz der Gäste-Card trotzdem identifizierbar war, sollte mir erst Wochen später bewusst werden.

Emotional war es so, wie es war: Ich hatte überreagiert. Daran ließ sich in der Vergangenheit nichts ändern, ich konnte nur mein Verhalten in der Zukunft anders gestalten. Ich konnte daran arbeiten, dass ich in Zukunft nicht auf eine innere Stimme hörte, die mir erzählte, ich solle Getränkekisten vor einer Schlucht stapeln und das Absperrtor entriegeln.

Und genau deshalb war ich jetzt bei Herrn Breitner.

»Beinbruch«, bemerkte Herr Breitner sachlich und ohne Vorwurf. »Wie fühlen Sie sich dabei?« Er war schließlich mein Achtsamkeitscoach. Nicht Nils' Orthopäde. Ich überlegte kurz, wie ich die Frage beantworten sollte.

»Mir tut leid, was passiert ist. Ich habe das nicht gewollt. Ich fühle mich schuldig, kann das Geschehene aber auch nicht ändern.«

Vor allem wollte ich Herrn Breitner möglichst schnell von weiteren Nachfragen bezüglich des Gesundheitszustandes des Kellners abhalten.

»Meine Frau weiß zwar nicht, dass ich dieses Sicherungstor aufgemacht habe. Sie war aber schon wegen des Streits der Ansicht, dass ich vielleicht doch ein wenig mehr an mir arbeiten sollte.«

»Sie haben mich aber nicht einzig und allein deshalb angerufen, weil Ihre Frau das wollte?« Joschka Breitner schaute mich an, als ob ich ihm erklärt hätte, dass ich meinen Penis gegen einen Nasenring eingetauscht hätte, an dem ich mich willenlos durch die Ehemanege führen ließe.

»Nein, ich …«

»Dann noch mal die Eingangsfrage: Warum haben Sie mich angerufen?«

Ich überlegte. Nur kurz. Denn der Grund war mir mittlerweile klar.

»Weil ich keine Ahnung habe, warum ich auf der Hütte so emotional reagiert habe. Weil mir das nicht guttut. Weil das anderen nicht guttut. Weil ich wissen will, warum ich sehenden Auges Dinge tue, derentwegen ich mich nachher schuldig fühle. Deshalb bin ich hier.«

Dass ich Herrn Breitner überhaupt von der Verletzung des Kellners erzählt hatte, war eigentlich schon wesentlich mehr an Offenheit, als ich geplant hatte. Aber um mein Verhalten zu analysieren, war diese Offenheit wahrscheinlich notwendig. Was ich nicht erzählte, war die begründete Angst davor, mit diesem oder irgendeinem zukünftigen Ausraster überflüssige Aufmerksamkeit auf den Balanceakt auf dem Drahtseil meines Doppellebens zu lenken. Meine Angst vor der Zukunft war schon so groß genug.

5 KINDERBILDER

»Die Bilder, die Sie von Ihrer Kindheit im Kopf haben, sind ein bisschen wie die Bilder, die Sie in Ihrer Kindheit gemalt haben. Sie sind in der Regel voller Fantasie, haben aber mit der Realität wenig zu tun.«

JOSCHKA BREITNER,
»DAS INNERE WUNSCHKIND«

JOSCHKA BREITNER HATTE seinen Tee während meiner Erzählung ausgetrunken. Es schien ihn weit weniger als meine Frau zu schockieren, dass ich mich über die Bedienzeit eines Kellners aufregte. Er füllte seine Tasse nach. Meine nicht.

»Wenn ich Ihre Tasse jetzt nicht sofort auch bis zum Überlaufen nachschenke, sagt Ihnen dann auch eine innere Stimme, dass Sie ausrasten sollen?«, fragte er mich ohne jede Ironie.

»Bitte? Nein? Wieso sollte ich? Ich bin ja nicht zum Teetrinken hier.«

»Sehen Sie – genau darum geht es. Warum waren Sie auf der Hütte?«

»Habe ich ja gesagt. Ich wollte eine schöne Kindheitserinnerung an meine Tochter weitergeben. Und der Idiot von Kellner hat das verhindert.«

»Und genau da bin ich mir nicht so sicher«, äußerte Herr Breitner seine Zweifel.

»Was meinen Sie?«

»Sie sind doch Strafverteidiger. Sie wissen, dass eine wahre Aussage detailreich ist. Eine erfundene Aussage ist plakativ. Die Wahrheit ist filigran.«

»Bin ich hier vor Gericht?«

»Nein. Gerade deswegen will ich vermeiden, dass Sie ein Fehlurteil über sich selber sprechen. Worauf ich hinauswill,

63

ist Folgendes: Sie haben Ihre Kindheitserinnerungen an das Wunschessen sehr plakativ beschrieben. ›Dampfend‹, ›eiskalt‹, ›auf Hochglanz poliert‹. Das kann jeder, der mal einen Kaiserschmarrn, eine Flasche Almdudler oder einen Landjäger gesehen hat. Sie erinnern sich an die Achtsamkeitsübung mit dem Apfel?«

Ich nickte. Wir hatten vor einem halben Jahr gemeinsam ein Stück Apfel gegessen und es dabei bewusst mit allen Sinnesempfindungen wahrgenommen. Ich konnte anschließend nicht bloß plakativ beschreiben, wie leuchtend rot der Apfel aussah, sondern auch sehr detailreich, wie die Schale beim Aufschneiden leise knackte, wie der aus dem frischen Fruchtfleisch ausgetretene Saft roch, wie sich das kalte Stück Apfel im Mund anfühlte, wie sich das Kauen des Apfels anhörte und wie der Apfel auf der Zunge schmeckte.

»Hätten Sie tatsächlich eine eigene, wahre Erinnerung an diesen Kaiserschmarrn gehabt, hätten Sie beschreiben können, wie er herrlich nach geschmolzener Butter, süßem Puderzucker und frischem Apfelmus roch. Wie sehr Sie sich nach dem fluffigen Gefühl im Mund gesehnt haben, wenn er von der Zunge an Ihren Gaumen gedrückt wird und wie ein Kissen in sich zusammenfällt. Sie hätten das Gefühl verinnerlicht, wie die Haut der Rosinen platzt und eine wahre Geschmacksexplosion verursacht. Sie hätten die Wärme erwähnt, die vom Mund über die Speiseröhre in den Magen strömt.«

Ich bekam Hunger – und schlechte Laune.

»Hören Sie, können Sie mir nicht einfach irgendeine Übung zeigen, damit ich den nächsten Ausraster in den Griff bekomme, bevor ich weitere Menschen verletze?«

»Ich würde Ihnen gern beibringen, wie Sie in Zukunft alle Ausraster komplett vermeiden. Dafür brauchen wir beide aber noch eine letzte Information.«

»Und welche?«, fragte ich trotzig.

»Wie oft haben Sie wirklich als Kind mit Ihren Eltern in den Bergen Kaiserschmarrn gegessen?«

Jetzt war ich wirklich genervt. »Tut mir leid, aber ich habe wirklich keine Lust auf irgendwelche Gedankenreisen in meine Kindheit.«

Herr Breitner verlor seine Sanftheit nicht. »Das muss keine lange Reise sein. Sofern Sie aufhören, sich dagegen zu wehren. Lassen Sie uns daraus eine kurze Diashow eines vergangenen Urlaubs machen. Sie schließen die Augen. Ich nenne Ihnen drei Begriffe. Sie schauen sich einfach an, welche Erinnerungsbilder Ihnen Ihr Gedächtnis von innen an die Leinwand Ihrer Augenlider projiziert. Einverstanden?«

Ich wollte diese Selbstbeschäftigung einfach nur schnell hinter mich bringen. Also ließ ich mich darauf ein. Ich schloss die Augen.

»Meinetwegen.«

»Eltern. Urlaub. Alm.«

Das erste Erinnerungsdia rastete sofort im Schlitten ein. Ein kleiner blonder Junge in Lederhosen – offensichtlich ich – läuft gedankenversunken auf die Terrasse einer Berghütte zu. Gefolgt von seinem ernst dreinblickenden Vater, der einen Rucksack trägt. Seine Mutter trottet schweigend in zwanzig Metern Abstand hinterher. An den Tischen sitzen Familien, die Eltern lachen, die Kinder essen Kaiserschmarrn. Nächstes Bild. Ich frage meinen Vater, ob wir auch einen Kaiserschmarrn bestellen können. Mein Vater schaut bereits von der Hütte weg, sagt, so einen Firlefanz bräuchten wir nicht, und zeigt auf den Brunnen, an den wir uns setzen werden. Nächstes Bild. Mein Vater hat den alten Wanderrucksack geöffnet. Meine Mutter holt die belegten Brote heraus, die sie für uns geschmiert hat. Während alle anderen Kinder Almdudler trinken, darf ich mir mit den Händen Wasser aus dem Brunnen schöpfen. Nächstes Bild. Mein Vater isst einen Landjäger aus dem Supermarkt. Meine Eltern schweigen sich kauend an, während ich am Brunnen sitze, auf die anderen Kinder an den Tischen starre und mir nichts sehnlicher wünsche, als zu probieren, wie so ein Kaiserschmarrn eigentlich schmeckt.

Ein leerer Bildschlitten rastete ein. Die Diashow war vorbei.

Mich überkam eine tiefe Traurigkeit. Dabei ging es hier doch nur ums Essen – oder etwa nicht?

Herr Breitner sah meine Trauer und holte mich mit sanfter Stimme zurück in die Gegenwart. »Mit fröhlichen Eltern zusammen nach einer langen Wanderung Kaiserschmarrn auf einer Alm zu essen war nie eine Kindheitserinnerung von Ihnen. Sondern ein bis heute unerfüllter Kindheitswunsch. Richtig?«

»So gesehen …«

»Sie wollten sich also in Wahrheit auf der Hütte zusammen mit Ihrer Tochter diesen unerfüllten Kindheitswunsch erfüllen. Und nicht eine tatsächlich gelebte Erinnerung weitergeben.«

Ich stutzte. »Was macht das für einen Unterschied?«

»Einen sehr großen. Auf der Hütte ging es gar nicht darum, in welcher Zeit Ihnen irgendein Kellner irgendetwas zu essen bringt. Es ging darum, dass Ihnen schon wieder jemand einen Kindheitswunsch verwehrte. Diesmal sogar ein völlig Fremder. Deshalb kam es da oben zu dieser emotionalen Reaktion.«

»Deshalb habe ich dann so einen Ausraster bekommen?«

»Nicht Sie sind da auf der Hütte ausgerastet.«

»Wer dann?«

»Ihr inneres Kind war das.«

In diesem Moment hörte ich das allererste Mal in meinem Leben von meinem inneren Kind. Es sollte mein Leben verändern.

6   KINDHEITSERINNERUNGEN

»Das Schönste an Ihrer Kindheit ist die Tatsache, dass Sie
die meisten negativen Dinge verdrängt haben.«

JOSCHKA BREITNER,
»DAS INNERE WUNSCHKIND.«

MEINE NEUGIERDE WAR geweckt. »Wer bitte ist mein inneres Kind?«

Herr Breitner antwortete mit einem Vergleich. »Wenn Sie einen blauen Fleck am Oberschenkel haben, schränkt der Sie dann im Alltag ein?«

»Nein.«

»Und wenn jemand auf diesen blauen Fleck draufhaut?«

»Dann tut das höllisch weh.«

»Sehen Sie. So ist das auch mit dem inneren Kind. Ihr inneres Kind trägt die blauen Flecke Ihrer Seele.«

Die Anzahl der Fragezeichen über meinem Kopf überstieg die Anzahl sämtlicher blauen Flecke, die ich in meinem Leben bekommen hatte, um ein Vielfaches.

»Ich habe keine Ahnung, wovon Sie reden.«

Herr Breitner stellte seine Tasse ab. »Das innere Kind ist ein Bildnis zur Erklärung tiefenpsychologischer Vorgänge. Ihr inneres Kind ist der Teil Ihres Unterbewusstseins, in dem die seelischen Verletzungen aus Ihrer frühesten Kindheit gespeichert sind. Stellen Sie sich die Folgen dieser Verletzungen als blaue Flecke vor. Sie sehen und spüren diese alten Verletzungen im Alltag gar nicht. Sie haben keine Ahnung davon, dass es das verletzte Kind in Ihnen überhaupt gibt. Aber wenn jemand genau diese blauen Flecke berührt, dann tut es Ihrem inneren Kind sehr weh. Da Sie jedoch gar nichts von Ihrem inneren Kind wissen, hören Sie nur das Schreien, wissen aber nicht, von wem es kommt.«

»Was hat das mit dem Ausraster auf der Hütte zu tun?«

»Auf der Hütte hat der Kellner einen blauen Fleck berührt, den Ihre Eltern Ihrem inneren Kind vor Jahrzehnten zugefügt haben.«

»Welchen jetzt genau?«

»Ihre Eltern haben Ihnen als Kind offenbar sehr intensiv vermittelt, dass Ihre Wünsche nicht zählen. Alle anderen Kinder durften sich an Kaiserschmarrn und Almdudler erfreuen. Sie sollten sich mit Brunnenwasser und belegten Broten begnügen. Ihr Wunsch, den gleichen Genuss wie die anderen Kinder zu erleben, wurde ignoriert. Dadurch haben Ihnen Ihre Eltern zusätzlich den Glauben vermittelt, Genuss sei etwas Überflüssiges. ›Genuss ist Firlefanz‹ und ›Deine Wünsche zählen nicht‹ sind sogenannte Glaubenssätze. Glaubenssätze, die Ihre Eltern Ihnen wahrscheinlich nicht bloß auf der Alm, sondern während Ihrer ganzen Kindheit vorgelebt haben.«

»Wie soll ein Satz blaue Flecke verursachen?«

»Bleiben Sie in unserem bildlichen Vergleich. Stellen Sie sich vor, die Glaubenssätze Ihrer Eltern hätten auf Ansteck-Buttons gestanden. Auf einem Button steht ›Genuss ist Firlefanz!‹, auf dem anderen ›Deine Wünsche zählen nicht!‹ Jeder dieser beiden Sätze wurde Ihnen immer wieder, wenn Sie Wünsche geäußert haben, mit der Nadel des Buttons in die Seele gesteckt. Das gibt blaue Flecke. Glauben Sie mir. Diese Glaubenssätze wurden Ihnen regelrecht eingebläut.«

»Mag sein. Aber all das ist Jahre her. Und auf einer Almhütte keinen Kaiserschmarrn zu bekommen ist ja nun auch kein Beinbruch«, warf ich skeptisch ein.

»Das wird Nils der Kellner wohl anders sehen«, relativierte

Herr Breitner meinen Einwand. »Dass Sie das noch nicht so sehen, ist aber nur verständlich. In all den Jahren seit Ihrer Kindheit haben Sie viele dieser Verletzungen durch Ihre Eltern aus Ihrem Bewusstsein verdrängt. Verdrängt – nicht geheilt! Ihr inneres Kind ist aber nicht Teil des Bewusstseins, sondern des Unterbewusstseins. Da sind alle Verletzungen und Glaubenssätze bis heute noch gespeichert. Auch der blaue Fleck, den der Glaubenssatz ›Deine Wünsche zählen nicht!‹ verursacht hat, ist dort immer noch vorhanden. Auf der Hütte hat Ihr kindliches Unterbewusstsein Sie sehr schmerzhaft an eine Erfahrung erinnert, die Ihr erwachsenes Bewusstsein längst verdrängt hatte.«

»Heißt konkret?«

»Sie wollten Ihrem Kind unbewusst etwas ganz anderes vermitteln, als Sie damals tatsächlich von Ihren Eltern vermittelt bekommen haben. Sie wollten sich und Ihre Tochter belohnen. Sie wollten sich damit auch selber einen Wunsch erfüllen. Ihre Tochter sollte – anders als Sie – erleben, dass Genuss etwas Schönes ist. Aber schon wieder ist da jemand auf der Hütte, der das genauso zunichtemacht wie Ihre Eltern vor fast vierzig Jahren. Er ignoriert Ihre Wünsche. Kaiserschmarrn und Almdudler? Gibt's nicht. Im Gegenteil. Völlig ungefragt sagt er Ihnen auch noch, dass er Landjäger und Fruchtquetschies verbieten würde. Das war der Tritt gegen den blauen Fleck Ihrer Seele. Das hat Ihr inneres Kind aufschreien lassen. Sie haben das vorhin sehr deutlich beschrieben: als kleine, hohe Stimme in Ihnen. Diese Stimme – das war Ihr inneres Kind.«

»Warum hat mich das dann so irritiert?«

»Es hat Ihr Bewusstsein irritiert. Ihr Unterbewusstsein wusste genau, warum Ihr inneres Kind ausrastete. Ihr Bewusstsein nicht. Ihr Bewusstsein hatte diese Zusammenhänge ja schon vor Jahren verdrängt. Daher kommt Ihre bewusste Irritation über Ihr unterbewusst eigentlich sehr schlüssiges Verhalten.«

Das musste ich erst einmal sacken lassen. Das klang alles sehr logisch. Und ebenso absurd. Ich brauchte ein paar Sekunden, um das konkret weiterzudenken. »Das Kind in mir hat also Stress gehabt wegen einer alten Erfahrung. Und es hat den Stress aus dem Unterbewusstsein heraus an mich weitergegeben?«

»Das ist sehr vereinfacht ausgedrückt. Aber richtig.«

»Den Stress, den mir das innere Kind weitergegeben hat, konnte ich ja dann aber mit meiner Achtsamkeitsübung wieder loswerden, oder?«

»Sie sind Ihren bewussten Stress mit Achtsamkeit losgeworden. Ihr inneres Kind und dessen Stress im Unterbewusstsein sind geblieben.«

»Und ... obwohl ich mich beruhigt hatte, hat mein inneres Kind darauf bestanden, diesen kindischen Streich zu spielen, bei dem der Kellner dann ... nun, sich was gebrochen hat?«

»Das war kein kindischer Streich, sondern ein kindlicher Streich«, korrigierte mich Herr Breitner.

»Wo liegt der Unterschied?«

»Kindisch ist das nicht altersgemäße Verhalten eines Erwachsenen und damit herabwürdigend. Kindlich ist das völlig nachvollziehbare Verhalten eines Kindes und damit erklärend. Was da auf der Rückseite der Almhütte passiert ist, ist aus kindlicher Sicht völlig logisch. Kinder leben im Augenblick. Sie zelebrieren ihren Trotz, ihre Bockigkeit. Bis zum Exzess. Kinder wollen jetzt sofort alles ausleben. Ihr inneres Kind hat gesagt: Wenn der Typ mir schon den ganzen Tag versaut hat, versaue ich ihm seinen eben auch. Über die möglichen Konsequenzen denkt ein Kind nicht nach.«

Ein Ziel hatte ich mit dieser Sitzung bei Herrn Breitner schon erreicht. Dank der Entdeckung meines inneren Kindes hatte ich einen Ansatzpunkt, meine Schuldgefühle bezüglich Nils' Tod zu kanalisieren. Und ein Stück weit von mir wegzuleiten. Das auf der Hütte war kein Streit zwischen mir und dem Kellner, der eskaliert war. Der Kellner hatte sich mit meinem inneren Kind angelegt. Damit konnte ich mental arbeiten. Was sollte das auch mit diesem ganzen Fruchtquetschie-Landjäger-Deine-Wünsche-zählen-nicht-Gehabe? Nils war im Grunde nicht wegen mir in diese Schlucht gestürzt. Er war wegen meines inneren Kindes in die Schlucht gestürzt, das sich wegen seiner blauen Flecke zur Wehr gesetzt hatte. Meinem inneren Kind konnte man daraus keinen Vorwurf machen. Zum einen war es noch gar nicht strafmündig. Zum anderen war es von Nils ja quasi zu dieser Reaktion gezwungen worden. Und offenbar waren ja auch meine Eltern nicht ganz unschuldig. Letztere hatten meinem inneren Kind die blauen Flecke schließlich verpasst, auf die ersterer auf der Hütte dann gedrückt hatte. Aber meine Eltern konnten deswegen nicht mehr zur Rechenschaft gezogen werden. Die waren bereits gestorben. Nicht wegen meines inneren Kindes. Sondern an Prostatakrebs und Herzinsuffizienz. Vor Jahren schon.

7 URVERTRAUEN

»Der Apfel fällt nicht weit vom Stamm. Wenn ihm niemand
das Vertrauen gibt, dass er dort keimen kann oder von einem Vogel
in eine neue Heimat geflogen wird, bleibt dem Apfel nur die Sorge,
im Schatten des Baumes zu verrotten.«

JOSCHKA BREITNER,
»DAS INNERE WUNSCHKIND.«

ICH WOLLTE MEHR erfahren. Ich wollte wissen, was mein inneres Kind für ein Typ war. Warum ich es erst jetzt kennenlernte. Aber vor allem: Wie ich es in den Griff bekam, bevor es mit einer weiteren unbedachten Handlung Aufmerksamkeit auf mich zog und mich damit ernstlich in Gefahr brachte.

»Und wie schaffe ich es, dass in Zukunft keine Menschen mehr in Schluchten fallen, weil mein inneres Kind an frühere Verletzungen erinnert wird?«

»Zunächst einmal ist es schön, dass Sie schon wieder positiv in die Zukunft denken und der Überzeugung sind, die Zukunft habe nicht nur Probleme, sondern auch Lösungen für Sie bereit.«

Ich schaute irritiert.

»Nun, vor keiner halben Stunde hatten Sie noch, wie Sie es nannten, Zukunftsangst. Und die hatten Sie auf der Hütte auch.«

Der erste Teil stimmte. Seit mir Herr Breitner von meinem inneren Kind erzählt hatte, hatte ich gar nicht mehr an meine Zukunftsangst gedacht. Ich hatte auch nicht mehr an Boris gedacht. Ich hatte an nichts von dem gedacht, was ich Herrn Breitner nicht erzählen wollte. Nur – was die Berghütte mit Zukunftsangst zu tun gehabt haben sollte, war mir nicht klar.

»Auf der Hütte hatte ich keine Zukunftsangst, sondern Hunger!«

»Als Sie mit Ihrer Familie auf der Hütte waren, hatten Sie noch nicht einmal Vertrauen in die nächsten zwanzig Minuten Ihrer Zukunft. Jede Minute, in der der Kellner nicht kam, hat Sie die unmittelbare Zukunft düsterer sehen lassen. Wenn das keine sehr konkrete Zukunftsangst ist, was dann?«

»Und was hat das jetzt mit meinem inneren Kind zu tun?«

»Ihre Eltern haben Ihnen jahrelang vermittelt, Ihre Wünsche seien nichts wert. Wie wahrscheinlich ist es, dass Sie voller Zuversicht davon ausgehen, Ihre ohnehin wertlosen Wünsche sollten problemlos in der Zukunft in Erfüllung gehen?«

»An meiner Zukunftsangst sind also auch meine Eltern schuld?«

»Ihre Eltern haben dem Kind, das nun in Ihrer Seele wohnt, zumindest nicht das Optimum an Urvertrauen mitgegeben.«

»Urvertrauen?«

»Das grundsätzliche Vertrauen darauf, dass alles gut geht. Dass Ihnen nichts passiert. Dass jemand da ist, der Sie schützt. Dass Ihre Wünsche und deren Erfüllung vom Leben den Raum bekommen, den sie verdienen. Menschen mit Urvertrauen haben ein positives Verhältnis zur Zukunft.«

Ich war völlig überrascht. »Es gibt Menschen, die sich keine Sorgen wegen der Zukunft machen?«

Die Existenz solcher Optimisten fand ich fast erstaunlicher als die Tatsache, dass ich offensichtlich nicht dazugehörte. Herr Breitner bejahte die Frage mit einem optimistischen Lächeln.

»Und wie bekomme ich das mit dem fehlenden Urvertrauen in den Griff?«

Herr Breitner nahm in aller Ruhe einen weiteren Schluck von seinem Tee. Als spielte es keine Rolle, dass sich dadurch wertvolle Sekunden der Zukunft in Gegenwart auflösten.

»Wir könnten schauen, welche konkreten Glaubenssätze Ihrer Eltern Ihrem inneren Kind das Urvertrauen genommen haben. Diese Verletzungen könnten wir versuchen zu heilen. Dadurch könnten Sie Ihrem inneren Kind zeigen, dass Sie jetzt für es da sind. Sie sind erwachsen. Sie können selbst dafür sorgen, dass alles gut geht. Dass Ihnen und Ihrem inneren Kind nichts passiert. Sie könnten sich beide in Zukunft gegenseitig schützen.«

Ich fand die Vorstellung schön. Zu schön. »Das geht so einfach?«

»Das geht nicht einfach. Das ist ein anstrengender Weg. Ich kann Ihnen aber anbieten, Sie auf dem Weg zu begleiten.«

Mit meiner nächsten Frage setzte ich bereits den ersten Fuß auf diesen Weg. »Und wie sieht das aus?«

»Wir reisen in Ihre Kindheit und schauen gemeinsam, welche Verletzungen Ihrem inneren Kind zugefügt worden sind. Welche Glaubenssätze-Buttons Ihrem inneren Kind schmerzhaft an die Seele geheftet worden sind. Vor welchen Glaubenssätzen es wann resigniert und wann es gegen welche rebelliert. «

Das hörte sich bereits sehr schräg an. Es wurde aber noch schräger.

»Sie nehmen Kontakt mit Ihrem inneren Kind auf und bieten ihm Ihre Hilfe als Erwachsener an. Dann versuchen wir mit verschiedenen Übungen, die Verletzungen Ihres inneren Kindes zu heilen. Und am Ende haben Sie ein inneres Kind ohne blaue Flecke. Ein inneres Kind, das Ihnen keine Streiche aus dem Unterbewusstsein heraus spielt.«

Hätte ich nicht ein so großes Vertrauen in die Fähigkeiten von Herrn Breitner gehabt, hätte ich spätestens an dieser Stelle ungläubig zu lachen angefangen. Aber ich tat es nicht, sondern hörte weiterhin aufmerksam zu.

»Am Ende des Weges werden Sie ein inneres Kind haben, das Ihnen ein sehr verlässlicher Partner sein kann. Jemand, der Ihrem Lebensglück nicht mehr länger im Weg steht, sondern es vielleicht sogar potenziert. Wie klingt das für Sie?«

Herr Breitner war immer offen zu mir. Ich wollte auch offen zu ihm sein.

»Ganz ehrlich? Das klingt für mich erst mal alles völlig verblödet.«

Herr Breitner war nicht ansatzweise beleidigt, dass ich ihm seine Frage ehrlich beantwortet hatte. Er entkräftete meine Skepsis aber mit einem sehr schlichten Argument:

»Ihre Beziehungsprobleme, Ihre Probleme mit Ihrem Job, Ihre Zukunftsangst ... Was, wenn die Verletzungen aus Ihrer Kindheit der Grund für all das wären? Weil Ihr inneres Kind sich immer wieder aus dem Unterbewussten heraus meldet und Ihnen ein Verhalten aufzwingt, das Sie sich bewusst nicht erklären können? Wie viel verblödeter wäre es dann, sich nicht auf diesen Weg einzulassen? Was haben Sie zu verlieren – außer Ihren Problemen?«

Was, wenn mein inneres Kind etwas damit zu tun hatte, dass ich Boris im Keller gefangen hielt, dass ich Dragan getötet hatte und nun zwei Mafia-Clans belog, dass ich ein hochkomplexes Doppelleben führte? Dieser Logik konnte ich etwas abgewinnen. Zumindest war sie zu verlockend, um sie zu ignorieren. Und so beschloss ich, mit Herrn Breitners Hilfe mein inneres Kind zu entdecken. Ich verabredete sofort sechs eng getaktete Folgetermine.

8 REALITÄT

»Angst hat man vor etwas. Nicht bei etwas. Angst haben Sie vor dem Ungewissen — nicht vor der Realität. Das ist gut. Wenn Sie Angst empfinden, besteht zumindest die Hoffnung, dass die Ereignisse, vor denen Sie Angst haben, so gar nicht eintreten werden.«

JOSCHKA BREITNER,
»ENTSCHLEUNIGT AUF DER ÜBERHOLSPUR —
ACHTSAMKEIT FÜR FÜHRUNGSKRÄFTE«

JOSCHKA BREITNER HATTE nicht übertrieben – der Weg war anstrengend. In den nächsten Wochen lernte ich, dass die inhaltliche Auseinandersetzung mit meinem inneren Kind alles andere als verblödet war. Sie war schmerzhaft. Sie war tränenreich. Sie war erhellend. Sie war heilend.

Ich holte viel Gerümpel aus dem Keller meiner Seele ans Tageslicht. Um dahinter mein inneres Kind zu entdecken. Ich reiste mit Herrn Breitner zurück an verschiedenste Momente meiner Kindheit und stellte fest, dass dort nicht alles so »normal« und »glücklich« gewesen war, wie ich dies in Erinnerung hatte. Ich erkannte, dass ich andererseits als Kind gar keine andere Möglichkeit hatte, als meine Kindheit als »normal« hinzunehmen. Dass meine Eltern nicht die besten Eltern der Welt waren. Sondern nur die einzigen in meiner Welt.

Ich sah, welche Glaubenssätze meiner Eltern mein inneres Kind verletzt und verunsichert hatten.

Ich lernte zu verstehen, mit welchen Angriffs- und Verteidigungsstrategien sich mein inneres Kind bislang geschützt hatte.

Ich visualisierte mein inneres Kind. Ich gab ihm einen Körper und einen Platz in meiner Welt.

Ich nahm mit meinem inneren Kind Kontakt auf. Ich schrieb ihm Briefe. Ich sprach mit ihm. Ich verbrachte Zeit mit ihm, allein auf Zeitinseln. Ich baute Vertrauen auf. Mein inneres Kind wurde mir zum Ansprechpartner.

Nach sechs intensiven Terminen, verteilt über drei Wochen, war die Paartherapie mit meinem inneren Kind beendet. In der Theorie hatte ich alles verstanden, was mir Herr Breitner vermittelt hatte. In der Praxis würde sich dieses Wissen allerdings erst noch bewähren müssen.

Herr Breitner entließ mich an einem Freitagnachmittag mit ein paar abschließenden Worten aus dem Kurs.

»Sie haben jetzt das theoretische Rüstzeug. Wenden Sie es ganz bewusst in der Praxis an. Gehen Sie auf die Wünsche Ihres inneren Kindes ein. Sie müssen ihm nicht jeden Wunsch erfüllen. Aber jeder Wunsch ist ein Hinweis darauf, dass in Ihrem Leben etwas fehlt. Schließen Sie diese Lücke achtsam und liebevoll.«

Das leuchtete ein. Ebenso die Aufgabe, die er mir stellte.

»Versuchen Sie, in der nächsten Woche Ihr inneres Kind absolut ernstzunehmen. Sehen Sie die folgenden sieben Tage bewusst als Partnerschaftswoche zwischen Ihnen und Ihrem inneren Kind an. Erspüren Sie, was es braucht. Mal wird es um Kleinigkeiten gehen. Mal wird es Partner auf Augenhöhe sein. Mal braucht es klare Anleitung von Ihnen. Erinnern Sie sich an alles, was wir gemeinsam erarbeitet haben. Wenn Sie Ihr inneres Kind eine Woche lang konsequent in Ihren Alltag integrieren können, dann schaffen Sie das anschließend auch einen Monat, ein halbes Jahr, ein Leben lang. Viel Erfolg.«

Wir alle hatten keine Ahnung davon, wie intensiv diese kommende Woche werden sollte. Weder Herr Breitner noch ich, von meinem inneren Kind ganz zu schweigen.

Die Kursgebühr für die Heilung meines inneren Kindes entsprach dann am Ende einer Summe, die andere Menschen zur künstlichen Zeugung eines echten Kindes investiert hätten. Dafür erhielt ich aber auch das personalisierte Coaching-Buch *Das innere Wunschkind* von Joschka Breitner. Mit einer Zusammenfassung aller Ergebnisse und Übungen. Ich konnte so jederzeit nachschlagen und mir ins Gedächtnis rufen, was wir erarbeitet hatten. Kurz: Das Buch war die Bedienungsanleitung für das Kind in meiner Seele.

Herr Breitner hatte es auch sehr stilvoll verpackt – in einer kleinen Tragetasche, die aus alten Zeitungsseiten hergestellt war. Ich weiß bis heute nicht, ob es ein Zufall oder ein bewusster Scherz Breitners war, aber auf der Außenseite prangte ein Artikel mit der Schlagzeile: »Wo steckt das goldene Kind?«. Es war ein Bericht vom Vorjahr über den spektakulären Raub einer goldenen Jesus-Statue vom Dach einer Klosterkirche in der hessischen Provinz. Dieser Artikel auf der Tasche würde, wie sich herausstellen sollte, mein zukünftiges Leben mindestens genauso beeinflussen wie das Buch im Innern der Tasche.

Mit dem Buch über mein inneres Kind in der Zeitungstasche verabschiedete ich mich dankbar von Herrn Breitner. Ich fühlte mich gestärkt und bestens dazu in der Lage, viele meiner alten und alle meine neuen Probleme in Zukunft gemeinsam mit meinem inneren Kind zu lösen, zu vermindern oder zu vermeiden.

Der Stoß ins kalte Wasser der Realität kam für mein inneres Kind und mich drei Tage später.

Es war Montagmorgen, fünf Uhr einundvierzig. Ich lag in meinem Bett und schlief, als mich mein Handy rücksichtslos aus einer REM-Schlafphase riss. Auf dem Display stand »Sascha«. Sascha war Dragans ehemaliger Fahrer. Ein gebürtiger Bulgare. Er hatte in Bulgarien Umwelttechnik studiert und war voller Hoffnungen mit Ende zwanzig nach Deutschland gekommen.

Von den Behörden ohne Ausweis als minderjährig anerkannt zu werden wäre für ihn wahrscheinlich leichter gewesen, als unter Vorlage aller Urkunden sein Ingenieurdiplom in Umwelttechnik anerkannt zu bekommen. Und so arbeitete Sascha eben nicht als Ingenieur, sondern jobbte als Fahrer für einen Mafia-Boss und schloss nebenbei, um nicht vollständig zu verblöden und weil auch sein Abitur nicht anerkannt wurde, eine Ausbildung zum Erzieher ab.

Sascha war der einzige Mensch, der etwas von Dragans Tod ahnte und von Boris' Kellergefängnis wusste. Er hatte mir nach Dragans Verschwinden vor einem halben Jahr dabei geholfen, sowohl mit den Anfeindungen aus Dragans Clan als auch mit den Drohungen von Boris fertigzuwerden. Im Gegenzug wurde Sascha der Leiter des Kindergartens, den ich in Dragans Namen mit Mafia-Methoden übernommen hatte. Für meine Tochter. Von Dragans rechter Hand wurde Sascha so innerhalb kürzester Zeit zu meinem Freund. Gemeinsam hatten wir ziemlich viel Gewalt ausgeübt, und gemeinsam hatten wir der Gewalt abgeschworen.

Sascha arbeitete nicht nur im selben Haus wie ich. Er wohnte auch dort. Über dem Kindergarten. Den ganzen Tag lang kümmerte er sich liebevoll und mit einer unglaublichen Entspanntheit um die Belange der Kindergartenkinder. Die dazu notwendige Energie holte er sich aus seinem täglichen Sport. Jeden Tag joggte er schon vor der Arbeit in aller Frühe seine zehn Kilometer. Sascha war ein »*early bird*«. Aber wenn er mich morgens um gerade mal halb sechs, vor dem Joggen, anrief, war das kein gutes Zeichen. Ich hatte ihn kaum verschlafen begrüßt, da legte er schon los.

»Er ist weg.«

Es waren nur drei Worte. Aber diese drei Worte genügten,

um ein eiskaltes Gefühl von Panik von meinen Nieren, über meine Wirbelsäule bis hinauf in meinen Nacken zu schicken. Meine größte Zukunftsangst verwandelte sich in Gegenwartspanik.

»Er ist weg« konnte nur eines bedeuten. Boris war aus dem Kellergefängnis verschwunden. Ich schloss die Augen. Ebenso ungewollt wie automatisch projizierte mein von Herrn Breitner bereitgestellter innerer Diaprojektor sehr erschreckende Bilder ans Innere meiner Augenlider. Bilder mit nostalgischer Patina. In schneller Folge.

Ich sah Boris und Dragan als Teenager. Beste Freunde, die gemeinsam die ersten Drogen verkaufen.

Ich sah Boris und Dragan als junge Männer. Zwei muskelbepackte Typen, die gemeinsam die ersten Mädels auf den Strich schicken und zu Rotlicht-Größen aufsteigen.

Dann war da Dragan, der Boris' Frau vögelte.

Das nächste Bild zeigte Boris, der seine Frau daraufhin enthauptet. Klack. Im nächsten Bild nagelt Boris ihren Torso an Dragans Tür. Es kommt zum Bruch der beiden. Beide führen fortan zwei getrennte Clans.

Klack, nächstes Bild. Dragan, der den in Flammen stehenden Stellvertreter von Boris auf einem Parkplatz mit einer Eisenstange erschlägt.

Klack. Ich, der den von mir zersägten Dragan in einem Gartenhäcksler verschwinden lässt.

Klack. Boris droht, er würde mich und meine Tochter töten, wenn ich ihn nicht zu Dragan bringen würde.

Klack. Boris sprengt Dragans Nummer zwei auf einem Autobahnparkplatz in die Luft.

Klack. Boris steigt vor den Augen seiner Officer in seinen Kofferraum, um von mir zu Dragan gefahren zu werden.

Klack. Klack. Klack. In schneller Folge sehe ich Boris, der benommen im Keller des Kindergartens zu sich kommt. Boris, der im Keller schreit und wütet. Ich sehe den leeren Keller. Ohne Boris.

Ein letztes, sehr lautes Klack. Ein ganz klares Bild, ohne Patina, wird auf meine Augenlider projiziert. Ein Bild aus der Zukunft. Der lachende Boris über den Leichen von Katharina und Emily. Und mir.

Ich öffnete die Augen, schüttelte den Kopf, um die Bilder zu verscheuchen.

Diese Diashow brachte nichts. Ich wollte die Gewalt, der ich abgeschworen hatte, nicht mehr sehen. Und ich wollte die Gewalt, die ich in Zukunft vermeiden wollte, erst recht nicht sehen. Aber hatte ich eine Wahl?

Alles in meinem Kopf drehte sich. Zum Glück lag ich noch im Bett. So konnten meine Knie nicht wegknicken.

»Wer ist weg?«, fragte ich pro forma nach, um überhaupt etwas zu sagen.

»Boris. Er ist weg. Der Keller ist leer.«

Mein schlimmster Albtraum war soeben wahr geworden. Es war mir schon immer klar, dass das mit Boris und dem Keller auf Dauer keine Lösung war. Die Alternative wäre schlicht und ergreifend gewesen, Boris sofort umzubringen. Doch sowohl Sascha als auch ich hatten gezögert. Das Morden musste ein Ende haben! Deswegen hatten wir Boris am Leben gelassen. Auch wenn es ein Fehler war. Wie sich jetzt zeigte.

Boris war weg.

Bis zu diesen drei Worten hatte unser vergleichsweise gewaltloser Plan über ein halbes Jahr lang hervorragend funktioniert. Ich hätte nie gedacht, dass man einen Menschen so unkompliziert über Monate in einem leicht umgebauten Keller gefangen halten konnte. Also unkompliziert für alle außer dem Menschen im Keller. Boris musste sich in der Tat ein wenig einschränken. Aber Dragans und Boris' Verbrecherorganisationen akzeptierten diese Lösung mangels Kenntnis problemlos. Für sie war ich nach dem Verschwinden ihrer Chefs sogar ein Held. Alle gingen davon aus, dass ich sowohl Dragan als auch Boris erfolgreich und mithin lebend vor der Polizei in Sicherheit gebracht hätte. Dragan nach dem Mord an einem Mitarbeiter von Boris. Boris nach dem Mord an einem Mitarbeiter von Dragan. Diesen Eindruck verfestigte ich nach besten Kräften, indem ich im Namen der beiden Botschaften an die Führungsoffiziere ihrer Clans verfasste und als Anwalt hochoffiziell verkündete. Damit lenkte ich seit über einem halben Jahr beide Verbrecherorganisationen.

Dragan war das alles ziemlich egal. Der war tot und sah das entsprechend tolerant. Aber Boris schien dieses Arrangement überhaupt nicht zu passen. Ich hatte eigentlich gehofft, mit der Zeit würde bei Boris das Stockholm-Syndrom einsetzen und er würde Sascha und mich nicht nur als Geiselnehmer, sondern irgendwie auch als Freunde betrachten. Dem war aber nicht so. Alles, was Boris mit Stockholm verband, war eine gewisse Ähnlichkeit mit dem Verhalten von Greta Thunberg. Er zeigte keinerlei Anzeichen von Freude und wollte bei jeder Gelegenheit, dass wir in Panik gerieten. Das war ihm jetzt gelungen. Wenn Boris' Clan-Mitglieder erfuhren, dass ich sie verarscht hatte, würde das auch bei Dragans Clan Fragen aufwerfen. Dann gäbe es Tote. Und die ersten Toten wären Sascha und ich.

Aber es brachte nichts, wenn ich mich jetzt meiner Panikattacke hingab. Ich versuchte mich im Hier und Jetzt zu verankern. Ich setzte mich auf die Bettkante und berührte mit den nackten Füßen den Boden. Um mich zu erden. Ich atmete einmal bewusst ein und aus. Ich hatte Angst vor dem, was kam. Das, was gerade war, war nicht schlimm. Das, was gerade war, war lediglich ein leerer Keller.

»Wie ist er rausgekommen?«, wollte ich wissen, nachdem ich wieder dazu in der Lage war, sinnvolle Fragen zu formulieren.

»Das Schloss an der Zellentür wurde aufgebrochen. Von außen.«

Also nicht allein geflohen, sondern von Fremden befreit. Wenn Boris von seinen eigenen Leuten aus dem Keller geholt worden war, dann gab es keinerlei Zeit zu verlieren.

»Wann hast du es bemerkt?«

»Gerade eben. Ich wollte joggen gehen und sah, dass die Tür vom Hausflur in den Keller nur angelehnt war. Ich war mir aber sicher, sie gestern geschlossen zu haben. Also bin ich runter in den Keller, um nachzuschauen, ob alles in Ordnung ist. War es nicht. Die Tür zu Boris' Gefängnis stand offen. Das Schloss lag geknackt davor. Boris' Zellenräume sind leer.«

Dass Sascha und ich im selben Haus wohnten, war ein sehr praktisches Arrangement, wenn man sich obendrein noch gemeinsam um einen Gefangenen zu kümmern hatte. Aber offenbar nicht ausreichend, um den Gefangenen auch gefangen zu halten.

»Und gestern Abend war Boris noch drin?«

»Ja. Ich war um halb zehn das letzte Mal im Keller und hab ihm neue Getränke gebracht.«

Also konnte Boris seit fast acht Stunden in Freiheit sein. Das war eine Ewigkeit. Mein Gehirn fing an, im Krisenmodus zu denken. Schlimmstes Szenario: Boris wollte sofort Rache. Konnte Boris wissen, wo sich meine Familie aufhielt?

Er konnte es nicht nur – er wusste es tatsächlich. Von mir. Ich hatte es mir in den letzten Monaten zur Angewohnheit gemacht, ausführliche Monologe vor ihm zu halten. Das ergab sich schon aus dem einfachen Grund, weil Boris im Keller nicht allzu viel Neues erlebte, worüber er reden konnte. Es war schon skurril: Während ich das innere Kind im Keller meines Unterbewusstseins jahrzehntelang komplett ignoriert hatte, pflegte ich zu dem Russen im Keller meines Hauses seit Monaten einen regen Kontakt. Ich hatte ihm von meinem Job erzählt, von den Neuigkeiten seines Clans und sogar von meinem Privatleben. Ich war schließlich davon ausgegangen, dass Boris ein verschwiegener Gesprächspartner war, da unten, allein im Keller.

Doch jetzt war alles anders, und mir fiel nur eine vernünftige Reaktion ein.

»Also gut. Du verständigst bitte sofort Walter«, sagte ich zu Sascha. Walter war in Dragans Clan für die Sicherheit zuständig. Er leitete offiziell eine Security-Firma. Inoffiziell leitete er den sehr lukrativen Waffenhandel von Dragans einstigem Geschäftskonsortium. »Seine Leute sollen Katharina und Emily, dir und mir sofort jeweils ein Schutzteam bereitstellen. Und das Haus sichern.«

»Und was soll ich Walter sagen? Wenn er erfährt, dass wir Boris im Keller gefangen gehalten haben, schafft das mehr Probleme, als es löst.«

Das war nicht zu leugnen. Nur Sascha und ich wussten von Boris' tatsächlichen Lebensumständen. Walter ging, wie alle anderen, davon aus, Boris und Dragan lebten gemeinsam auf irgendeiner Farm. Es war schon lustig, dass die Geschichten, die man Kindern bezüglich ihrer toten Haustiere erzählte, auch problemlos bei Mafiosi bezüglich ihrer toten oder so gut wie toten Chefs funktionierten. Die Erkenntnis, dass Boris' Farm in meinem Keller lag, würde auf Walter sicherlich eher verstörend wirken. Ich hatte nicht die geringste Vorstellung, wie ich das umgehen sollte. Ich musste improvisieren.

»Pffff, keine Ahnung … Sag ihm einfach … das kommt von mir. Du wüsstest auch nicht warum. Ich rufe ihn nachher selbst an und erkläre ihm die Umstände. Falls mir bis dahin was einfällt …«

»Gut. Ich rufe Walter an. Und was machen wir mit dem Kindergarten?«, wollte Sascha wissen.

Ich überlegte. Auch der Kindergarten stand jetzt im Schussfeld. Schlicht und ergreifend, weil er sechs Monate lang zwischen Boris und unseren Wohnungen gelegen hatte. Ich konnte mich schließlich nicht hinter den Kindergarten-Kindern verstecken, wenn Boris anfing, sich zu rächen. Wir mussten also nicht nur Walter gegenüber einen Grund finden, uns zu beschützen. Wir brauchten auch einen plausiblen Grund, den Kindergarten vorübergehend zu schließen.

Warum schloss man über Nacht einen Kindergarten? Weil in der Nacht irgendwas passiert war. Was konnte das sein?

»Schlag eine Scheibe im Kindergarten ein«, bat ich Sascha.

»Bitte?«

»Wir tun so, als hätte jemand versucht in den Kindergarten einzubrechen, um irgendwas zu stehlen.« Im weitesten Sinne stimmte das ja. »Dann kann der Kindergarten heute geschlossen bleiben, die Polizei ist im Haus, und die Kinder sind nicht in Gefahr. Für alle Eltern wäre das eine nachvollziehbare Geschichte.«

»Alles klar. Ich rufe Walter an, fake den Einbruch und verständige die Polizei. Im Zweifel glauben die Bullen eh, das wären die Assis aus dem Park gegenüber gewesen. Ich lass über die Gruppenleiterinnen die Eltern informieren.«

»Und ich lass mir eine Begründung für Walter einfallen. Sobald ich mit ihm gesprochen habe, komme ich zu dir runter.«

Gestern noch hatte ich gehofft, in dieser Woche in aller Ruhe, gemeinsam mit meinem inneren Kind, mein Leben positiv zu verändern. Damit mein inneres Kind mein Leben nicht mittelfristig mit einem weiteren Ausraster auffliegen ließ. Die Tatsache, dass Boris verschwunden war, konnte nun jedes meiner beiden Leben sehr kurzfristig beenden. Ich hatte die Befürchtung, dass meine Zukunftsangst zeitgleich mit meiner Zukunft verschwunden sein könnte.

9 GEDANKENWANDERUNG

»Wenn Sie Ihr Gedankenkarussell stoppen wollen, schicken Sie
Ihre Gedanken auf Wanderschaft. Beginnen Sie in dem Raum,
in dem Sie sich gerade befinden. Schließen Sie die Augen.
Was würden Sie jetzt sehen, wenn Ihre Augen offen wären?
Wie ist der Nebenraum eingerichtet? Wie sieht der Rest
des Hauses aus? Wandern Sie in Gedanken durch alle Räume.
Kehren Sie zurück in den Raum, in dem Sie sich befinden.
Öffnen Sie die Augen. Sie werden sehen, dass sich der äußere
Raum durch Ihre Wanderung nicht verändert hat. Aber Sie werden
feststellen, dass es in Ihnen drinnen nun anders aussieht
als noch vor ein paar Minuten.«

JOSCHKA BREITNER,
»ENTSCHLEUNIGT AUF DER ÜBERHOLSPUR –
ACHTSAMKEIT FÜR FÜHRUNGSKRÄFTE«

ICH LEGTE AUF. Meine Hände zitterten. Zum Teil aus Angst. Zum Teil aus Wut. In die Stille meiner Angst hinein hörte ich das schnelle, kalte Pochen meines Herzens. Und ein bedrohliches Rauschen in meinen Ohren.

Aber da war noch ein anderes Geräusch in mir. Eine kleine Stimme rief wütend immer wieder ein einzelnes Wort: »*Tapsi!*«

Stimmt – da war ja noch mein inneres Kind. Um das ich mich in dieser Woche intensiv kümmern sollte. Aber wie hieß es so schön in den Sicherheitsanweisungen von Flugzeugen, die gerade dem Boden entgegenstürzten, weil an Bord eine Bombe explodiert war?

»*Im Falle eines Druckverlustes ziehen Sie sich umgehend die Sauerstoffmaske über Mund und Nase. Erst danach kümmern Sie sich um mitreisende Kinder.*«

Mein Sauerstoff hieß Achtsamkeit.

Ich wusste, dass ich sehr zügig Walter unter irgendeinem Vorwand erklären musste, warum wir Personenschutz brauchten. Leider hatte ich nicht die geringste Idee, wie ich das anstellen sollte, ohne mein bisheriges Lügengebilde zu gefährden. Und in meiner Panik würde mir dazu auch nichts Plausibles einfallen. Zuallererst musste ich also mit Achtsamkeit meine Angst in den Griff bekommen. Und mich dann um mein inneres Kind kümmern.

Ich zog mir meinen Morgenmantel über und ging barfuß ins Wohnzimmer, um emotional zunächst einmal wieder herunterzukommen.

Ich öffnete die Flügeltüren zum Balkon und fing an, im Stehen zu meditieren. Um mich achtsam zu erden. Ich stellte mich mit schulterbreit gespreizten Beinen in die Mitte des Raumes und spürte die frische Luft von außen. Ich fühlte die warmen, rauen Holzbohlen des Bodens unter meinen nackten Füßen. Ich merkte, wie die Festigkeit des Untergrundes, auf dem ich stand, auf mich überging. Ich merkte, wie die warme Kraft des Holzes durch meine Beine hoch in meinen Körper strömte. Mein Kopf wurde unsichtbar vom Himmel angezogen und gehalten. Mein Rückgrat richtete sich auf. Meine Schultern hingen locker herunter und entspannten sich. Ich merkte, wie reinigende Energie in und durch meinen Körper floss. Mit geschlossenen Augen schwankte ich leicht vor und zurück und wurde immer wieder automatisch von meinen Füßen gehalten. Ich sog die frische Luft ein und folgte ihrem Weg von der Nasenspitze bis zu den Kapillaren der Bronchien. Und wieder zurück. Was für ein wunderbares Gefühl. Bereits nach fünf Atemzügen fühlte ich mich körperlich wesentlich ruhiger.

Um meine Gedanken auf das Gute um mich herum zu konzentrieren, praktizierte ich eine Achtsamkeitsübung, die ich von Herrn Breitner gelernt hatte. Die Gedankenwanderung. Ich ging mit geschlossenen Augen mental durch die Räume meiner Wohnung, als sähe ich sie zum ersten Mal.

Hier wohnte ich seit sechs Monaten. Der Raum, in dem ich stand, war fünf mal sechs Meter groß und dreieinhalb Meter hoch. An der Decke befand sich eine schlichte, schöne Stuckarbeit rund um einen modernen Kronleuchter. Zur Straße hin verfügte das Wohnzimmer über zwei große Sprossentüren, die auf einen kleinen Balkon führten. Auf der gegenüberliegenden Seite gab es eine Flügeltür, die, wenn sie geöffnet war, den Blick zur Durchgangsküche freigab.

Der Raum war von mir spartanisch, aber dennoch komfortabel eingerichtet worden. Auf den über einhundert Jahre alten, abgeschliffenen Holzbohlen des Wohnzimmers lag in einer Ecke vor dem Balkon ein Hochflorteppich. Auf dem Teppich stand ein überdimensioniertes Lümmelsofa, auf dem man sehr bequem wegdösen konnte. Vor dem Sofa diente ein alter Reisekoffer vom Anfang des letzten Jahrhunderts als Beistelltisch. An der Wand gegenüber hing ein großer Fernseher, darunter eine alte Stereoanlage mit Plattenspieler. Daneben ein Regal mit Platten und CDs. Zwischen Sofa und Küche stand ein alter Weichholztisch mit drei Stühlen. Ansonsten war der Raum leer.

Ich wanderte in Gedanken weiter. Nach dem Passieren der offenen Durchgangsküche schaute ich links in das kleine Gäste-WC, das lediglich aus einer Toilette, einem Waschbecken und einem Spiegel bestand. Weiter hinten im Flur ging Emilys Kinderzimmer ab. Mit einem kleinen Bett mit pinker Prinzessinnen-Wäsche. Einem bunten Spielteppich. Einem kleinen pastellrosa Schrank und einem Regal voller Spielzeugkisten. An den Wänden hingen gerahmt ihre ersten selbst gemalten Bilder.

Das letzte Zimmer am Ende des Flures war mein Schlafzimmer. Ein Boxspringbett, ein Kleiderschrank. Eine Tür zum angeschlossenen Bad. Gegenüber dem Bett hing ein anderthalb mal zwei Meter großer Ikea-Druck einer Hängeleiter in einem Urwald.

Ich wanderte in Gedanken zurück ins Wohnzimmer.

Meine Wohnung war für mich mein Rückzugsort hoch über den Straßen der Stadt. Der einzige Nachteil – der mir allerdings wirklich zu schaffen machte – war der Lärm vom Kinderspielplatz im Park gegenüber meines Hauses. Und zwar nicht der Lärm von Kindern. Sondern das Gegröle von Typen, die dort abends besoffen der Reihe nach gegen alle Verbote der Spielplatzordnung verstießen, um ihn irgendwann in den frühen Morgenstunden dann scherbenübersät zu hinterlassen. In dem halben Jahr, seitdem ich hier wohnte, hatte es in dem Park drei bewaffnete Raubüberfälle gegeben, und ein sogenannter »Offener Bücherschrank« war abgefackelt worden. Bis auf die dafür verantwortliche Herrengruppe auf den Spielplatzbänken traute sich nach Einbruch der Dunkelheit niemand mehr in den Park. Selbst das Ordnungsamt nicht. Und ausgerechnet diese Klientel, um die selbst das Ordnungsamt einen Bogen machte, drang nun akustisch immer wieder in meinen achtsam erarbeiteten Frieden ein.

Der Begriff »Herren« war mit Sicherheit die falsche Umschreibung für die Assis. Die Personen waren zwar volljährig und männlich, wären aber beim Aufnahmegespräch in Emilys Kindergarten sicherlich aufgrund ihrer geistigen Unreife zurückgestuft worden.

In die Ablehnung ihres Verhaltens konnte ich mich bis zur Schlaflosigkeit hineinsteigern. Das war in diesem Moment nicht ganz der Sinn der Übung. Ich wollte mich beruhigen. Warum regte ich mich also stattdessen auf?

Ich hatte bei Herrn Breitner erarbeitet, dass das auf der Hütte mitnichten mein erster Inneres-Kind-bedingter Ausraster gewesen war. Ich hatte schon vor dem Urlaub in den Bergen voller verzweifelter Wut einen Eiswürfel vom Balkon meiner Wohnung ins Dunkel des Parks geworfen. In ein Dunkel, das nur von einem brennenden Mülleimer erhellt, vom Wummern einer Lautsprecherbox untermalt und vom Gegröle besoffener Männerkehlen durchbrochen wurde. Dem jämmerlichen Geheule nach zu urteilen, das drei Sekunden nach dem ziellosen Wurf des Eiswürfels erklang, hatte ich einen von den Superhelden damit wohl auch am Kopf getroffen. Was mir eine gewisse Befriedigung verschafft hatte. Aber an der Grundsituation nichts änderte.

Ich hatte mittlerweile gelernt, dass die von mir trotz Achtsamkeit verspürte Wut in Wahrheit die Wut meines inneren Kindes war. Weil dessen Wunsch, in Ruhe schlafen zu können, ignoriert wurde.

Doch jetzt, wo Boris aus dem Keller entkommen war, war das alles auf einmal nebensächlich. Ich bemerkte, wie mir meine Entspannungsübung entglitt. Ich musste mich konzentrieren. Ich wanderte also in Gedanken weiter, verließ meine Wohnung und schlenderte mental durch den Rest des Hauses.

Unter meiner Wohnung befanden sich die Räume meiner Rechtsanwaltskanzlei.

Ich hatte mit Dragan und Boris – mit dem einen nach dessen Ableben, mit dem anderen nach drei Tagen Nahrungsentzug – lukrative Beratungsverträge abgeschlossen. Die Kanzleiräume waren also in erster Linie die notwendige Tarnung für die Leitung zweier Halbwelt-Organisationen. Und zur Tarnung nahm ich immer mal wieder Mandate an, die mich in ihrer Belanglosigkeit nervten.

Mich nervte schon, mich überhaupt mit dem Streit anderer Menschen zu beschäftigen. Ich hatte überhaupt keine Lust auf Streit. Dies erst rund zehn Jahre nach meiner Zulassung als Rechtsanwalt zu bemerken mag spät sein. Die Existenzberechtigung von Rechtsanwälten liegt nun mal naturbedingt in erster Linie in den Streitigkeiten anderer Menschen. Aber es ist nie zu spät, seinen Beruf seinen Lebenseinstellungen anzupassen.

Alle von mir übernommenen Mandate waren sogenannte »So tun als ob«-Mandate. Die Mandanten taten so, als ob sie die wichtigsten Menschen der Welt wären. Ich tat so, als ob mich das interessierte.

Mehr als einmal hätte ich bei einem Besprechungstermin gern losgebrüllt und gefragt, ob meine Mandanten noch alle Latten am Zaun hatten. Warum zum Teufel fahren Sie denn auch 180 km/h, wenn auf dem großen, runden, rotumrandeten Schild eine schwarze 80 aufgemalt ist? Was stimmt mit Ihnen eigentlich nicht, dass Sie 120 Euro für ein Anwaltsschreiben ausgeben wollen, um sich über eine 36-Euro-Differenz in einer Nebenkostenabrechnung für eine 2200-Euro-Kaltmiete-Wohnung zu beschweren?

Die Ausraster, die ich hier bekam, waren allerdings gänzlich lautlos. Ich ließ die Mandate einfach vor die Wand fahren und erzählte den Mandanten, sie hätten mit dem Ergebnis noch Glück gehabt. Der Führerschein des Mandanten war zwar aufgrund meiner boshaften Untätigkeit weg, aber ich konnte sehr plausibel erklären, dass ich gerade noch die nicht mehr zu vermeidende Minimalstrafe rausgehandelt hätte – ohne mich wäre der Lappen viel länger weg. Das stimmte zwar nicht. Aber Menschen, die von der einfachen Botschaft eines Verkehrszeichens mit lediglich zwei Ziffern überfordert waren, waren mit solchen Argumenten sehr einfach zu überzeugen.

Auch das hatte viel mit meinem inneren Kind zu tun. Mein Wunsch, einfach in Frieden zu leben, wurde von jedem einzelnen Mandanten mit seinem Wunsch nach Streit ignoriert.

Aber in diesem Moment hätte ich alle diese absichtlich kindisch vor die Wand gefahrenen Mandate gern freiwillig aufs Neue bearbeitet, wenn dafür nur Boris wieder in seiner Kellerzelle säße. Ich wanderte weiter.

In der Wohnung zwischen Kanzlei und Kindergarten wohnte Sascha. Ich ging in Gedanken an ihr vorbei und eine Etage tiefer. Zum Eingang des Kindergartens.

Es war mir trotz der nervenden Mandate in den letzten Monaten eine innere Erfüllung, morgens zu Fuß von meiner Wohnung bloß eine Etage tiefer in die eigene Kanzlei gehen zu können. Und wenn mir danach war, zwei weitere Treppen tiefer in den Kindergarten meiner Tochter. Wann immer ich wollte. Und das sollte nun vorbei sein?

Den Kindergarten zu übernehmen war eine der ersten und auch besten Entscheidungen, die ich nach Dragans Tod für seinen Clan getroffen hatte. Nicht nur, weil ich einen Kindergartenplatz für meine Tochter brauchte. Kindergartenplätze waren auch eine unschlagbare Möglichkeit, Abhängigkeiten zu schaffen. Die Vergabe der Kindergartenplätze geschah deshalb nach einem sehr objektiven Kriterium: dem Kindeswohl.

Konnten die Eltern des Kindes wohl meinen Interessen nutzen, dann bekamen die Kinder einen Platz.

Konnten die Eltern des Kindes wohl meinen Interessen schaden, dann bekamen sie vorrangig einen Platz.

Wollten die Eltern des Kindes wohl meinen Interessen schaden, würden die Kinder leider ihren Platz verlieren. Aber das war im letzten halben Jahr noch nicht vorgekommen.

Den Kindergarten mit Mafia-Methoden zu übernehmen und zu führen war das eine. Etwas anderes war es, Kindergartenkind-Papa zu sein. Und das war ich von Herzen gern. Ich liebte es zu sehen, wie meine kleine Tochter in einem geschützten Raum immer größer werdende Schritte in einer wunderbaren Welt machte. Um sie dabei nach Kräften zu unterstützen, hatte ich mich vor zwei Wochen in den Elternbeirat der Nemo-Gruppe wählen lassen. Zusammen mit einer sehr attraktiven Stellvertreterin, Laura, der Mutter von Max. Um mein väterliches Engagement zu unterstreichen, hatte ich für heute Abend sogar zu einem ersten Vorabtreffen der Elternvertreter aller Gruppen zu mir in die Wohnung eingeladen.

Ausgerechnet. Heute Abend war noch ein Leben weit entfernt. Meine Gedanken glitten wieder ins Negative ab. Ich versuchte mich erneut auf meine positive Gedankenwanderung durch das Haus zu konzentrieren. Aber ich war eh schon fast am Ende des Weges angekommen.

Eine Etage unter dem Kindergarten befanden sich ausgedehnte Kellerräume. In denen jetzt ein paar Räume frei waren.

All das, was ich gerade in Gedanken durchwandert hatte, würde mit einem Mal fort sein, wenn Boris seinen Leuten erklärte, dass ich ihn sechs Monate lang im Keller gefangen gehalten hatte. Wenn ich der Gewalt nicht abgeschworen hätte, hätte ich mich dafür ohrfeigen können, dass ich kein gewalttätigerer Mensch war. Dass ich Boris nicht einfach ohne Zögern umgebracht hatte.

In diesem Moment hörte ich durch die offenen Flügeltüren meines Balkons ein Klirren. Nicht ganz so laut wie das Klirren der Flaschen, die die Betrunkenen im Park nachts auf die Steinplatten der Sandkastenumrandung warfen. Eher gedämpft. So, wie wenn jemand absichtlich leise mit einem Stein und einer Wolldecke die Scheibe eines Kindergartenbüros einschlägt.

Ich öffnete die Augen. Eins hatte ich durch meine Achtsamkeitsübung erreicht: Meine Angst war verschwunden. Jetzt war ich nur noch wütend. Und eine kleine Stimme in mir schrie: »*Tapsi!*«

10 KREATIVITÄT

»Das Kind in Ihnen ist eine unerschöpfliche Quelle natürlicher Kreativität. Als Kind haben Sie Ihre Fantasie noch grenzenlos und unbeschwert ausleben können. Auf Ihrem Weg zum Erwachsensein haben Sie Ihr kreatives Potenzial aus dem Bewusstsein verdrängt. In Ihrem inneren Kind aber ist all Ihr kreatives Talent noch vorhanden. Nutzen Sie es!«

JOSCHKA BREITNER,
»DAS INNERE WUNSCHKIND«

TAPSI WAR EINE kleine Katze, die ich als Sechsjähriger im Keller unseres Miethauses für ein paar Wochen heimlich gefüttert hatte. Sie war maximal ein Jahr alt, hatte pechschwarzes Fell und nur an den vier Pfoten weiße Flecke. Sie tauchte eines Tages im Garten des Mietshauses auf, und wir freundeten uns an. Ich begann sie zu füttern und richtete ihr im Keller eine kleine Ecke ein. Über Wochen spielten wir jeden Tag miteinander. Bis mein Vater sie entdeckte. Und verscheuchte. Laut Hausordnung waren keine Katzen erlaubt. Mein Vater kassierte die kleinen Futternäpfe und nahm mir den Kellerschlüssel weg. Ich hörte Tapsi noch ein paar Nächte lang miauen. Dann war sie verschwunden. »Deine Wünsche sind nicht wichtig« – der Glaubenssatz, den mir meine Eltern immer wieder schmerzhaft vermittelt hatten. Mir war von daher durchaus klar, was mir mein inneres Kind mit dem Verweis auf Tapsi sagen wollte. Es war wütend, weil soeben wieder jemand auf diesen blauen Fleck seiner Seele gedrückt hatte. Dieser Jemand hatte ein geheim gehaltenes Lebewesen gegen unseren Willen aus unserem Keller vertrieben.

Mir machte Boris' Verschwinden Angst. Mein inneres Kind machte es wütend.

Wir hatten gerade mal Tag drei unserer ersten Partnerschaftswoche. Aber fest stand: Ich würde das Problem »Boris« gemeinsam mit meinem inneren Kind angehen.

In den letzten Wochen hatte ich gelernt, die Bedürfnisse meines inneren Kindes ernst zu nehmen. Ich hatte gelernt, mit meinem inneren Kind in Dialog zu treten. Und das war wörtlich gemeint.

Herr Breitner hatte mir dazu geraten, mein inneres Kind symbolisch auch außerhalb meiner Seele Gestalt annehmen zu lassen. Ich hatte dafür eine kleine Plüschfigur ausgewählt. Einen pinken Nachplapper-Vogel. Ich hatte ihn vor ein paar Monaten eigentlich für meine Tochter gekauft. Ein Kuscheltier in Gestalt eines Vogels, das dank eines integrierten Sprach-Chips den jeweils letzten gesprochenen Satz in absurd hoher Stimmlage wiederholte. Der Vogel passte bequem in jede Jackentasche. Der Sprach-Chip hatte allerdings schon direkt nach dem Kauf Aussetzer gehabt, sodass ich Emily den Vogel nie geschenkt hatte. Aber ich mochte ihn und hatte ihn in einer Kiste für Krimskrams aufbewahrt. Die Batterie war mittlerweile leer. Auf der Suche nach einer Figur, in der sich mein inneres Kind manifestieren könnte, hatte ich ihn wieder hervorgeholt.

Inzwischen nahm ich ihn, geschützt und versteckt in einer Tasche meiner Kleidung, überallhin mit. Wann immer ich mich allein mit meinem inneren Kind beschäftigte, holte ich den Vogel aus der Tasche und sprach mit ihm. Wenn ich unterwegs war, half es mir bereits, den Vogel in der Tasche zu berühren, um den Kontakt zu meinem inneren Kind zu intensivieren. Auch jetzt holte ich den defekten Nachplappervogel aus der Tasche meines Sakkos, setzte mich aufs Sofa und stellte das Plüschtier vor mir auf den Reisekoffer-Beistelltisch. Ich sammelte mich, um mich trotz der Bedrohung offen, liebevoll und fürsorglich um die Belange meines inneren Kindes kümmern zu können. Ich hatte von Joschka Breitner klare Leitlinien für die Kommunikation mit meinem inneren Kind bekommen.

»Die Kommunikation mit Ihrem inneren Kind ist denkbar einfach. Fragen Sie es, wie es ihm geht. Horchen Sie in sich hinein. Bewerten Sie nicht, was Sie erfahren. Oft geht es Ihnen und Ihrem inneren Kind bereits besser, wenn Sie Ihre Wünsche und Sorgen dem anderen gegenüber offen äußern können.

Mit ein wenig Vertrauen in den anderen können Sie gemeinsam vielen Ihrer scheinbar unterschiedlichen Bedürfnisse gerecht werden.«

Ich war inzwischen von der Nützlichkeit dieser Dialoge überzeugt. Mein inneres Kind und ich bildeten seither die kleinstmögliche Selbsthilfegruppe.

Ich atmete tief ein. Spürte den Atem in mir. Atmete aus. Und begann, mit meinem inneren Kind zu sprechen.

»Wie geht es dir?«

Sofort meldete sich eine klare, unschuldige, helle Stimme. Eine Stimme, die ich in den letzten Wochen bereits ausgiebig kennengelernt, allerdings noch nie so aufgebracht erlebt hatte.

»Ich bin wütend. Niemand hat das Recht, uns etwas wegzunehmen, das wir behalten wollen.«

»Uns« und »wir«. Das war gut. Gerade in unserer ersten Partnerschaftswoche. Und die aktive Wut meines inneren Kindes war mir allemal lieber als meine gerade erst eingedämmte lähmende Angst. Ich war mir in den letzten Wochen darüber klar geworden, dass ich auf die Wünsche meines inneren Kindes so reagieren wollte, wie ich es mir von meinen eigenen Eltern immer gewünscht hatte. Also komplett anders, als es meine Eltern mir gegenüber tatsächlich getan hatten. Meine Eltern hätten meinem inneren Kind gesagt:

»Andere Lebewesen im Keller zu behalten ist Firlefanz. Das brauchen wir nicht. Dein Wunsch ist nicht wichtig. Außerdem ist das laut Hausordnung auch ausdrücklich verboten.«

Das war weder in meiner Kindheit zielführend gewesen, noch wäre es das jetzt. Ich antwortete meinem inneren Kind also gänzlich anders, als meine Eltern dies getan hätten:

»Ich verspreche dir, wir werden herausfinden, wer Boris befreit hat. Wir werden Boris zurückholen. Und denjenigen zur Rechenschaft ziehen, der ihn uns weggenommen hat.«

Ich hatte keine Ahnung wie. Und ich hatte die nicht ganz unbegründete Sorge, ich würde sehr kurzfristig selber die Rechnung für Boris' Gefangenschaft zu zahlen haben. Aber das gegenüber einem ohnehin schon emotional bewegten inneren Kind zu erwähnen war sicherlich kontraproduktiv. Ich konzentrierte mich also lieber auf die Wünsche meines inneren Kindes.

»Was belastet dich sonst noch?«

»*Sorg bitte dafür, dass der Typ, der Boris mitgenommen hat, uns nichts tut.*«

Sieh an – mein inneres Kind hatte auch ein wenig Angst. Diesbezüglich waren unsere Wünsche also die gleichen. Wir könnten gemeinsam an ihrer Erfüllung arbeiten.

»Ich werde alles dafür tun, dass uns nichts passiert. Wie wäre es, wenn wir gemeinsam eine Geschichte erfinden, die wir Walter erzählen können, damit er uns schützt.«

»*Warum erfinden? Warum erzählen wir nicht, wie es ist?*«

Seinem inneren Kind als Erstes das gemeinsame Lügen beizubringen mag pädagogisch nicht erstrebenswert sein. Aber manchmal muss man die pädagogischen Ansprüche auch einfach den Gegebenheiten der Realität unterordnen. Zumindest konnte ich meinem inneren Kind die Notwendigkeit zu lügen ansprechend verpacken.

»Wir müssen eine Geschichte erfinden, weil … weil Boris ein bisschen wie Tapsi ist. Und Walter ist ein Erwachsener. Wie mein Vater. Wenn Walter erfährt, dass Boris im Keller war, bekomme ich Ärger mit Walter – so wie wir damals mit meinem Vater wegen Tapsi.«

Das leuchtete ein.

»*Und welchen Grund nennen wir Walter dann, wenn wir nichts von Boris' Verschwinden erzählen können?*«

Jetzt konnte ich offen sein.

»Ich habe keine Ahnung.«

»*Dann lass mich dir helfen.*«

Ich hatte ein inneres Kind. Und es wollte mir helfen. Beides hätte ich vor sechs Wochen noch für undenkbar gehalten. Und so stellten sich mein inneres Kind und ich uns der ersten Aufgabe, wie von Herrn Breitner gewünscht – als Team.

Wir brauchten zunächst einmal eine kreative Geschichte, die wir Walter erzählen konnten. Über das innere Kind als kreative Quelle hatte ich mit Joschka Breitner ausführlich gesprochen. Ich suchte seinen Ratgeber *Das innere Wunschkind*. Er befand sich noch in der Tasche aus alten Zeitungen, die ich auf dem Esstisch abgestellt hatte. Ich holte das Buch hervor und blätterte nach dem entsprechenden Kapitel. Schnell fand ich den Abschnitt, den ich im Sinn hatte.

Als Kind war unsere Kreativität grenzenlos. Wir waren dazu in der Lage, aus einem Bett ein Piratenschiff zu bauen, durch eine leere Klopapierrolle fließend Elefantisch zu sprechen oder das tollste Märchen zu erfinden, warum uns ein auf dem Teppich liegender Schuh ein sofortiges Einschlafen unmöglich macht. Alles, was wir brauchten, war ein Bett, eine Papprolle oder ein Schuh. Irgendwann haben uns dann Erwachsene – in der Regel die Eltern – erklärt, dass Betten keine Schiffe, Elefantisch keine Sprache und Schuhe kein Schlafhindernis sind. Während wir erwachsen wurden, haben wir verlernt, um einen einzelnen Gegenstand herum ein komplettes Universum zu erschaffen. Bei unserem inneren Kind ist diese Fähigkeit noch vorhanden. Wir müssen sie nur wecken.«

Herr Breitner hatte mir dazu ein paar Übungen gezeigt, die ich in den letzten Wochen mit einem fließenden Übergang von erwachsenem Pflichtbewusstsein zu wachsender kindlicher Freude ausgeführt hatte. Ich hatte auf seine Anweisung hin zweimal pro Woche, mindestens eine halbe Stunde am Stück, kreativ mit meinem inneren Kind gespielt. Die Übungen waren sehr simpel. Ich hatte mich in irgendeinem Raum meiner Wohnung auf den Boden gesetzt und den Nachplappervogel symbolisch neben mich gestellt. Mein inneres Kind und ich sollten nun mit den Gegenständen, die gerade im Umkreis von zwei Metern um uns herum lagen, in eine fantastische Geschichte eintauchen. Mein inneres Kind und ich hatten bereits einen Zoo aus Socken besucht – weil ich bei der Übung zufällig vor dem Kleiderschrank saß. Wir hatten eine Safari durch den Putzschrank gemacht und waren mit Kochtopfraumschiffen durch das Weltall geflogen. Das hatte alles wunderbar funktioniert, mich meinem inneren Kind nähergebracht und meine Freude am kreativen Spielen neu entfacht. Warum sollte es nicht auch in meiner gegenwärtigen Lage funktionieren?

Ich klappte den Ratgeber zu und sah mich um.

Welcher Gegenstand im Umkreis von zwei Metern lieferte mir die Grundlage für eine plausible Geschichte, die ich Walter erzählen konnte, warum ich Personenschutz brauchte?

Mein Blick musste nicht weit wandern. Er fiel sofort auf die Tasche aus alten Zeitungen. Ich sah die zirka ein Jahr alte Schlagzeile:

»Wo steckt das goldene Kind?«

Ich nahm die Zeitungstasche an mich und las den Artikel. Er handelte von einer Statue des berühmtesten Kindes der Welt.

112

Von einer goldenen Jesuskind-Statue, die mit einer massiv goldenen Mutter Maria zusammen auf der Kuppel einer Klosterkirche in der Nähe von Frankfurt gestanden hatte. Bis sie eines Nachts mit Hilfe eines Hubschraubers und eines Tragegurtes von der Kuppel gerissen wurden und gen Himmel fuhren. Vierundzwanzig Kilo pures Gold. Der Fall hatte in den Medien bundesweit und auch international für Aufmerksamkeit gesorgt. Der gestohlene Hubschrauber wurde ein paar Tage nach dem Raub gefunden. Zusammen mit der DNA und den Fingerabdrücken einiger aktenkundiger, vorbestrafter Krimineller. Sie gehörten einem Verwandtschaftsverbund an, der eher das Gegenteil einer skandinavischen Kleinfamilie war. Dennoch hatte ein kreativer Reporter die Mitglieder dieses hochkriminellen Personenkreises fortan »die Holgerson-Familie« genannt. Das hatte mit der Realität wenig zu tun, der Reporter vermied so aber, sich durch die Nennung von Fakten angreifbar zu machen. Und die Großfamilie hatte ab sofort ihren offiziellen Spitznamen.

Die Holgersons waren an und für sich sehr tolerant. Jedenfalls tolerant genug, die Leistungen des Sozialgesetzes des Staates, dessen Regeln sie ansonsten vollständig ablehnten, als Zeichen des guten Willens anzunehmen. Unter diesem Gesichtspunkt fühlten sich auch alle gut viereinhalbtausend Mitglieder der Holgerson-Familie in so ziemlich jeder Großstadt der Republik pudelwohl.

Der Artikel auf der Buchtüte jedenfalls befasste sich nun mit den Fingerabdrücken und DNA-Spuren, die einzelne Mitglieder der Holgerson-Familie im Hubschrauber, mit dem sie die heilige Rumpffamilie aus purem Gold entführt hatten, zurückgelassen hatten.

Zumindest die aktenkundigen Holgersons wurden zeitnah gefasst. Sie schwiegen seitdem. Vom Jesuskind fehlte jede Spur.

Was konnten mein inneres Kind und ich daraus machen? Welche fantastische Geschichte konnte man daraus spinnen, die dazu führte, dass ich unbedingt Personenschutz brauchte? Ich spürte, wie die Kreativität meines inneren Kindes das Kommando übernahm und den Zeitungsartikel weiterspann. Zunächst mit einem dünnen Faden, der immer dicker wurde. Und plötzlich gab es eine in meinen Augen belastbare kreative Verbindung zwischen dem Zeitungsartikel und der Tatsache, dass ich in Lebensgefahr schwebte. Jedenfalls belastbar genug für einen Telefonanruf bei Walter. Ich dankte meinem inneren Kind, steckte den Nachplappervogel in die Tasche meines Morgenmantels und nahm das Handy zur Hand.

Walter ging nach dem zweiten Klingeln ran. Er klang trotz der frühen Stunde bereits hellwach.

»Björn. Sascha hat mir schon gesagt, dass ihr in Gefahr seid. Was ist passiert?«

Während mein inneres Kind der kreative Spezialist im Erfinden von Geschichten war, war ich als Anwalt der Spezialist im Verkaufen von Lügen. Ich hatte zig Mandanten ziemlich erfolgreich darin gebrieft, die perfekte Lüge zu erzählen. Die Basis einer Lüge ist immer eine nachprüfbare Wahrheit, auf der die Lüge aufbaut. Die Wahrheit stand in der über ein Jahr alten Zeitung.

»Du erinnerst dich an die goldene Jesus-Statue, die von dieser Kirchenkuppel gestohlen wurde?«, fragte ich Walter.

»Die Holgerson-Familie? Die Sache mit dem Helikopter?«

»Genau.«

»Was hat das mit dir zu tun? Das ist über ein Jahr her. Die Statue ist nie wieder aufgetaucht.«

Danach weckt man das Interesse des Gegenübers, den ungekannten Teil der Wahrheit kennenzulernen.

»Richtig. Zumindest ist bei den Holgersons nie was gefunden worden. Und ich weiß seit heute Morgen warum.«

Walters Interesse war geweckt. »Schieß los.«

Und dann kann man eigentlich loslügen, was das Zeug hält. Solange der Lügenteil sich einer Überprüfung entzieht, blieb als einzige Messlatte nur die bekannte Wahrheit. Und die Geschichte, die sich mein inneres Kind ausgedacht hatte, war frei von jeder Überprüfbarkeit.

»Dragan hat mir vorhin mitgeteilt, dass Boris ihm gestern Nacht ein Foto von der gestohlenen Statue gezeigt hat.«

Damit hatte ich obendrein noch eine weitere Bestätigung geschaffen, dass Dragan und Boris lebten. Wahrscheinlich auf einer Farm.

»Was hat Boris damit zu tun? Der hat doch keinerlei geschäftliche Verbindung zu den Holgersons.«

Et voilà! Die nicht überprüfbaren, frei erfundenen Tatsachen werden nicht hinterfragt, sondern man versucht sie nur einzuordnen. Ab diesem Zeitpunkt konnten mein inneres Kind und ich einfach Märchen erzählen.

»Halt dich fest! Boris hatte mit den Holgersons eine Vereinbarung. Gerade weil zwischen den beiden keinerlei Verbindung besteht, hat Boris sich bereit erklärt, die Statue ein Jahr lang zu verstecken, bis Gras über die Angelegenheit gewachsen ist. Das Jahr endete gestern.«

Das war der Punkt, an dem das Gegenüber entweder kopfschüttelnd wegging oder in die Geschichte einstieg.

»Und Boris ist nicht da, um die Abmachung einzuhalten«, nahm Walter meine Improvisation auf. Damit war er gedanklich bereits mitten in meiner frei erfundenen Geschichte angekommen.

»Im Gegenteil«, bestätigte ich ihn. »Boris hat Dragan wohl –

ziemlich zugedröhnt – erzählt, dass die goldene Statue sein Notgroschen sei. Er hatte nie die Absicht, sie den Holgersons zurückzugeben. Und daran hat sich nichts geändert.«

Eine Lüge ist wie ein Eheversprechen. Es muss nicht auf ewig halten. Sondern schlimmstenfalls nur, bis einer der Beteiligten stirbt. Starb Boris zuerst, war es eben seine Lüge. Starb ich zuerst, war es mein geringstes Problem, dass ich vor dem Tod auch noch gelogen hatte.

Und die Lüge mit den Holgersons hatte auf einmal einen ganz entscheidenden Vorteil: Walter glaubte sie.

»Da wird bei den Holgersons aber jemand ziemlich sauer sein«, schloss Walter.

»Eben. Es ist kein Geheimnis, dass Boris verschwunden ist und ich mich als Anwalt um seine Angelegenheiten kümmere. Boris ist nicht greifbar, an ihm können die Holgersons ihre Wut nicht auslassen. An mir schon. Und just vor einer Viertelstunde ist in meinem Haus gewaltsam eingebrochen worden. Unbekannte haben versucht, über den Kindergarten hier reinzukommen. Pünktlich zum Fristende.«

»Ach. Du. Scheiße.«

Um die gut verpackte Lüge noch mit einer exklusiven Schleife zu versehen, gibt man dem Angelogenen noch einen VIP-Status in Sachen Vertrauen.

»Behalte das bitte absolut für dich. Dragan hat das Ganze gestern erfahren. Ich habe keine Ahnung, wer von Boris' Leuten in die Sache involviert ist. Von dem Vorfall wissen nur Dragan, du und ich. Und Sascha natürlich, weil er wahrscheinlich auch in Lebensgefahr schwebt. Schließlich wohnt er mit mir in einem Haus. Bei diesem Personenkreis soll es auch bleiben.«

»Klar. Kannst dich auf mich verlassen. Ich habe die Personenschutz-Teams schon rausgeschickt. Auch für Katharina und Emily.«

»Für die beiden bitte absolut unauffällig. Katharina und Emily dürfen davon nichts mitbekommen.« Mir kam spontan ein weiterer Gedanke. »Es wäre vielleicht sinnvoll, auch Boris' Leute unauffällig beschatten zu lassen, um zu sehen, ob sich denen jemand nähert.« Zum Beispiel Boris.

»Klar. Wird erledigt.«

Es würde also erst mal zu keinerlei Nachfragen kommen.

»Danke dir. Wir hören uns.«

Es gibt einen entscheidenden Unterschied zwischen kindlichen Fantasiegeschichten an einem Spielnachmittag und den Lügen von Erwachsenen. Die kindliche Fantasiegeschichte hat keinerlei Konsequenzen, wenn der Spielnachmittag vorbei ist. Mit einer Erwachsenenlüge ist das anders. Mit einer guten Lüge kommt man überall hin. Die Frage, die sich mir und meinem inneren Kind schon bald stellen sollte, war allerdings: Wie kommen wir von da wieder zurück?

11 BAD BANK

»Ökonomisch betrachtet ist das innere Kind die ›Bad Bank‹ Ihrer
Seele. Wenn Sie dort alle Ihre negativen Emotionen verbuchen,
hat der Rest Ihres Geistes eine rein positive Bilanz.«

JOSCHKA BREITNER,
»DAS INNERE WUNSCHKIND«

ICH DUSCHTE ZÜGIG, zog mich an, steckte den Nachplappervogel in die Hosentasche und ging hinunter ins Erdgeschoss. Als ich die Wohnung verließ, erreichte mich eine SMS von Walter. Die Security-Teams hatten bereits Position bezogen. Das war erleichternd. Seit dem ersten Anruf von Sascha war keine Dreiviertelstunde vergangen. Es war kurz vor halb sieben.

Der Kindergarten im Erdgeschoss hatte keinen separaten Eingang, sondern war, wie die anderen Wohnungen, über das Treppenhaus des Altbaus zu erreichen. Das Holz der massiven Eichenhaustür war am Türblatt, in Höhe des Schlosses, abgesplittert. So, als hätte jemand ein Stemmeisen dort angesetzt. Ich ging zur Tür und öffnete sie. Die frische Morgenluft strömte ins Treppenhaus. Auf der Straße parkte bereits ein Streifenwagen. Dass die Polizei so schnell vor Ort war, lag sicherlich an dem Umstand, dass der Kommissar, der bei der örtlichen Kripo für organisierte Kriminalität zuständig war, seinen Sohn in unserem Kindergarten hatte. Er hatte vorrangig einen der »Kindeswohl«-Plätze bekommen.

Ich trat vor die Tür. Links neben dem Eingang befand sich das Fenster des Kindergartenbüros. Im Gegensatz zu den darunter liegenden Kellerfenstern war es nicht vergittert. Dafür aber eingeschlagen. Der Fensterrahmen und die Tür waren mit Fingerabdruckpulver bestrichen. Die Spurensicherung war also auch schon da.

Ich ging zurück ins Treppenhaus und betrat den Kindergarten durch den Hausflur. Der Eingangsbereich war leer. Linker Hand lag Saschas Büro. Das mit der eingeschlagenen Scheibe. Es sah durchwühlt aus. Überall lag Papier herum. Der Rest des Kindergartens wirkte aber friedlich und ungestört wie immer. Ich hörte die Stimmen zweier Erwachsener aus der Nemo-Gruppe. Die eine gehörte Sascha. Die andere Peter Egmann. Peter war ein alter Studienfreund von mir. Und der Kommissar, der seine Ermittlungen wegen Dragans Verschwinden großzügig gegen einen Kindergartenplatz für seinen Sohn eingetauscht hatte.

»… denke ich nicht, dass wir die Täter zügig ermitteln können«, sagte er gerade zu Sascha.

»Der Schaden scheint sich in Grenzen zu halten«, sagte ich und näherte mich den beiden.

»Hi, Björn«, begrüßte mich Sascha. »Ja, die Typen haben sich lediglich im Büro ausgetobt.«

Peter Egmann ergänzte: »Wie es aussieht, wurde erst vergeblich versucht, die Außentür mit einem Stemmeisen aufzuhebeln. Das hat nicht geklappt. Dann wurde das Bürofenster eingeschlagen und das Büro durchwühlt. Da die Bürotür von außen abgeschlossen war, haben der oder die Täter wohl die Lust verloren und sind – ohne den Rest des Kindergartens zu betreten – abgehauen.«

»Fehlt was?« Ich tat interessiert.

Sascha tat informiert: »Die berühmte Portokasse. Um die fünfzig Euro.«

»Wer macht so was?«, steuerte ich meinen Text des Improvisationstheaters bei.

»Es gibt drei Möglichkeiten«, sagte Peter, der als Einziger von uns nicht improvisieren musste. »Erstens: Das waren professionelle Einbrecher. Dafür sprechen die Spuren an der Haustür.

Dagegen spricht das Verhalten im Kindergarten und der Abbruch der Aktion. Zweitens: Das waren Junkies. Die haben durchaus mal ein Stemmeisen dabei und sind dumm genug, das dann nicht mit reinzunehmen und anschließend wegen einer dünnen Tür, die man sogar auftreten könnte, aufzugeben. Dafür spricht, dass lediglich die Portokasse fehlt und nicht auch der Rechner mitgenommen worden ist. Dagegen spricht, dass die Täter offensichtlich Handschuhe getragen haben. Drittens: Vandalismus. Dagegen sprechen allerdings das Stemmeisen und die Handschuhe.«

Interessant, welche Theorien ein erfahrener Polizist aus einem Minimum an Spuren herleiten konnte. Ein viertes Szenario, ein lediglich fingierter Einbruch, gehörte offensichtlich nicht dazu.

Mein inneres Kind wollte dem Ganzen aber noch ein fünftes Szenario hinzufügen.

»Vielleicht waren das ja die Assis aus dem Park.«

Ich war leidlich dazu in der Lage, meinen Ärger über die Assis aus dem Park regelmäßig achtsam wegzuatmen. Bis auf den Eiswürfel-Ausraster. Der eindeutig auf das Konto meines inneren Kindes ging. Mein inneres Kind hasste die Assis aus tiefstem Herzen. Permanent. Und auch das war ebenso nachvollziehbar wie gerechtfertigt. Es war ein Kind. Jedenfalls hatte ich in den letzten Wochen verstanden, dass nicht ich mich immer wieder vom Verhalten dieser Assis triggern ließ. Mein inneres Kind war es. Entsprechend war es meinem inneren Kind auch völlig egal, dass die Assis aus dem Park nicht an dem Einbruch schuld gewesen sein konnten, da Sascha und ich ihn fingiert hatten. Ich steckte meine ruhige Hand in die Hosentasche und streichelte den Nachplappervogel, um mein inneres Kind zu beruhigen.

Aufgrund unserer Partnerschaftswoche wollte ich die Wünsche meines inneren Kindes aber auch nicht komplett ignorieren.

Da ich selber den fingierten Einbruch in Auftrag gegeben hatte, hätte ich es als moralisch verwerflich empfunden, wenn ich persönlich wider besseres Wissen jemand anderen für die Tat verdächtigen würde. Ich fand einen anderen Weg.

»Sascha meinte, es könnten vielleicht die Typen aus dem Park gegenüber gewesen sein«, bemerkte ich. Das stimmte sogar insofern, als Sascha diese Theorie vorhin tatsächlich wider besseres Wissen ins Spiel gebracht hatte.

»Dafür fehlt jeglicher Anhaltspunkt«, klärte mich Peter auf. »Allein die Tatsache, dass Leute sich nachts im Park danebenbenehmen, rechtfertigt noch nicht, sie des Einbruchs zu verdächtigen.«

»Ihr wollt diese Spur nicht verfolgen?«

»Wir müssen mit unseren Ressourcen haushalten.«

Ich war mit dieser Antwort ebenso unzufrieden wie mein inneres Kind. Allein die Tatsache, dass die Polizei unter akutem Personalmangel litt, rechtfertigte es nicht, einen nicht komplett abwegigen Verdacht zu ignorieren.

»Und wie schätzt du jetzt die Gefahr für den Kindergarten ein?«, fragte ich Peter.

»Die Sache ist durch. Bei allen drei möglichen Szenarien werden die Täter das nicht noch einmal versuchen. Ich denke, der Kindergarten kann morgen wieder ganz normal öffnen. Nachdem heute der Glaser und der Putztrupp da waren. Denkt einfach mal drüber nach, die Fenster im Erdgeschoss zu vergittern.«

Selbsteingitterung. Durchaus eine sinnvolle Lösung, die Verbrechensrate in Deutschland zu senken. Von dem Geld, das die Vergitterung aller Fenster der Bundesrepublik auf Augenhöhe kosten würde, könnte man natürlich auch genügend Polizisten einstellen, um die Verbrecher auf Augenhöhe zu bekämpfen.

»Danke für den Hinweis. Und danke, dass deine Leute so schnell da waren«, bedankte ich mich bei Peter, der sich zum Gehen wandte.

»Keine Ursache. Es geht ja auch um die Sicherheit meines Kindes.«

Als wir allein waren, sah ich mir das glaubwürdige Chaos in dem Büro an.

»Gut gemacht«, lobte ich Sascha.

»Danke sehr. Dann darf ich das jetzt wohl auch wieder aufräumen?«

»Ich helfe dir. Und übrigens – Spitzenidee, dass du obendrein so getan hast, als hätten die Typen vorher die Eingangstür aufbrechen wollen. Wo hattest du das Brecheisen her?«

»Ich hatte kein Brecheisen.«

Ich guckte fragend.

»Die Eingangstür ist tatsächlich gewaltsam aufgebrochen worden.«

»Und wieso denkt Peter, die Einbrecher wären an der Tür gescheitert?«

»Weil das Schloss anschließend wieder in die Tür montiert wurde.«

»Von dir?«

»Nein. Von denjenigen, die Boris befreit haben.«

Mir wurde eiskalt. Natürlich hätte mir klar sein müssen, dass der oder diejenigen, die Boris aus dem Keller geholt hatten, hier im Haus gewesen sein mussten. Mir wurde aber jetzt erst klar, wie nah er oder sie mir dabei schon gekommen waren. Und auch Sascha. Wir wohnten schließlich nur die Treppe hoch. Lediglich gesichert durch zwei Wohnungstüren. Warum hatte man uns nicht bereits letzte Nacht einfach aus Rache ermordet? Und warum sollte jemand die Haustür aufbrechen, Boris aus dem Keller befreien und die Haustür anschließend wieder reparieren? Das ergab alles keinen Sinn.

Inzwischen trafen die ersten Erzieherinnen ein. Sascha hatte bereits veranlasst, dass alle Eltern per WhatsApp über den heute geschlossenen Kindergarten informiert worden waren. Dennoch wollte er für alle Fälle eine Notbesetzung vor Ort haben. Er erklärte den Damen kurz die von uns gefakte Situation und bat sie, einen Glaser anzurufen und das zerbrochene Fenster erneuern zu lassen. Ich ging derweil zurück in meine Wohnung und telefonierte noch einmal mit Walter.

»Danke für die Security-Teams. Das gibt ein gutes Gefühl«, sagte ich.

»Keine Ursache.«

»Gibt es irgendwelche Neuigkeiten von Boris' Leuten?«, fragte ich möglichst beiläufig.

»Wir beschatten parallel vier Officer aus Boris' Clan. Bislang nichts Auffälliges.«

»Das bedeutet?«

»Warte mal, ich bekomme die Statusmeldungen meiner Teams immer als WhatsApp … Also einer ist gerade mit dem Hund raus. Einer hat vorhin seinen Club abgeschlossen und ist direkt nach Hause. Einer vögelt die Frau seines Nachbarn, und der vierte ist auf dem Weg zu einem Gerichtstermin.«

Das war ebenso beruhigend wie verwunderlich. Hätte Boris mit seinen Leuten Kontakt aufgenommen, würde sein Führungspersonal jetzt nicht seelenruhig den Alltagsgeschäften nachgehen. Das verschaffte Sascha und mir zumindest ein wenig Zeit. Ich dankte Walter und legte auf.

Im gleichen Moment rief Katharina an. Sie hatte die WhatsApp des Kindergartens ebenfalls bekommen und kam gleich zur Sache.

»Kannst du Emily übernehmen?«

Ich unterdrückte meinen Wunsch, eine Frau zu haben, die sich erst einmal danach erkundigte, wie es mir damit ginge, dass gerade in meinem Haus eingebrochen worden war. Ganz zu schweigen von dem Wunsch, eine Frau zu haben, der ich hätte erzählen können, dass der Einbruch nur vorgetäuscht war und ich in Wahrheit um mein Leben fürchtete.

Aber ich konnte meine Frau nicht ändern. Ich konnte nur meine Einstellung zu meiner Frau ändern.

Und der Frau, die gerade anrief, war beides egal. Sie beschäftigte sich in erster Linie gern mit ihren eigenen Wünschen.

»Morgen ist mein erster Arbeitstag, und ich bin heute Mittag mit einem Kollegen zum Essen verabredet. Das würde ich ungern absagen, nur weil der Kindergarten seine Dinge nicht geregelt bekommt.«

»Jemand hat versucht einzubrechen. Die Polizei war gerade da. Wir müssen erst mal aufräumen und …«

»Ich weiß, dass eingebrochen worden ist. Sonst hätte ich ja nicht das Problem mit meinem Termin. Also, kannst du Emily abholen?«

Klar konnte ich – wenn ich bis dahin nicht tot war. Aber auch das konnte ich Katharina nicht sagen. Katharina ging es ja auch nicht um mein Leben. Ihr ging es um Macht. Und sei es nur die Macht über meinen Terminkalender. Ich wollte diese Machtspielchen nicht auf Emilys Rücken austragen. Ich würde Emily abholen. Solange Walters Leute uns bewachten, war Emily bei mir genauso sicher oder unsicher wie bei Katharina. Und wenn mein Leben tatsächlich zeitnah enden sollte, dann wollte ich von dieser Zeit so viel wie möglich mit meiner geliebten Tochter verleben. Vielleicht war es ganz gut, sich einfach den kleinen Problemen des Alltags hinzugeben. Wenn schon jemand in meinem

Leben rumtrampelte, dann sollte das nicht Boris sein, sondern wenigstens meine Frau.

»Ja. Ich beeile mich hier und rufe dich an, wenn ich fertig bin.«

»Ich muss um spätestens zwölf hier weg.«

»Ja, ich …«

Katharina hatte schon aufgelegt. Meine Wünsche zählten nicht.

Es klingelte. Durch den Türspion sah ich Sascha. Ich öffnete die Tür.

»Komm rein. Kaffee?«

»Gerne.«

Wir gingen in die Küche, und ich machte Sascha einen Kaffee aus meiner Kapselmaschine. Ich nahm die Aluminiumkapsel aus dem Schrank, steckte sie erst in die Maschine und direkt danach in den Müll. Wie schön war die Zeit, als die Frage, ob ich aus ökologischen Gründen wieder zu Filterkaffee zurückkehren sollte, mein größtes Problem war.

»Den Einbruch scheinen uns alle abgenommen zu haben, oder?«, wollte ich wissen.

»Das lief problemlos. Ein paar Eltern müssen jetzt umdisponieren. Aber das war denen allemal lieber, als die Kinder am Ort eines Verbrechens abzugeben.«

Katharina schien der einzige Elternteil zu sein, der das anders sah.

»Ich will nicht auch nur ein einziges Kind der Gefahr durch Boris aussetzen. Weder heute noch morgen«, betonte Sascha.

Ich nickte. »Notfalls müssen wir uns für morgen was Neues einfallen lassen.«

»Was hast du jetzt eigentlich Walter erzählt, warum wir Schutz brauchen?«

Ich erzählte Sascha meine Geschichte mit den Holgersons.

Sascha fand die Story kreativ genug, um uns mindestens ein paar Tage Bewachung ohne weitere Fragen zu sichern.

»Wie bist du darauf gekommen?«

»Ich habe mir meine kindliche Kreativität bewahrt«, sagte ich, ebenso nichtssagend wie abschließend.

»Beschattet Walter auch Boris' Leute?«, wollte Sascha wissen, während ich ihm seinen Nespresso gab.

»Ja. Bislang verhält sich keiner seiner Officer auch nur im Ansatz auffällig. Wenn Boris sich bei denen gemeldet hätte, dann wären die jetzt das Zentrum der Empörung.«

Sascha sah mich fragend an. »Wie kann das sein? Warum sollte Boris aus dem Keller fliehen, sich dann aber nicht bei seinen Leuten melden?«

»Genau das macht mich auch stutzig. Wie die Sache mit der reparierten Außentür. Bist du sicher, dass das Schloss vor Boris' Zelle von außen geknackt und nicht irgendwie von innen aus der Halterung gerissen wurde?«

Sascha machte große Augen. »Warst du noch gar nicht unten?«

Ich stutzte. Nein, dazu hatte mir bislang schlicht die Zeit gefehlt. Sascha hatte recht. Ich musste mir den Ort des Geschehens zunächst einmal selber anschauen.

12 MINIMALISMUS

»Die Angst vor Verlust hört in der Regel automatisch auf,
wenn Sie tatsächlich nichts mehr zu verlieren haben. Das kann
ein sehr befreiender Moment sein. Sie werden staunen, wie wenig
der Mensch tatsächlich zum reinen Leben braucht.«

JOSCHKA BREITNER,
»DAS INNERE WUNSCHKIND«

DER ALTBAU VERFÜGTE über einen großen Gewölbekeller, mit vielen verschachtelten Räumen. Eine Location, die in aufgeräumtem und renoviertem Zustand durchaus als urige Weinstube hätte genutzt werden können. Der vorderste, größte Raum diente als Lagerraum für den Kindergarten. Hier standen Holzbänke und Tische, Spielgeräte und Planschbecken. Ein pinkes Spiel-Gartenhäuschen aus Plastik fristete in der Ecke ein Schattendasein. Ein Kettcar war – warum auch immer – hochkant gegen die Spielhäuschen-Tür gelehnt.

Von diesem vorderen Raum aus verlief ein langer Gang unter der vollen Länge des Hauses entlang, von dem die einzelnen gemauerten Kellerabteile für die drei Wohnungen des Hauses abgingen. Die letzte Kellertür am Ende des Gangs führte in den Heizungskeller. Und der hatte eine kleine Besonderheit. Zum einen bestand er aus drei Räumen, die nur über eine einzige Eingangstür erreichbar waren. Zum anderen sah man ihm das nicht an.

In den achtziger Jahren gehörte das Haus einem Menschen, der überzeugter Anhänger des damals vorherrschenden Weltuntergangsgrunddreiklangs »Atomkrieg-Ozonloch-Waldsterben« war. Er war der festen Überzeugung, keines dieser drei Probleme ließe sich innerhalb von zehn Jahren durch internationale Verhandlungen und technischen Fortschritt lösen. Also entschied er

sich für lokalen Aktionismus und grub sich zwei Überlebens-
räume unter den Garten seines Hauses. Der Bau dieser Räume
erwies sich im Nachhinein zwar als überflüssig, hatte aber für
Sascha und mich einen entscheidenden Vorteil: Die Räume
waren in keinem Bauplan verzeichnet.

Der Weltuntergang war wider Erwarten nicht eingetreten.
Aber die Schutzräume waren weiterhin über den Heizungskeller
zugänglich. Also wie gemacht als illegale Herberge für einen un-
geplanten Gast. Die Panik von gestern erwies sich als das ideale
Gefängnis von heute.

Im ersten, legalen Kellerraum befand sich seit Jahrzehnten
eine zwischenzeitlich veraltete Ölheizungsanlage, ein riesiger
Öltank sowie ein alter Ikea-Schrank. Ich hätte diese Ölheizung
aus Umweltgesichtspunkten gern modernisieren lassen. Auf Dragans Kosten. Der Grund dafür, dass ich das nicht tat, befand sich
hinter dem Ikea-Schrank. Der Schrank verdeckte die Tür zu den
beiden anderen, illegalen Kellerräumen. Sascha, der handwerk-
lich sehr geschickt war, hatte ihn mit unsichtbaren Rollen und
einem Scharnier versehen. Der Schrank war samt Inhalt als Tarnung vor der eigentlichen Tür zu benutzen. Für eine fünfzehn-
minütige Wartung der Heizung in unserem Beisein war diese Tarnung okay. Für einen Heizungsbauer, der die komplette Anlage
erneuerte, wäre sehr schnell klar geworden, dass irgendetwas in
dem Keller nicht stimmte.

Nun jedenfalls lag der Schrank in Trümmern vor der Tür, die
er verdecken sollte.

Die offenstehende Tür dahinter hatte eine ganz eigene Geschichte. Sie entstammte einem echten Gefängnis und hatte die
erste Zelle verschlossen, in der Dragan jemals übernachtet hatte.
Sie verfügte über eine Klappe, durch die man Essen reichen, Gespräche führen oder dem Insassen Handschellen anlegen konnte.

Das Gefängnis war vor ein paar Jahren aufgelöst und das Inventar versteigert worden. Dragan hatte die Tür aus nostalgischen Gründen erworben und sie im Keller seines Altbaus gelagert. Sascha und ich hatten sie bei der Planung von Boris' Gefängnis zufällig gefunden und kurzerhand beschlossen, dass die erste Gefängnistür von Dragan zur letzten Gefängnistür von Boris werden sollte. Eine an und für sich schöne Symbolik, die nun leider ihre Symbolkraft eingebüßt hatte, denn das massive Vorhängeschloss, das die Tür verschlossen hatte, lag aufgeschnitten am Boden.

Sascha hatte Boris' Gefängnis ziemlich wohnlich eingerichtet. In einem hinteren Raum befanden sich die sanitären Einrichtungen, im vorderen gab es ein Bett, einen Tisch und zwei Stühle. (Der zweite Stuhl sollte Boris vergessen lassen, dass er nie wieder Besuch empfangen würde.) Überhaupt hatten wir uns bemüht, seine Gefangenschaft so positiv wie möglich zu gestalten. Wenn schon nicht für Boris, dann zumindest für den Rest der Welt. Wir ernährten Boris weitgehend vegan. Boris verfügte über zwei Jeans und zwei T-Shirts aus Bio-Baumwolle, die wir bewusst aus fairem Handel gekauft hatten. Keine Näherin in Bangladesch war dafür ausgenutzt worden. Während Boris früher jeden Tag mindestens hundert Kilometer in einer S-Klasse-Limousine zurückgelegt hatte, bewegte er sich nun seit sechs Monaten ausschließlich CO_2-neutral von einem Kellerraum in den anderen. Plastiktüten zum Einkaufen brauchte er auch nicht. Mit anderen Worten: Dank uns hatte Boris den ökologischen Fußabdruck eines einbeinigen Kleinkindes auf Stöckelschuhen. Jemanden von einem globalisierten Verschwender in einen lokal und saisonal konsumierenden Erdenbewohner zu verwandeln war gar nicht so schwer. Man musste den Menschen nur in einem Keller einsperren.

Noch immer standen wir vor der Gefängnistür, und mir fiel

nichts Klügeres ein, als das Offensichtliche zu sagen: »Die Tür ist tatsächlich von außen aufgebrochen worden.«

»Ja. Das ist das eine. Aber schau mal in den ersten Raum.«

Im ersten Raum lag der Tisch zerbrochen auf dem Boden. Ein Stuhl war umgekippt. Boris' Wasserflasche, eine Mehrweg-Karaffe aus bruchfester Emaille, lag ausgeschüttet auf dem Boden.

»Entweder Boris hat rumrandaliert, oder es hat ein Kampf stattgefunden.«

»Richtig«, stellte Sascha fest. »Aber warum sollte Boris mit seinem Befreier kämpfen?«

Das war in der Tat merkwürdig. Ich unterzog beide Zimmer einer gründlichen Inspektion, fand aber keinerlei Hinweise darauf, was hier unten vorgefallen sein könnte.

Sascha hatte unterdessen den in seine Bestandteile zerlegten Ikea-Schrank so gut es ging wieder zusammengefügt. Wir schlossen die Gefängnistür und schoben den Schrank davor. Das war der klare Vorteil von Ikea-Möbeln. Zerstört oder unzerstört sahen sie fast gleich aus.

Auf dem Weg aus dem Keller fiel mir wieder das pinke Spielhaus und das hochkant angelehnte Kettcar auf. Aus irgendeinem Grund ärgerte es mich. Wer auch immer das so hingestellt hatte, es sah unordentlich aus. Ohne groß zu überlegen, ging ich zu dem Spielhaus und wollte das Kettcar wieder auf seine vier Räder stellen.

Als ich das Kettcar zur Seite nahm, hörte ich ein schleifendes Geräusch. Die Tür des pinken Gartenhauses, gegen die vorher noch das Kettcar gelehnt war, öffnete sich. Zwei Männerbeine in Jeans und Socken drückten sie nach außen. In dem Spielzeug-Gartenhaus lag offensichtlich ein Mann.

Ich stellte das Kettcar auf den Boden und rief Sascha. »Schau dir das an.«

Sascha sah die beiden Füße und zückte eine Pistole.

»Du trägst eine Waffe?«

»Rein beruflich.«

»Du bist Kindergartenleiter.«

»Und das gewalttätigste Kind fehlt seit heute. Da fand ich eine Waffe angebracht.«

Wir näherten uns dem Häuschen. Sascha kickte mit dem Fuß gegen eines der Beine. Die Beine bewegten sich nicht. Ins Gartenhäuschen konnten wir nicht hineinsehen. Die Fenster waren geschlossen, und im Innern war es stockfinster. Wir schauten uns an, Sascha zeigte mit den Augen auf das Dach des Häuschens. Es war nur lose aufgelegt. Jeder von uns ergriff eine Seite des Daches, und dann hoben wir es vorsichtig herunter. Im Innenraum lag tatsächlich ein Mann. Mit Kabelbinder gefesselt.

Der Mann war nicht tot.

Der Mann war Boris.

13   KINDLICH UND KINDISCH

»Kindlich ist das altersgemäße Verhalten eines Kindes. Kindisch ist das nicht altersgemäße Verhalten eines Erwachsenen.«

JOSCHKA BREITNER,
»DAS INNERE WUNSCHKIND«

DAS GERÄUSCH DES Steins, der mir vom Herzen fiel, weil Boris offensichtlich doch nicht in Freiheit war, wurde lediglich von der Anwesenheit eines überdimensionalen Fragezeichens im Raum gedämpft. Was hatte dieser gefesselte Mafioso bewusstlos im Lillifee-Gartenhaus des Kindergartens zu suchen? Er lag offensichtlich schlafend in dem viel zu kleinen Plastikgebäude. Er trug Jeans und T-Shirt. Beides ein wenig zu kalt für diesen unbeheizten Teil des Kellers. Die einzigen neuen Kleidungsstücke waren Kabelbinder an den Händen und den Füßen. Aber die hielten nicht warm. Nur still.

Noch vor sechs Monaten war Boris ein Bär von einem Mann gewesen. Groß, muskulös, behaart, sonnenbankgebräunt. Sechs Monate in einem Kellergefängnis, ohne Tageslicht, können einen Menschen verändern. Vor uns lag ein Mann, der eher einem verhungernden Eisbären auf einer abtreibenden Eisscholle ähnelte. Boris hatte massiv an Gewicht verloren. Er wirkte eingefallen. Seine Größe konnte er im Gartenhaus ohnehin nicht völlig entfalten. Aber er wirkte auch schon in den Wochen vorher immer geduckter. Seinem einstmals vollen Haar fehlte die Spannkraft, und es war im letzten halben Jahr stark ergraut. Die Tatsache, dass weder Sascha noch ich über die Fähigkeiten eines Frisörs, sondern lediglich über einen Langhaarschneider verfügten, wirkte sich frisurtechnisch auch nicht gerade positiv aus. Aber ich hatte deswegen keine Schuldgefühle. Hätte ich Boris nicht vor sechs Monaten in die Falle laufen lassen und gefangen genommen, hätte sich mein Körper wesentlich stärker verändert als seiner. Boris hätte mich vor einem halben Jahr ohne Zögern getötet. So lebten wir heute zumindest beide. Und Boris wirkte, wie er da vor uns lag, fast entspannt.

Der Grad seiner Entspanntheit schien mit etwas zusammenzuhängen, das in seinem linken Arm steckte. Ein Infusionsschlauch verband seine Ellenbogenbeuge mit einem kleinen Kästchen, das am Fensterrahmen des Spielhauses eingehakt war. In dem Kästchen befand sich eine Ampulle mit einer Flüssigkeit. Meine Verwirrung wurde noch größer.

Die kindliche Stimme in mir, die laut und wiederholt »*Tapsi!*« jubelte, beruhigte ich fast schon mechanisch, indem ich den Nachplappervogel in meiner Tasche streichelte.

Sascha schien genauso perplex zu sein wie ich. Nachdem wir uns vielleicht eine Minute lang wortlos gesammelt hatten, steckte Sascha seine Pistole weg. Wir näherten uns Boris. Ich überprüfte zunächst einmal seinen Puls. Er war schwach, aber vorhanden. Sascha schaute sich das Kästchen mit der Ampulle näher an. Sie war mit einem Etikett versehen.

»Was ist da drin?«, wollte ich wissen.

»Da steht ›Midazolam‹ drauf«, sagte Sascha.

»Und was ist das?«

»Keine Ahnung. Ich hab Umwelttechnik studiert.«

»Was auch immer das ist, es scheint für Boris' Zustand verantwortlich zu sein. Wir sollten das abmachen.«

»Vielleicht sollten wir das nicht in dem Teil des Kellers machen, in den jeder reinkann.«

Sascha hatte recht. Wir legten Boris das Kästchen und die Ampulle auf den Bauch. Dann packte ich den Mann an den Beinen und zog ihn aus dem Gartenhäuschen. Sascha übernahm die

Arme und gemeinsam trugen wir ihn zurück in seine Zelle. Wir legten ihn aufs Bett. Sascha zerschnitt die Kabelbinder mit einem Messer.

Boris schien keinerlei äußere Verletzungen zu haben. Seine Atmung war stabil und regelmäßig. Die Kanüle in seinem linken Ellenbogen war umrahmt von vier offensichtlichen Fehlversuchen, die Nadel in die Vene zu stechen.

»Boris scheint Kassenpatient zu sein«, bemerkte Sascha. »Ziemlich lieblos gestochen.«

»Dafür hat er ungefragt sofort einen Termin bekommen. Bei wem auch immer.«

Wir zogen Boris die Kanüle aus dem Arm.

Ich schaute mir die Ampulle und das Kästchen genauer an. Die Ampulle war noch halb voll. Ich hatte mich mein Leben lang gefragt, wofür ich in der Schule eigentlich das große Latinum gemacht hatte. In diesem Moment konnte ich meine Lateinkenntnisse zum ersten Mal in der Praxis anwenden.

»Auf der Ampulle mit dem Midazolam steht in klein auch noch ›Dormicum‹ drauf.«

»Das heißt?«

»›Dormire‹ heißt ›schlafen‹. Das Zeug hier in der Ampulle muss ein Schlafmittel sein. Über das Kästchen scheint es dosiert zu werden. Da wollte anscheinend jemand genau timen, wie lange Boris schläft.«

»*Schlaf weiter, Tapsi!*«, hörte ich mein inneres Kind zufrieden flüstern.

Mein inneres Kind war seine Wut los und ich vorerst meine Angst. Boris war wieder in seinem Gefängnis. Zusammen mit ziemlich vielen Fragen.

»Haben wir jetzt ein Problem weniger oder ein Problem mehr?«, wollte Sascha wissen.

Ich zuckte die Schultern. »Na ja, die gute Nachricht ist zunächst mal, dass wir heute wahrscheinlich nicht sterben werden. Boris selbst stellt keine Gefahr für uns dar«, versuchte ich zunächst das Positive zusammenzufassen.

»Aber vielleicht stellt der Typ, der ihn befreit hat, eine Gefahr dar.«

»Ich habe keine Ahnung. Wer auch immer Boris aus dem Keller geholt hat, war offensichtlich kein Freund von Boris. Sonst hätte er ihn mitgenommen und nicht betäubt im Lillifee-Haus liegen gelassen.«

Sascha verschränkte seine Hände hinter dem Kopf, wohl um sich besser konzentrieren zu können. »Also gut«, sagte er, »gehen wir es systematisch an. Was wissen wir?«

»Irgendwer hat offensichtlich mitbekommen, dass wir hier jemanden gefangen halten«, gab ich zur Antwort.

Sascha nickte. »Er hat ihn aus unserem Keller geholt. Er hat ihn aber nicht befreit. Er hat auch nicht die Polizei verständigt. Er hat ihn betäubt, gefesselt und in einem Lillifee-Gartenhaus abgelegt.«

»Nicht bloß abgelegt. Er hat ihn dort versteckt. Er hat sogar das Schloss im Hauseingang repariert, das er vorher aufgebrochen hatte«, ergänzte ich.

»Soll das eine Botschaft sein?«

Ich überlegte. »Wohl eher drei Botschaften«, sagte ich schließlich. »Erstens: Ich kenne euer Geheimnis. Zweitens: Ich spiele mit euch. Und drittens: Außer mir und euch geht das vorerst niemanden an. Deswegen hat er die Einbruchspuren an der Tür verwischt.«

»Ganz schön kindlich, so mit uns zu spielen«, stellte Sascha fest.

»Kindisch«, korrigierte ich automatisch. »Wer auf diese Art

144

und Weise mit dem organisierten Verbrechen spielt, hat offensichtlich eine hohe Risikobereitschaft.«

»Vielleicht weiß er gar nicht so genau, um wen es sich hier handelt.« Sascha zeigte auf den schlafenden Boris. Ein Sabberfaden lief ihm aus dem Mundwinkel. Ich fand die Vorstellung absurd, dass jemand Boris fesselte und betäubte, ohne zu wissen, wer Boris war.

»Du meinst, dieser Jemand hatte zufällig ein Betäubungsmittel, einen Bolzenschneider, Kabelbinder und ein Brecheisen dabei«, bemerkte ich, »und hat dann zufällig im Keller des Hauses, in dem ein Mafia-Anwalt, ein ehemaliger Mafia-Fahrer und ein von der Mafia betriebener Kindergarten untergebracht sind, einen gefangen gehaltenen Russen gefunden. Und ihn dann in ein Feenhaus geschleppt … Vielleicht sollten wir alle Kinder überprüfen, ob jemand von ihnen ein bösartiger Elf ist.«

Sascha machte ein zerknirschtes Gesicht. »Ist ja gut. Hab verstanden. War nur so ein Gedanke.«

Ich versuchte, die Dinge wieder rational einzuordnen.

»Nehmen wir mal an, der Typ, der Boris betäubt hat, weiß, wer Boris ist und in welchem Verhältnis er zu uns steht. Dann wollte er ganz offensichtlich, dass wir Boris vermissen. Dass wir ihn suchen. Dass wir in Panik geraten.«

»Aber dieser Jemand hat Boris' Betäubung getimt.« Sascha fing an, in dem kleinen Zimmer auf und ab zu gehen. »Wenn Boris heute Nacht betäubt worden ist und die Ampulle erst halb leer ist, dann wird er vor heute Abend sicherlich nicht aufwachen. Hätten wir Boris bis dahin nicht gefunden, hätte er mit Sicherheit laut herumgebrüllt – wenn niemand außer uns mehr anwesend gewesen wäre.«

»Was wiederum bedeutet, dass der Typ weiß, wann hier wer im Hause verkehrt«, führte ich Saschas Gedanken fort.

»Und auch das ist eine Botschaft.«

»Also – wem ist es am Ende egal, wie lange wir in Panik geraten, weil Boris weg ist?«, wollte ich wissen.

»Einem Menschen, der uns kennt und dem unsere Wünsche egal sind«, fasste Sascha zusammen.

»*Aua*«, rief mein inneres Kind. Da war er wieder. Der Druck auf seinen blauen »Deine Wünsche zählen nicht«-Fleck. Ich hielt meine eigene Wut mit bewusstem Atmen in Schach und tätschelte liebevoll den Nachplappervogel.

»Also gut.« Ich fasste zusammen. »Der Typ, der Boris erst befreit und ihn dann in dem Lillifee-Gartenhaus abgelegt hat, ist ein rücksichtsloser Egoist, dem unsere Wünsche egal sind. Engt das den Kreis der möglichen Täter ein?«

»Nicht im Geringsten.«

Das stimmte. Diese Beschreibung traf von Katharina über meine Mandanten und die Assis auf dem Spielplatz bis zu Nils dem Kellner auf so ziemlich jeden Menschen zu, der mein Leben tangierte. Und nur Nils der Kellner hatte ein Alibi.

Aber wer auch immer dieser Typ war, er trat zu einem für ihn äußerst ungünstigen Zeitpunkt in mein Leben. Nie wieder würde ich jemandem ungestraft gestatten, die Wünsche von mir oder meinem inneren Kind mit Füßen zu treten. Nicht in unserer ersten Partnerschaftswoche. Dank Herrn Breitner hatte ich einen Pakt mit meinem inneren Kind geschlossen.

14 ZEITREISEN

»Reisen in die eigene Kindheit sollten sein wie Besuche von der Gewerbeaufsicht. Sie müssen überraschend stattfinden, sonst bekommen Sie nur die geschönte Seite zu sehen.«

JOSCHKA BREITNER,
»DAS INNERE WUNSCHKIND«

DEN GRUND DAFÜR, dass ich auf den Satz »Deine Wünsche zählen nicht« so heftig reagierte, hatte Herr Breitner mit mir schmerzhaft herausgearbeitet. In der zweiten Stunde meines Inneren-Kind-Coachings.

Er saß mir damals sehr entspannt gegenüber. Ich ihm zunächst sehr verkrampft.

»Wir werden heute eine Reise in Ihre Vergangenheit machen. Zurück in Ihre Kindheit. Um Ihr Verhältnis zu Ihren Eltern ein wenig genauer zu betrachten.«

»Wie gut, dass meine Eltern tot sind. Die wurden bei Spontanbesuchen immer panisch«, erwiderte ich wahrheitsgemäß.

»Es geht bei dieser Reise nicht um Ihre Eltern. Es geht um Sie und Ihre Wahrnehmung Ihrer Kindheit. Diese Reise wird ganz bewusst ein Überraschungsbesuch sein. Überraschend für Sie. Damit Sie gar keine Zeit haben, Ihre Kindheit in Gedanken vorher aufzuräumen. Wir wollen sie genau so sehen, wie sie war.«

Ich war gespannt.

»Wir haben beim letzten Mal festgestellt, dass Ihnen Ihre Eltern in Ihrer Kindheit die Glaubenssätze ›Genuss ist Firlefanz‹ und ›Deine Wünsche zählen nicht‹ im sehr bildlichen Sinne eingebläut haben. Heute versuchen wir eine Reise zurück zu dem ersten Zeitpunkt in Ihrer Kindheit zu machen, an dem Sie diese

Glaubenssätze und die damit verbundenen Verletzungen das erste Mal wahrgenommen haben.«

Herr Breitner schaute mich freundlich fragend an, ob ich ihm folgen konnte.

»Wie soll das gehen?«, fragte ich vorsichtig.

»Wir schlagen eine Brücke von Ihren Gefühlen, die Ihren Ausraster als Erwachsener auf der Alm begleiteten, über Ihre Gefühle als Kind, dessen Wünsche auf der Alm ignoriert wurden, hinein in Ihre Kindheit. Und über diese Brücke gehen wir dann zu dem Moment, in dem die Glaubenssätze Ihrer Eltern angefangen haben, Sie zu prägen. Einverstanden?«

Ich nickte.

»Dann schließen Sie jetzt bitte die Augen und versetzen Sie sich noch einmal in die Situation, die Sie dazu gebracht hat, dieses Gatter hinter der Alm zu entriegeln.«

Ich schloss die Augen.

»Sie spüren die Situation, in der Ihre Wünsche nicht zählen und ignoriert werden?«

Meine Wut auf diesen Kellner war mir nach wie vor so präsent, dass ich sie problemlos aufrufen konnte. Ich nickte.

»Jetzt reisen Sie zurück in Ihren Kindheitsurlaub in den Bergen, als Ihr Wunsch nach Kaiserschmarrn ignoriert wurde. Fühlten Sie da ähnlich?«

Ich reiste zurück, fühlte in mich hinein und nickte.

»Jetzt reisen Sie weiter zurück. Gibt es ein früheres Ereignis, bei dem Sie genauso gefühlt haben, weil ein Wunsch ignoriert wurde?«

Ich reiste weiter und begegnete dort Tapsi. Und meinem Vater, der sie aus dem Keller scheuchte. In meine Wut mischte sich eine sehr kindliche Trauer. Ich erzählte Herrn Breitner von dem Katzen-Erlebnis. Und von dem Gefühl der Verlorenheit, weil

derjenige, der mich schützen sollte, meine Wünsche ignorierte.

»Haben Sie dieses Gefühl der Verlorenheit bei Tapsi das erste
Mal gespürt, oder kannten Sie es da schon?«

»Ich ... kannte es schon. Deshalb war ich ja so traurig. Weil
mir das nicht zum ersten Mal passierte, dass ausgerechnet meine
Eltern meine Wünsche mit Füßen traten.«

»Wir nähern uns damit dem Ziel, sind aber noch nicht ganz
da. Reisen Sie in Gedanken bitte noch weiter zurück. Welche
Ereignisse haben genau dieses Gefühl der Trauer und der Wut
das erste Mal ausgelöst?«

Ich kam nicht drauf. Obwohl ... da war eine sehr verschwom-
mene Erinnerung. Aber ich konnte sie nicht benennen. So, als
würde man versuchen, auf den Namen irgendeines Klassenkameraden aus der Grundschulzeit zu kommen, aber nur ein vages
Bild von seinem Gesicht im Kopf haben. Das vage Bild aus meiner Kindheit war ein Tretroller. Ganz blass. Und leicht rot. Warum
das? Ich ließ den Gedanken freien Lauf. Der Tretroller wurde
immer roter. Langsam formte sich eine Erinnerung. Und auf einmal war ich in Gedanken mitten in meiner Kindheit.

Ich war fünf Jahre alt. Es war Juli. Flachsblondes Haar be-
deckte meinen kleinen Kopf. Ich trug eine kurze Lederhose und
hatte Schrammen an beiden Knien. Es war seit Tagen heiß und
trocken. Schönes Wetter hieß damals schlicht und ergreifend
Sommer. Dieser Sommer versprach der beste Sommer überhaupt
zu werden.

Denn wie ich da so in der Lederhose stand, hatte ich gerade
das Geschenk meines Lebens bekommen: einen knallroten Tretroller. Micha, ein älterer Junge aus der Nachbarschaft, hatte ihn
mir geschenkt. Einfach so. Er mochte mich. Er hatte gerade ein
Bonanzarad zum zehnten Geburtstag bekommen und fühlte sich

selbst nun zu alt zum Rollerfahren. Es war ein super Roller, mit weißen Reifen und einem metallicrot lackierten Rahmen. Mit weißen Griffen an der Lenkstange. Und mit einer richtigen Klingel. Mit einem Pedal auf der Bodenplatte konnte man am Hinterrad bremsen. Aber welcher Junge brauchte schon eine Bremse? Dieser Roller war der Porsche unter den Fortbewegungsmitteln für Kinder. Meine Eltern hätten mir diesen Roller im Leben nicht gekauft. Und der Nachbarsjunge hatte ihn mir einfach so geschenkt.

Es war damals völlig normal, als fünfjähriges Kind stundenlang unbeobachtet mit den anderen Kindern aus der Nachbarschaft draußen zu spielen. Unsere Väter hatten damals keine Projekte, sondern Berufe. Unsere Mütter keine Thermomixe, sondern Kochtöpfe. Beides war Grund genug, auf die heute übliche vierundzwanzig Stunden Observation des Nachwuchses zu verzichten.

Mein Vater war als verbeamteter Jurist bei der Post tätig. Dass die Mitarbeiter der Post früher noch verbeamtet waren, glaubt einem heute kein freiberuflicher rumänischer Paketzusteller mehr, nach einem Achtzehn-Stunden Tag. Mein Vater jedenfalls war damals stellvertretender Leiter der Personalabteilung der örtlichen Postdirektion. Mit Pensionsansprüchen. Meine Mutter, die früher als Sekretärin gearbeitet hatte, hatte ihren Beruf bei meiner Geburt aufgegeben. Was sie den ganzen Tag anstellte, während ich vormittags im Kindergarten und nachmittags mit den Kindern aus der Nachbarschaft unterwegs war, weiß ich, ehrlich gesagt, heute gar nicht mehr.

Jedenfalls, als ich am Abend dieses Tages mit dem Roller erschöpft und glücklich bei uns in der Wohnung erschien, reagierten meine Eltern mit fassungslosem Entsetzen. Meiner Beteuerung, der Roller sei ein Geschenk, glaubten sie nicht. Es gab keine Diskussion. Mein Vater schleppte mich und den Roller umgehend zu den Nachbarn, um den Roller zurückzugeben. Die Eltern des Nachbarsjungen wussten zwar nichts von dem Geschenk. Als ihr Sohn aber meine Geschichte bestätigte, waren sie voll und ganz mit der Schenkung einverstanden.

»Es ist Michas Roller«, sagten sie. »Wenn er ihn verschenken möchte, ist das okay. Viel Spaß damit!«

Mein Vater entschuldigte sich. Nicht bei mir, für das Misstrauen. Sondern bei Michas Eltern. Für die Störung.

Wann immer ich mit dem Roller in den nächsten Tagen draußen spielen wollte, hieß es von meinen Eltern, ich solle aufpassen. So ein Roller sei teuer. Sie bemaßen den Wert des Rollers in Geld. Ich in Freude.

Keine drei Tage später war ich bereits der Weltmeister auf dem Roller. Ich konnte einhändig fahren. Ich konnte freihändig damit fahren. Ich konnte sogar freibeinig und freihändig darauf fahren, indem ich freihändig vom Roller runtersprang. Der Roller fuhr trotzdem geradeaus weiter. Bis er dann irgendwann umfiel.

Leider fiel er bei einer dieser Übungen eben nicht um. Sondern er krachte in die Seitentür eines in unserer Straße geparkten, himmelblauen Opel Kadett A, Baujahr 1963. Die Lenkstange des Rollers war zwar an beiden Enden mit den weißen Handgriffen gepolstert, aber als der Lenker an der Tür des Opels herumgerissen wurde, riss die Klingel einen zirka sechs Zentimeter langen Kratzer in den Lack des Opels. Der Roller knallte auf die Straße und hatte nun eine verbogene Klingel.

Der Opel gehörte einem Nachbarn, den wir Kinder nur als den Motzmann kannten. Einem selbstgerechten, erzkatholischen Mathematiklehrer, der alle Kinder bei jeder Gelegenheit maßregelte. Das war in den siebziger Jahren noch kein Grund für eine Strafanzeige. Kurz und gut: Ich hatte Angst vor diesem Nachbarn und seiner Reaktion. Deshalb erzählte ich, schutzsuchend, sofort meiner Mutter, was passiert war.

»Ist das schlimm?«, wollte ich von ihr wissen. Nein, das stimmt nicht. Wenn Kinder fragen, ob etwas schlimm ist, wollen sie nicht wissen, ob es schlimm ist. Sie wollen gesagt bekommen, dass es nicht schlimm ist. Aber meine Mutter nahm mir die Angst nicht. Sondern den Roller. Und sie rief meinen Vater an. Der nahm mir die Angst vor dem Nachbarn ebenfalls nicht. Sondern sich den Nachmittag frei. Er kam nach Hause und begutachtete den Schaden am Kadett. Nicht den Schaden an meinem Roller.

Zusammen mit mir an der Hand ging er dann zu dem Nachbarn und zwang mich zu erzählen, was passiert war. Wäre mein Vater nicht gewesen, da bin ich mir heute noch sicher, hätte mir der Nachbar eine Ohrfeige gegeben. Wäre mein Vater nicht gewesen, hätte der Nachbar allerdings auch überhaupt nichts von dem Kratzer erfahren. Seine Wagentür hatte nämlich so schon genügend Macken. Aber ausgerechnet mein Vater, der unsere eigenen Autos nach exakt hunderttausend Kilometern verkaufte, um die dann angeblich anstehenden teuren Reparaturen zu vermeiden, sagte nun dem Motzmann, dessen Auto einen Tachostand von bestimmt jenseits der dreihunderttausend Kilometer hatte, er solle den Kratzer doch bitte lackieren lassen und ihm die Rechnung schicken.

Ich bekam eine Woche lang Stubenarrest. Mein Roller wurde von meinem Vater einkassiert. Und am nächsten Samstag für fünf Mark per Zeitungsannonce verkauft. Diese Geldeinnahme stand in keinerlei Verhältnis zu meinem Freudeverlust. Das Geld behielten meine Eltern als Beteiligung an der Autoreparatur. Die Kosten für das Lackieren des Opels betrugen angeblich 180 Mark. Meine Eltern behaupteten noch jahrelang, ich hätte sie mit meinem nicht vertrauenswürdigen Verhalten in den Ruin getrieben.

»Wenn ich jetzt so zurückblicke, war die Sache mit dem Roller wohl das erste Mal, dass ich tatsächlich fühlte, dass meine Wünsche nicht zählten.«

Und diese Erkenntnis sollte mir bezüglich fast aller meiner Probleme die Augen öffnen.

15   ELTERN

»Ihre Eltern waren nicht die besten Eltern der Welt. Sie waren
nur die einzigen Eltern in Ihrer Welt.«

JOSCHKA BREITNER,
»DAS INNERE WUNSCHKIND«

»HABEN SIE EINE Ahnung, warum Ihnen die Roller-Geschichte erst jetzt wieder in den Sinn kommt? Welche Bedeutung dahintersteckt?«, wollte Herr Breitner wissen.

Ich überlegte.

»Ich glaube, ich hatte die ganze Geschichte bis jetzt unter einer völlig anderen Bedeutung abgespeichert. Die Sache mit dem Roller war für mich jahrzehntelang ein Beweis dafür, dass meine Eltern korrekte, anständige Eltern waren.«

»Aha. Können Sie sich das erklären?«

»Klar. Selbstverständlich erkundigen sich anständige Eltern bei den Nachbarn, wenn ihr Kind mit dem Roller des Nachbarkindes nach Hause kommt. Natürlich weisen anständige Eltern ihr Kind auf den Wert von Spielzeug hin. Natürlich informiert die anständige Mutter den anständigen Vater, wenn das unartige Kind etwas angestellt hat. Natürlich schaut sich der anständige Vater den Schaden an und steht dafür gerade. Und natürlich nimmt der Vater das Kind mit, damit es lernt, aus seinen Fehlern zu lernen. Und natürlich muss ein fünfjähriges Kind langsam darangeführt werden, sich an entstandenem Schaden zu beteiligen. Keine Ahnung, warum ich das so lange so falsch gesehen habe.«

Herr Breitner nahm einen Schluck von seinem Tee.

»Sie haben das nicht falsch gesehen. Im Gegenteil. Das war schlicht eine sehr rationale Sichtweise, die einem einfachen

Überlebensprinzip gerecht wird. Jedes Kind ist existenziell darauf angewiesen, seinen Eltern vertrauen zu können. Deshalb behauptet auch fast jedes Kind, die besten Eltern der Welt zu haben. Dabei sind es lediglich die einzigen Eltern, die es hat. Diesen Irrtum einzusehen schmerzt. Auch Jahrzehnte nach der Kindheit.«

Der Gedanke war mir vorher nie gekommen. Das war in der Tat schmerzhaft.

»Wie ordnen Sie heute das Verhalten Ihrer Eltern ein?«

Ich spürte eine stark aufkommenden Wut in mir.

»Meine Eltern haben meine seelischen Grundbedürfnisse schlicht mit Füßen getreten. Mein Bedürfnis nach Nähe? Wir helfen dir nicht – im Gegenteil: Wir liefern dich aus! Mein Bedürfnis nach Freiheit? Stubenarrest! Freude? Wir verkaufen den Roller.«

Ich spürte körperlich, wie durch den Roller-Vorfall die Seele meines flachsblonden inneren Kindes so mit Button-Stichen perforiert wurde, dass die aufgeschrammten Knie im Vergleich dazu ein Witz waren. »Du hast einen Roller geschenkt bekommen? Hier hast du den Button mit dem Spruch ›Du bist unglaubwürdig‹. Die Nachbarn bestätigen deine Geschichte? Hier hast du den Button mit dem Spruch ›Selbst wenn du die Wahrheit sagst, müssen wir uns für dich entschuldigen!‹ Du hast Angst vor dem Motzmann? Wir auch. Hier hast du den Button mit dem Spruch ›Unsere Angst zählt mehr als deine.‹ Und für alles zusammen hast du hier den großen Button mit der großen Nadel und der rollerroten Aufschrift ›Deine Wünsche zählen nicht!‹«

Herr Breitner sah mich verständnisvoll an, als warte er auf weitere Worte. Aber es kamen keine weiteren Worte, sondern nur Tränen, die in meine Augen traten. Tränen, in denen sich der kleine fünfjährige Junge spiegelte. Tränen, die sich aber noch nicht ganz heraustrauten.

»Und da wundern Sie sich, dass Ihr inneres Kind kein Urvertrauen hat? Bei all den Verletzungen? Mich wundert lediglich, dass Ihr Kind nicht viel mehr weint und wütet.«

Ich hatte endlich herausgefunden, was mein inneres Kind so tief verletzt hatte. Und ich heulte das erste Mal hemmungslos mit ihm mit. Das tat unglaublich gut.

Nach dieser Coaching-Sitzung konnte ich die Theorie mit dem »Deine Wünsche zählen nicht«-Button leicht auf alle meine Probleme anwenden. Nicht nur auf Nils. Die Mandanten, die mich nervten, die Assis aus dem Park gegenüber, Katharina mit ihrem Liebesentzug – alle zeigten mir mit ihrem Verhalten, dass für sie meine Wünsche nicht wichtig waren. Dass ihnen das kleine blonde Kind mit den aufgescheuerten Knien in mir vollständig egal war. Kein Wunder, dass mein inneres Kind immer wieder vor Schmerz aufschrie und ich sein Leiden nur dank meiner Achtsamkeit immer wieder in den Griff bekam. Diese elenden Glaubenssätze meiner Eltern prägten bis heute meine Beziehung zu den Menschen in meiner Umgebung.

Ich war Herrn Breitner unendlich dankbar für diese schmerzhafte Erkenntnis.

Was mir Herr Breitner mangels Kenntnis nicht bestätigen konnte, war, dass sich selbst mein Mord an Dragan auf den Umstand zurückführen ließ, dass auch ihm meine Wünsche nicht wichtig gewesen waren.

Und was war mit Boris? Wie ließ sich mit der Glaubenssatz-Theorie erklären, dass Boris noch lebte? Ich hatte den Wunsch, nicht mehr zu töten. Ich brachte Boris auf meinen eigenen Wunsch hin nicht um. Boris lebte noch, weil ich es so wollte. War das Lebenlassen von Boris schlicht ein Protest gegen meine Eltern? Oder ging es bei Boris überhaupt nicht um das Lebenlassen? Ging es nicht viel mehr um das Behalten?

Ich hatte ein Lebewesen im Keller, um das ich mich kümmern konnte. Wie damals als kleiner Junge Tapsi. Ich hatte im weitesten Sinne einen Gegenstand, der für mich ein kostbarer Besitz war. Wie damals mein Roller. Die Katze und den Roller musste der kleine Junge, der ich mal war, abgeben. Boris konnte ich als Erwachsener behalten. Weil niemand außer Sascha und mir von ihm wusste. Bis letzte Nacht. Und wer auch immer Boris erst befreit und dann betäubt hatte – er zeigte mir und meinem inneren Kind damit, dass er sich die gleiche Macht über Boris anmaßte, wie meine Eltern damals über meine Katze oder über meinen Roller. Und dieser Unbekannte und meine Eltern – sie hatten eins gemeinsam: Meine Wünsche und die Wünsche des kleinen Kindes in der Lederhose, das ich einmal war und das immer noch in mir steckte, waren ihnen vollständig egal.

Den Grund für meine Probleme zu erkennen war das eine. Mit dieser Erkenntnis eine Strategie zu entwickeln, mein inneres Kind zu heilen, war etwas ganz anderes. Und genau diese Fähigkeit hatte Herr Breitner mir im anschließenden Coaching vermittelt.

Und genau das würde diesem Unbekannten nun zum Verhängnis werden.

16 GLAUBENSSÄTZE

»Glaubenssätze sind die Wertvorstellungen, die Ihre Eltern Ihnen vermittelt haben. Wie alle Sätze können auch Glaubenssätze verletzend sein. Wie alle Sätze können auch Glaubenssätze überschrieben werden. Von Ihnen.«

JOSCHKA BREITNER,
»DAS INNERE WUNSCHKIND«

IM KELLER, VOR dem schlafenden Boris stehend, überlegten Sascha und ich, was als Nächstes zu tun war. Das Haus war sicher. Niemand kam ungesehen rein oder raus. Dafür sorgten Walters Leute. Die konkrete Gefahr einer sofortigen Rache von Boris oder seinen Leuten war aus der Welt. Sie war einer diffusen Bedrohung durch diesen Unbekannten gewichen. Zumindest hatten wir dadurch Zeit gewonnen. Zeit, die ich gerne zum Durchatmen genutzt hätte. Konnte ich aber nicht. Dank meiner Ehefrau.

Ich würde nun erst einmal Katharinas Wunsch erfüllen, mich um Emily zu kümmern, damit sie mit wem auch immer zu Mittag essen gehen konnte. Damit *sie* Zeit für *sich* hatte – statt *ich* für *mich*. Aber wenigstens hatte ich dann Emily.

Auf dem Weg zu Emily konnte ich dann auch gleich noch ein neues Schloss für Boris' Zelle besorgen. So lange würde es auch eine Notlösung tun. Sascha würde ohnehin in kurzen Abständen immer wieder im Keller nachsehen. Sobald die Betäubung von Boris nachließ, musste jemand bei ihm sein.

Wir stellten den Tisch und die Stühle in Boris' Zwei-Zimmer-Wohnung wieder an ihren richtigen Platz, verschlossen seine Zellentür mit einem alten Fahrradschloss und gingen gemeinsam nach oben.

Im Eingang des Kindergartens kam uns der Glaser entgegen, der offensichtlich die Scheibe erneuern wollte. Er hatte einen

DIN-A5-Briefumschlag in der Hand. Als er uns sah, kam er fragend auf uns zu.

»Wohnen Sie hier?«

»Wir betreiben den Kindergarten mit der kaputten Glasscheibe. Schön, dass Sie da sind«, antwortete Sascha.

»Na, dann ist der Brief hier wohl für Sie.«

Der Glaser gab Sascha den Umschlag. Ein brauner, gebrauchter, gepolsterter DIN-A5-Umschlag. Auf die Vorderseite war ein Adressaufkleber geklebt worden, auf dem in Maschinenschrift geschrieben stand: »An die Bewohner des Hauses«. In der rechten oberen Ecke klebte der Fetzen einer ausländischen Briefmarke – »eos« war auf dem linken Rand noch zu lesen.

»Wo haben Sie den her?«, wollte ich wissen.

»Lag auf dem Bürgersteig vorm Haus. Ich muss noch ein paar Sachen holen«, sagte der Glaser und ging zurück auf die Straße.

Sascha und ich sahen uns an. Ein anonymer Brief? Das verhieß nichts Gutes.

Ohne ein weiteres Wort zogen wir uns in den leerstehenden Gruppenraum der Nemo-Gruppe zurück. Dort riss Sascha den Umschlag auf. Er holte den Inhalt heraus und legte ihn auf den Basteltisch.

Es handelte sich um drei Polaroidfotos, die den schlafenden Boris im Lillifee-Gartenhaus zeigten, und ein Blatt Papier mit einem ausgedruckten Text. Der Text lautete:

Schön, dass ihr gleich den ganzen Kindergarten stilllegt, nur weil ich im Keller ein bisschen aufgeräumt habe. Ihr habt bis Ende der Woche Zeit, euren Gast zu töten. Am Freitagmorgen liegt der Kopf von Boris in einem Karton verpackt auf der Mauer vom Park gegenüber oder die nächste Bilderserie landet am Freitagabend bei der Polizei.

Sascha und ich ließen uns sehr ungelenk auf die viel zu kleinen Kindergartenstühle sinken. Mein inneres Kind fand zuerst die Sprache wieder.

»*Wir töten Tapsi nicht!*«

Ich steckte automatisch meine Hand in die Tasche und streichelte den Nachplappervogel. Das half zumindest auch mir, wieder Worte zu finden.

»Wir werden erpresst … von einem Idioten, dem wir noch nicht einmal einen neuen Briefumschlag wert sind.«

»Allein, dass der Typ uns das so offen zeigt, sagt uns eine Menge«, entgegnete Sascha.

»Was meinst du?«, fragte ich.

»Lassen wir mal den kranken Inhalt mit dem Kopf beiseite … Da stecken jede Menge Informationen im Text.«

Sascha hatte Recht. Dass wir erpresst wurden, ließ sich nicht ändern. Wir konnten uns dem Problem der Erpressung allerdings rational nähern.

»Dann lass uns unsere Eindrücke sammeln. Du fängst an.«

»Also«, sagte Sascha, »was mir als Allererstes auffällt: keine Anrede, keine Grußformel. Und er duzt uns. Ergo: kein Benehmen. Der Typ, der das verfasst hat, ist im tiefsten Inneren ein Flegel.«

»Sehe ich auch so. Zweitens: Der Typ beobachtet uns. Sonst wüsste er nicht, dass der Kindergarten heute geschlossen ist.«

Sascha nickte. »Vielleicht hat der Typ selbst ein Kind im Kindergarten. Dann hat er die Info heute Morgen sogar per WhatsApp bekommen und musste nur noch am Haus vorbeilaufen und den Brief fallen lassen.«

Mir kam ein Gedanke. »Er konnte aber nicht wissen, ob wir Boris schon gefunden haben oder nicht. Deshalb die Bilder von

Boris im Lillifee-Haus. Der Typ will auf Nummer sicher gehen, dass wir Boris dort finden.« Und als Sascha gedankenverloren schwieg, fügte ich an: »Drittens: Der Typ hat Kontakte nach Spanien.«

»Wie kommst du darauf?«

»Die Silbe ›eos‹ auf dem Briefmarkenfetzen. ›Correos‹ ist die spanische Post. Der Typ wird heute festgestellt haben, dass er keine neutralen Briefumschläge mehr hat und hat einfach einen alten genommen.«

»Also suchen wir einen unorganisierten Flegel mit Kontakten nach Spanien, der uns beobachtet«, fasste Sascha zusammen.

Ich nickte. »Kommen wir zum Inhalt. Er will, dass wir Boris töten und ihm den Kopf abtrennen. Das sind für mich drei Informationen. Zuallererst: Er weiß, wer Boris ist.«

»Zweitens«, übernahm Sascha wieder, »ist der Typ pervers. Boris den Kopf abzuschlagen und in einem Paket auf eine Mauer zu stellen ergibt keinen Sinn, wenn da nicht jemand einen Riesensprung in der Schüssel und ein Faible für Gewalt hat.«

Das sah ich anders. Boris hatte ein sehr gewaltsames Leben vor dem Keller. Und in diesem Leben an der Erdoberfläche hatte das Abhacken eines Kopfes eine nicht ganz unbedeutende Rolle gespielt.

»Du kennst die Geschichte von Boris' Ex-Frau?«, fragte ich Sascha.

»Annastasia? Die eine Affäre mit Dragan hatte? Klar.«

Boris und Dragan waren Kindheitsfreunde und hatten ihre kriminellen Karrieren gemeinsam begonnen. Sie waren unzertrennlich. Bis zu dem Tag, an dem Dragan Boris' Frau vögelte. Eine wahnsinnig attraktive, ehemalige Prostituierte aus einem gemeinsamen Bordell der beiden. Boris kam dahinter, brachte seine Frau um, sägte ihr den Kopf ab und nagelte den Torso an

Dragans Tür. Das war der Beginn ihrer Clan-Feindschaft, die Sascha und ich mit dem Verschwinden von Dragan und Boris mühsam beendet hatten.

»Wenn Boris' abzuhackender Kopf ein Zitat bezogen auf seine Ex-Frau ist, dann könnte da durchaus was Persönliches im Spiel sein«, fasste ich zusammen.

»Dann suchen wir also einen Flegel mit einer Beziehung zum Kindergarten und zu Boris«, folgerte Sascha.

Außer Sascha und mir fiel mir niemand ein, der sowohl zu Boris als auch zum Kindergarten in einer Beziehung stand: Keiner von uns beiden war ein Flegel. Ich hatte Boris nicht freigelassen. Und bei Sascha hielt ich das auch für ausgeschlossen.

»Und drittens – das sollten wir nicht außer Acht lassen –, der Typ will uns tatsächlich leiden sehen. Sonst würde er das Ganze nicht als Spiel arrangieren. Boris freizulassen, ihn aber zu verstecken, seine Betäubung zu timen, uns zur Sicherheit die Fotos seines Verstecks zu schicken – das sind alles grausam verspielte Elemente. Vielleicht hat er gemerkt, dass wir im Grunde zu menschenfreundlich sind, um Boris zu töten. Vielleicht denkt er, wir hätten einen Grund, ihn nicht zu töten. In jedem Fall will er, dass wir Boris gegen unseren Willen umbringen.«

Da war er wieder. Der Druck auf den blauen Fleck, den meine Eltern in der Seele meines inneren Kindes hinterlassen hatten.

»Und wenn wir es einfach tun?«, fragte Sascha.

»Was?«

»Na, ihn umbringen.«

»*Bist du wahnsinnig? Wir. Töten. Tapsi. Nicht!*«, schrie es kindlich aus meiner Seele.

»Das meinst du jetzt nicht ernst, oder?«

»Nur als Gedankenspiel. Was passiert, wenn wir Boris umbringen und seinen Kopf in einem Paket auf die Mauer stellen?«

Dann fühlt sich mein inneres Kind erneut ziemlich verarscht, war die Antwort, die ich dachte.

»Wir haben uns vorgenommen, dass das Morden ein Ende hat«, war die Antwort, die ich sagte. »Das ist wie mit dem Nichtrauchen nach Silvester. Diesen Vorsatz sollte man – wenn überhaupt – nur freiwillig brechen. Nicht aus Gruppenzwang. Und schon gar nicht, weil einen ein Fremder dazu zwingt. Außerdem wären wir mit dem Mord dann ein Leben lang erpressbar, wenn wir diesem Idioten nachgeben. Wir haben bis Freitagmorgen Zeit herauszufinden, wer hinter der Erpressung steckt. Die Zeit sollten wir nutzen.«

»Und wenn wir das nicht schaffen?«

»Ich lebe im Augenblick. Darüber mache ich mir Gedanken, wenn es so weit ist.«

Das überzeugte Sascha zwar nicht ganz, unterband aber zunächst weitere Gedankenspiele bezüglich Boris' Tod.

Sascha und ich verabredeten, von zwei Seiten aus zu versuchen, einen möglichen Täterkreis einzugrenzen. Er wollte alle Kindergartenbesucher auf Kontakte zu Boris hin untersuchen. Ich würde alle Boris-Kontakte auf Beziehungen zum Kindergarten abklopfen.

In jedem Fall würden wir den Kindergarten am nächsten Tag wieder öffnen. Eine unmittelbare Gefahr bestand nicht mehr. Und alles andere hätten wir den Eltern nicht erklären können.

Die Überwachung durch Walters Security-Teams wollten wir zunächst einmal beibehalten, solange Walter meine Geschichte vom goldenen Kind glaubte. Wer weiß, vielleicht würde der Erpresser den Überwachern auffallen.

Vier Tage, bis Freitag, waren in der Tat eine Menge Zeit, um ein Problem aus der Welt zu schaffen. Da hatte ich in jüngster Vergangenheit schon in kürzerer Zeit wesentlich mehr Probleme sehr achtsam umbringen lassen.

Es gab allerdings zwei Unterschiede zu früher. Von meinen früheren Problemen kannte ich die Namen. Und damals hatte ich dem Morden noch nicht abgeschworen.

Damals hatte ich allerdings auch noch keinen Kontakt zu meinem inneren Kind.

17 RÜSTUNG

»Ohne Ihre Unterstützung agiert Ihr inneres Kind wie früher
die Wehrmacht: Entweder es greift allein alle Feinde an und
macht dabei alles platt.
Oder es zieht sich allein vor seinen Feinden zurück. Und macht
dabei alles platt.
Sorgen Sie dafür, dass Sie und Ihr inneres Kind gemeinsam
agieren wie die NATO:
Sie greifen niemanden an. Aber wird einer von Ihnen angegriffen,
macht er sich Sie beide zum Feind.«

JOSCHKA BREITNER,
»DAS INNERE WUNSCHKIND«

NACHDEM ICH MICH von Sascha verabschiedet hatte, dachte ich noch einmal zurück an die Coaching-Einheit bei Herrn Breitner, in der ich ihm von dem Tretroller erzählt hatte.

Meine Tränen hatten mir gutgetan. Ich fühlte mich gelöst. Befreit von einer fast vier Jahrzehnte alten Belastung. Ich hatte erkannt, wann ich das erste Mal bewusst von meinen Eltern in meinem Urvertrauen verletzt worden war. Und ich hatte ein tatsächliches Bild meines inneren Kindes vor Augen: ein kleiner, flachsblonder, unschuldiger Junge mit zerkratzten Knien, die aus einer Kinder-Lederhose herausschauten. Jetzt war ich gespannt zu erfahren, was ich mit diesen Erkenntnissen praktisch anfangen konnte.

»Also gut – ich weiß jetzt, dass mein inneres Kind verletzt wurde. Dass es zu Recht misstrauisch ist. Ich kann voll und ganz nachvollziehen, weswegen es so leicht reizbar ist. Wie stelle ich das ab? Wie schütze ich mein inneres Kind?«

Herr Breitner hatte zunächst mal seine Teetasse abgestellt.

»Nicht so schnell. Zunächst einmal hat Ihr inneres Kind ja bereits zwei verschiedene Schutzstrategien, mit denen es reagiert, wenn es mit dem Satz ›Deine Wünsche zählen nicht‹ konfrontiert wird.«

»Gleich zwei?«, fragte ich ungläubig.

»Es trägt, je nach Bedarf, zwei verschiedene Rüstungen. Wie

ein kleiner, tapferer Ritter. Eine Angriffsrüstung. Und eine Verteidigungsrüstung. Beide Rüstungen sollen verhindern, dass jemand ungehindert auf die blauen Flecke drücken kann. Wenn es trotzdem jemand versucht, greift Ihr inneres Kind entweder an oder es zieht sich zurück. Beide Rüstungen engen Ihr inneres Kind allerdings sehr ein.«

»Das ist mir wieder zu abstrakt. Konkreter bitte.«

»Okay. Ganz konkret: Warum haben Sie Ihre Frau nicht auf der Alm in die Schlucht geworfen?«

Ich war überrumpelt. »Weil ... Warum sollte ich?«

»Nun, wenn ich Sie richtig verstanden habe, sind Ihrer Frau Ihre Wünsche nach Nähe vollständig egal.«

»Das stimmt. Das ändere ich in diesem Leben aber eh nicht mehr.«

»Sehen Sie, das ist Ihre Verteidigungsrüstung. Wenn Ihre Frau Ihre Wünsche ignoriert, ziehen Sie sich resigniert zurück. Dadurch wird Ihr Wunsch nach Nähe nicht erfüllt. Aber Sie lassen die Verletzung nicht an sich rankommen, indem Sie Ihren Wunsch zurückstellen.«

Das war verständlich genug erklärt.

»Und was ist mit der Angriffsrüstung?«

»Dem Kellner, dem Ihre Wünsche auch egal waren, haben Sie absichtlich einen reinwürgen wollen, und der ist dann in die Schlucht gestürzt. Da trug Ihr inneres Kind seine Angriffsrüstung. Das hat Ihren Wunsch nach Hüttenromantik zwar auch nicht erfüllt, aber Ihrem inneren Kind den Ersatzwunsch nach Rache befriedigt.«

Ich verstand auch dieses sehr bildliche Prinzip.

»Gut. Mit der Verteidigungsrüstung bekomme ich keinen Sex. Mit der Angriffsrüstung keinen Kaiserschmarrn. Was kann ich daraus jetzt für Schlussfolgerungen ziehen?«

»Was glauben Sie?«

»Eigentlich kann mein inneres Kind die Rüstungen auch gleich ausziehen.«

»Richtig.«

»Und wer schützt dann mein inneres Kind?«

»Wie wäre es, wenn Sie das machen?«

»Wie kann ich denn mein inneres Kind schützen?«

»Zeigen Sie ihm, dass seine Wünsche nicht abhängig sind von den Menschen, die den Wünschen im Weg stehen. Sondern dass Sie als Erwachsener Ihrem inneren Kind diese Wünsche unabhängig von den Menschen, die im Wege stehen, erfüllen können.«

Herr Breitner sah die Falte auf meiner Stirn, die mein Unverständnis zum Ausdruck brachte. Er erklärte seinen Ansatz also etwas genauer.

»Sie wollen körperliche Nähe? Ihre Frau ist nicht die einzige Frau auf der Welt. Sie wollen Kaiserschmarrn? Der Kellner und die Almhütte sind nicht der einzige Kellner und die einzige Almhütte auf der Welt.«

»Ich soll meine Frau betrügen?«

»Sie sollen aufhören sich selber zu betrügen. Sie haben jetzt lange genug geglaubt, Ihre Wünsche seien nicht wichtig. Weil Ihre Eltern Ihnen das so beigebracht haben. Ihre Eltern sind tot. Leben Sie! Gehen Sie raus. Erfüllen Sie sich Ihre Kindheitswünsche. Wenn Sie das schon nicht für sich machen, dann wenigstens für Ihr inneres Kind.«

Ich soll mir meine Kindheitswünsche erfüllen. Wenn schon nicht für mich, dann wenigstens für mein inneres Kind. Das klang nach einem guten Mantra.

»Wie klingt das für Sie?«

»Das klingt … gut.«

»Überschreiben Sie die negativen Glaubenssätze der Vergangenheit. Schaffen Sie sich und Ihrem inneren Kind neue, positive Erfahrungen.«

»Gerne. Und wie?«

»Für den Anfang mit einer einfachen, kleinen Aufgabe, die Sie bitte bis zur nächsten Stunde umsetzen. Treten Sie mit Ihrem inneren Kind in Kommunikation. Schauen Sie, ob es einen unerfüllten Kindheitstraum gibt, den Ihr inneres Kind nicht erfüllt bekommen hat. Den Sie aber jetzt als Erwachsener erfüllen können. Und dann erfüllen Sie sich diesen Wunsch.«

Und deswegen war ich bereits in der nächsten Sitzung stolzer Besitzer eines Land Rover Defender.

18 KINDHEITSWÜNSCHE

»Erfüllen Sie sich selbst Ihre Kindheitswünsche. Wenn schon
nicht für sich, dann wenigstens für Ihr inneres Kind.«

JOSCHKA BREITNER,
»DAS INNERE WUNSCHKIND«

NACH DER ENTDECKUNG, dass Sascha und ich erpresst wurden, konnte ich relativ entspannt zu Katharina fahren. Nach Stand der Dinge waren weder Emily noch Katharina noch ich in akuter Lebensgefahr. Am frühen Morgen hatte ich noch geglaubt, heute mit meinem Leben abschließen zu müssen. Keine vier Stunden später ging ich schon davon aus, dass ich dafür noch mindestens bis Freitag Zeit hatte. Das war jetzt nicht das Optimum an möglicher Lebensfreude, aber zumindest konnte ich meine Zukunftsangst von wenigen Stunden auf einige Tage nach hinten schieben. Ich rief Katharina an und bestätigte ihr, dass ich Emily um kurz vor zwölf abholen würde, sie ihre Verabredung zum Mittagessen also einhalten könne. Ich wollte auf dem Hinweg nur noch kurz beim Baumarkt vorbeifahren, um ein massives Eisenschloss zu besorgen. Ein Schloss, das nicht mit einem stillen Bolzenschneider geknackt werden konnte, sondern mindestens mit einer lauten Flex aufgefräst werden müsste. Ich verständigte Walter, dass mein Team mir folgen und Katharinas Team unauffällig so lange in Emilys Nähe bleiben solle, bis ich bei ihr war.

Für alle Fälle.

Ich verließ unser Haus und stieg in meinen Wagen, den ich ein paar Meter die Straße runter geparkt hatte. Ich stieg ein und zog die Tür zu. Mit dem Klacken des Türschlosses hob sich meine Stimmung ein weiteres Mal ganz erheblich. Es war gar nicht die

Entfernung zwischen mir und einem Problem, die vergrößert werden musste. Es reichte schon eine Autotür dazwischen. Meine Autotür. Was an meinem Wagen lag. Dem Kindheitstraum, den ich mir auf Anraten Herrn Breitners erfüllt hatte. Einem gebrauchten Land Rover Defender. Mit seinen elf Litern Diesel pro hundert Kilometer bei Schadstoffklasse 2 nicht direkt ein Stadtauto für die Feinstaubverbotszonen. Dafür aber ohne eine 17-Tonnen-CO_2-schwere E-Auto-Batterie.

Es war exakt das Auto, das sich der kleine Junge in Lederhose immer gewünscht hatte.

Und auch ich als Erwachsener liebte mein Auto. Ich hatte mir die kindliche Begeisterung bewahrt, es als ein Wunderwerk menschlicher Technik anzusehen. Ein Gerät, das mir Freiheit und Heimat schenkte. Die Freiheit, für wenig Geld in wenigen Stunden Entfernungen zurückzulegen, die meinen Urgroßeltern noch utopisch vorgekommen wären. Und das in einem geschützten Raum, den ich als mein Zuhause empfand. Wie früher, in meinem Kinderzimmer, konnte ich in meinem Auto einfach die Tür schließen und den Rest der Welt da draußen sein lassen. Wobei mein Kinderzimmer kleiner gewesen war als mein Defender. Und jetzt, als Erwachsener, konnte ich in diesem überdimensionierten Kinderzimmer obendrein auch noch frei durch einen Kontinent ohne Grenzen fahren. Was für eine geniale Erfindung.

Im Baumarkt wurde ich schnell fündig. Eigentlich hätte ich im Anschluss überpünktlich bei Katharina ankommen können. Über den City-Ring wäre die Strecke vom Baumarkt zu unserem ehemals gemeinsamen Haus innerhalb von zehn Minuten zurückzulegen gewesen. Leider stand mir die Liebe im Weg. Die Liebe anderer. Auf halber Strecke zwischen dem Baumarkt und Emily traf ich auf Menschen, die die Freude über ihre lebenslange Bindung nicht nur durch eine Hochzeit besiegeln wollten, sondern die die Freude über ihre Hochzeit auch noch mit einem Autokorso feierten. Auf dem City-Ring. Inklusive einer Vollblockade aller anderen Verkehrsteilnehmer, deren Stau als Kulisse für das Hochzeitsfoto diente.

Irgendwie beruhigte dieses Verhalten meiner Mitbürger mein Gewissen. Offensichtlich hatte nicht nur ich ein sehr inniges Verhältnis zur Automobilität. Der S-Klasse-Mercedes einer namhaften Mietwagenfirma, der seit fünfhundert Metern hupend und schlingernd vor mir herfuhr, kam, gemeinsam mit ungefähr zehn anderen Oberklasse-Fahrzeugen von ebenfalls namhaften Mietwagenfirmen, mitten auf der Fahrbahn vollends zum Stehen. Ich kam also in den Genuss, das nun folgende Ritual zur Feier von Ehe und Familie zwangsweise aus der ersten Reihe genießen zu können.

Weder mir noch meinem inneren Kind machte es etwas aus, in diesem Stau zu stehen. Im Gegenteil. Es war nicht *mein* Wunsch nach Pünktlichkeit, der hier ignoriert wurde. Es war Katharinas Wunsch. Gemeinsam mit meinem inneren Kind genoss ich live dieses durchaus skurrile Schauspiel, das wir sonst nur aus empörten Zeitungsberichten kannten: die Blockade einer Autobahn durch einen Hochzeitskorso.

Ungefähr zwanzig Herren stiegen aus den Mietfahrzeugen vor uns. Sie trugen allesamt Anzüge, die entweder zu klein, zu eng, zu glitzernd oder alles in einem und hoffentlich ebenfalls lediglich gemietet waren. Die Frauen, die den Fahrzeugen entstiegen, sahen zwar aus, als ob man sie auch mieten könnte, hatten aber im Gegensatz zu den Limousinen, denen sie entsprangen, sehr schlecht verspachtelte Lackschäden, die eine Rückgabe sicherlich erschwerten.

Mir war nie ganz klar, ob das demonstrative Zeigen dessen, was man sich alles mieten konnte, ein Zeichen des Reichtums oder der Armut war. Das spielte aber für den Ablauf der City-Ring-Blockade keine Rolle. Braut und Bräutigam stellten sich auf die Motorhaube ihres Mietwagens. Die Braut trug ein rotes Band um die Hüfte. Der Rest der Hochzeitsgesellschaft nahm auf den Dächern der anderen Fahrzeuge Platz. Nachdem ein Gruppenfoto und dutzende Gruppenselfies geschossen waren, sprangen zwei kleine Jungs von den Autodächern und blockierten den ohnehin bereits stehenden Konvoi, bis sie vom Fahrer des Bräutigams Geld in die Hand gedrückt bekamen. Während sich von hinten sehr langsam Polizeisirenen den Weg durch den Stau bahnten, stieg die Hochzeitsgesellschaft in aller Seelenruhe in ihre Fahrzeuge, um im Anschluss das zu feiern, was landläufig als der glücklichste Tag des Lebens bezeichnet wird. Der Weg zu meiner eigenen Ehefrau war frei.

In welchem Maße die Romantik zweier Eheleute mit steigender Distanz zum Hochzeitsdatum sinkt, wurde mir dann im Anschluss von Katharina verdeutlicht. Als ich aufgrund der staubedingten Verspätung nicht um halb zwölf, sondern um fünf nach halb zwölf vor der Tür unseres ehemals gemeinsamen Hauses stand. Katharina öffnete mit versteinerter Miene, verweigerte jede Berührung und begrüßte mich stattdessen mit den Worten: »Da will ich mich *einmal* auf dich verlassen ...«

Katharina war für ein Essen mit einem Arbeitskollegen auffällig attraktiv angezogen. Hochhackige Schuhe, kurzer Rock, eine Strumpfhose, die ihre umwerfenden Beine betonte. Ihre Seidenbluse harmonierte perfekt mit dem Farbton ihrer Perlenohrringe. Ihr Parfüm schwebte um ihren Körper wie ihr Blazer. Zudem wirkte sie merkwürdig nervös. Was natürlich an meiner leichten Verspätung liegen konnte. Aber ich war es leid, die Gründe für die Launen meiner Frau zu erraten oder mir von ihnen meine Stimmung diktieren zu lassen. Ich freute mich auf meine Zeit mit Emily.

Ich bekam meine zauberhafte Tochter in die Hand gedrückt. Und die Information, dass Katharina Emily gegen sechzehn Uhr wieder bei mir abholen würde. Ein sonderbar langes Essen. Aber ich war auch mit einer sonderbaren Frau verheiratet.

19 ÜBERSCHREIBEN

»Ihre Glaubenssätze wurden von Ihren Eltern verfasst.
Zu einem Zeitpunkt, als Sie selber noch gar nicht schreiben
konnten. Sie sind jetzt erwachsen. Sie können selber schreiben.
Überschreiben Sie die Glaubenssätze, die nicht zu Ihnen passen.«

JOSCHKA BREITNER,
»DAS INNERE WUNSCHKIND«

ICH FUHR MIT Emily zurück in meine Wohnung. Per SMS fragte ich bei Sascha nach, ob sich Boris' Zustand verändert hätte. Ich bekam per SMS die Info zurück, dass Boris nach wie vor schlief.

Zu Hause angekommen, beschloss ich, mit Emily und ihrem Laufrad in den Park gegenüber zu gehen. Tagsüber waren dort keine Assis. Die Klientel wechselte erst mit Einbruch der Dämmerung. Lediglich die Glasscherben der Wodkaflaschen, die nach dem Trinken wahrscheinlich aus rituellen Gründen zerschlagen werden mussten, lagen dort auch tagsüber überall in der Nähe der Spielplatzbänke verstreut.

Mit ihren drei Jahren fuhr Emily wie eine Weltmeisterin durch den Park. Losfahren, klingeln, bremsen – alles auf höchstem Freude-Niveau. Ich folgte ihr im leichten Trab. Ich hatte vor zwei Monaten wieder mit dem Joggen angefangen. Ich war kein austrainierter Fitness-Freak. Aber für sechzig Minuten im gebückten Zickzack hinter meiner Tochter auf dem Laufrad her reichte es.

Nach einer guten Stunde waren wir beide erschöpft und glücklich und verließen den Park wieder. Auf dem Bürgersteig gegenüber unseres Hauses fing Emily verdächtig an zu schlingern. Sie ließ aber nicht im Tempo nach und knallte prompt mit dem Laufrad gegen die Seitentür eines dort geparkten Autos. Ich lief sofort zu ihr und schaute, ob Emily etwas passiert war. Ihr ging es gut. Danach schaute ich auf das Laufrad. Es hatte vorne einen Platten. Wahrscheinlich von den Scherben dieser Assis.

»Das kann ja wohl nicht wahr sein«, entfuhr es mir.

»Bist du böse, Papa?«, fragte Emily mit dem Anflug eines schlechten Gewissens.

Ich wollte meine Wut über die Park-Idioten vor Emily nicht zeigen. »Nein, mein Schatz, warum sollte ich böse sein?«

»Wegen dem Auto. Tut mir leid.«

Emily zeigte auf die Stelle, an der das Laufrad in die Seitentür des 3er-BMW geknallt war. Dort war ein Kratzer. Von der Klingel des Laufrads. Ungefähr sechs Zentimeter lang.

»Ist das schlimm?«

Ich hatte auf einmal einen emotionalen Flashback. Ich war wieder fünf Jahre alt. Meine Rollerklingel hatte genau den gleichen Kratzer in das Auto des Motzmannes gerissen.

»*Ist das schlimm?*«, fragte ich meine Mutter. Nein, war es nicht. Aber das sagte mir damals niemand.

Ich stand mit meiner Tochter hier und jetzt am gleichen Scheideweg wie meine Eltern mit mir vor vierzig Jahren. Ich hatte keine Ahnung, ob und wie ich das meinen Eltern jemals vergeben könnte. Aber ich wusste, dass ich meiner Tochter diese Erfahrung meiner Kindheit, die Fehler meiner Eltern, in ihrer Kindheit ersparen konnte. Ich nahm sie ganz fest in den Arm.

»Nein, mein Schatz. Das ist überhaupt nicht schlimm. Das ist nur ein minikleiner Kratzer. Aber es ist ganz toll, dass du ihn mir gezeigt hast. Für nichts, was du mir sagst, wirst du jemals Ärger bekommen – einverstanden?«

Emily drückte mich ebenfalls. »Danke, Papa.«

»Und jetzt nimm dein Laufrad. Zu Hause reparieren wir das Vorderrad. Das ist platt.«

Emily betrachtete ihren Reifen und schob das Rad freudig und gelöst voraus.

Da meldete sich ein flachsblondes Kind in mir und trat mit verschrammten Knien vor mein inneres Auge. Mit einem fast vierzig Jahre alten Wunsch. Mit einem Wunsch, der bildlich dazu in der Lage war, negative Erfahrungen aus meiner Vergangenheit zu überschreiben.

Ich hörte auf den Wunsch meines inneren Kindes, nahm meinen Haustürschlüssel aus der Tasche, legte die Zacken des Bartes auf den kleinen, sechs Zentimeter langen Ratscher am BMW und machte daraus mit einer einzigen Handbewegung drei tiefe, zwanzig Zentimeter lange Rillen im Lack.

»Für dich, Scheiß-Motzmann«, sagte ich mit meiner inneren Kinderstimme im Duett.

Das tat gut.

20 INNERE UND EIGENE KINDER

»Wenn Sie wissen, welche Glaubenssätze Ihrem inneren Kind geschadet haben, werden Sie auch ein Gespür dafür entwickeln, welche Glaubenssätze Ihren realen Kindern schaden. Nutzen Sie das. Schreiten Sie ein, bevor sich negative Glaubenssätze in den inneren Kindern Ihrer eigenen Kinder festsetzen.«

JOSCHKA BREITNER,
»DAS INNERE WUNSCHKIND«

WIR WAREN GERADE mit dem defekten Laufrad in der Wohnung angekommen, als Sascha anrief.

»Er wacht gerade auf. Kannst du runterkommen?«

»Im Moment schlecht. Ich habe Emily noch bei mir.«

»Wann hast du Zeit?«

Ich schaute auf die Uhr, mittlerweile war es halb vier.

»In einer halben Stunde.«

»Okay, ich bleib so lange hier unten bei ihm.«

»Notfalls stichst du ihm die Kanüle mit dem Schlafmittel noch mal in den Arm.«

Emily war schon ins Wohnzimmer gelaufen und malte am Esstisch Bilder. Ich brachte ihr eine Schale mit Knabbersachen und ein Fruchtquetschie. Ihr Lieblingsgetränk. Ich stellte beides auf den Tisch. Normalerweise atmete Emily so ein Fruchtquetschie mit zwei Zügen weg. Diesmal nicht. Sie saß plötzlich ein wenig irritiert auf ihrem Stuhl, hatte mit dem Malen aufgehört und schob das Fruchtquetschie zur Seite.

»Was ist los?« Ich rückte das Fruchtquetschie wieder zu ihr hin. Emily rückte es erneut weg. Das war ein sehr merkwürdiges Verhalten.

»Was hast du denn?«

»Schimpfst du wirklich nicht, wenn ich was sage?« Emily wirkte, als hätte sie vor dem Fruchtquetschie Angst.

»Mein Schatz! Du kannst mir alles sagen, was dich bedrückt. Du wirst für nichts davon Ärger bekommen. Versprochen. Was ist denn mit dem Fruchtquetschie?«

»Ich will nicht, dass die Erde stirbt.«

Ich verstand kein Wort. »Aber … Die Erde stirbt nicht. Und … was hat das mit deinem Fruchtquetschie zu tun?«

»Frauke hat gesagt, die Erde muss sterben, wenn wir Fruchtquetschies trinken.«

Frauke war die Jahrespraktikantin in der Nemo-Gruppe. Ich konnte mir nie Namen merken und baute mir deshalb immer Eselsbrücken. Meistens merkte ich mir dann die Eselsbrücken anstelle des Namens. Frauke hieß für mich nur »Lady Surrender«. Weil sie den Kampf um ihren Körper längst aufgegeben hatte. Dass sie ihre eigene Figur nicht retten konnte, hielt sie allerdings nicht davon ab, den ganzen Rest der Welt um ihre Figur drumherum retten zu wollen. Aber Lady Surrender hatte doch wohl nicht ernsthaft Dreijährigen erzählt, dass die Welt stirbt. Und vor allem nicht, dass die dreijährigen Kindergartenkinder, die den Blödsinn glaubten, auch noch daran schuld seien. Oder? Wegen Fruchtquetschies? So naiv konnte selbst Lady Surrender nicht sein. Emily wirkte allerdings so, als sei genau dies im Kindergarten geschehen.

»Tut mir leid«, sagte Emily schuldbewusst.

»*Wo ist diese Frauke?*«, meldete sich mein inneres Kind und erinnerte mich daran, dass der letzte Mensch, der meiner Tochter ein Fruchtquetschie-Verbot erteilen wollte, anschließend tragischerweise in eine Schlucht gestürzt war.

Es war meine Aufgabe als zweifacher Vater, sowohl die Schuldgefühle meiner Tochter als auch die aufkommende Wut meines inneren Kindes ernstzunehmen und aufzulösen. Ich versuchte beide zu beruhigen.

Emily nahm ich in den Arm, und meinem inneren Kind versprach ich, das mit Frauke zeitnah persönlich zu klären. Außerhalb der Berge.

»Mein Schatz. Die Erde stirbt nicht. Da hat die Frauke etwas falsch verstanden. Und vor allem könntest du, mein Schatz, mit nichts, was du tust, die Erde töten. Selbst wenn die ganze Nemo-Gruppe dir helfen würde.«

»Aber Frauke hat das gesagt. Und uns die Fruchtquetschies verboten.«

Katharina und ich hielten seit jeher allen familiären Ärger von unserer Tochter fern. Schon zu Zeiten, in denen ich von der Verletzbarkeit des kindlichen Urvertrauens noch gar nichts wusste. Wir packten Emily trotzdem nicht in Watte und erklärten ihr, kindlich verständlich, dass Tiere und Menschen sterben können, dass es Gefahren auf dieser Welt gibt und dass Mama und Papa sie vor diesen Gefahren beschützen. Wir versuchten ihr aber vorzuleben, dass das Leben schön ist. Ganz einfach, weil wir beide von der Wichtigkeit überzeugt waren, einem Kind zumindest vorzugaukeln, dass das Leben schön sei. Trotz aller Probleme, die Katharina und ich miteinander hatten und jeder für sich allein hatte und die zum Leben nun mal dazugehörten. Und trotz aller Gefahren, die mit dem Leben nun mal verbunden sind. Meiner eigenen Zukunftsangst zum Trotz wollte ich Emily die schönste Version der Zukunft vorleben, die ich mir vorstellen konnte. Ich hatte für mich in Bezug auf meine Tochter eine ganz klare Vision: Wenn ich heute schon wüsste, dass morgen Mittag ein Asteroid der Größe von Sylt auf den Kindergarten knallen und das Leben auf der Erde beenden würde, würde ich heute noch mit Emily die Buntstifte anspitzen, damit sie damit auch morgen Vormittag in allen Farben fröhlich Einhörner malen könnte.

Und dann kam da eine adipöse Jahrespraktikantin daher und

machte diesen Ansatz zunichte, indem sie meiner Kleinen die blödsinnigen Glaubenssätze vermittelte, Fruchtquetschies würden die Erde umbringen? Und Emily sei dran schuld? Ich fasste es nicht. Wie sollte ich meiner Tochter mit einer kindlich nachvollziehbaren Erklärung die unsinnige Sorge nehmen, die Welt würde untergehen und sie sei dran schuld? Ich versuchte es einfach mal mit der Wahrheit.

»Mein Schatz … manchmal sagen Erwachsene dumme Sachen.«

»Warum?«

»Weil das zum Leben dazugehört. Dumme Sachen zu sagen lässt sich manchmal nicht vermeiden.«

»Muss die Erde nicht sterben?«

»Die Erde kann gar nicht sterben. Die Erde ist nämlich kein Mensch. Die Erde wird es immer geben.«

Dass sich in rund fünf bis sieben Milliarden Jahren die Sonne ausdehnen und sich die Erde einverleiben würde, ließ ich an dieser Stelle unerwähnt. Weil es weder mich noch meine vierzig Jahre jüngere Tochter direkt betreffen würde.

»Heißt das, ich darf wieder Fruchtquetschies trinken?«

»Ich bitte darum!«

Emily umarmte mich. »Danke, Papa!«

Ich küsste meine kleine Tochter auf die Stirn und schob ihr das Fruchtquetschie hin. Sie trank gierig und malte dann weiter. Ich atmete bewusst dreimal ein und aus, um die Wut, die von meinem inneren Kind auf mich abgestrahlt hatte, zu beruhigen.

Mein inneres Kind hingegen wäre am liebsten sofort drei Etagen tiefer gerannt und hätte Lady Surrender empört zur Rede gestellt. Ich teilte ihm mit, dass das jetzt nicht ging. Ich musste ja auf meine Tochter aufpassen. Weil Lady Surrender nicht da war. Weil der Kindergarten heute geschlossen hatte. Weil im Keller ein Mafioso verschwunden war, der mittlerweile allerdings wieder aufgetaucht war, wenn auch schlafend. Der nun wieder aufgewacht war. Wenn auch nicht in meiner Gegenwart. Weil ich verhindert war. Weil meine Ehefrau Mittagessen war.

Irgendwie hing alles mit allem zusammen.

Ich versprach meinem inneren Kind, ihm die gewünschte Gelegenheit für ein ausführliches Gespräch mit Lady Surrender noch innerhalb unserer Partnerschaftswoche zu verschaffen.

Eine halbe Stunde danach wurde eine fröhliche Emily von einer ebenfalls, im Gegensatz zu heute Mittag, nun deutlich entspannten Katharina abgeholt. Ich erzählte Katharina von dem Fruchtquetschie-Vorfall. Katharina war genauso empört wie mein inneres Kind. Ich versprach ihr ebenfalls, mich um das Thema in einem direkten Gespräch zu kümmern.

»Ich habe heute Abend ja sowieso Elternratstreffen. Da werde ich das mit den Fruchtquetschies schon mal ansprechen.«

»Du und die anderen fünf Mütter?«, fragte Katharina vergnügt. Sie hielt sich gerne aus Standard-Mütter-Veranstaltungen raus. »Viel Spaß dabei! Ich bringe Emily morgen auf dem Weg zur Arbeit in den Kindergarten und hole sie dann am Nachmittag bei dir ab, okay?«

Völlig okay.

Mit einem Kuss auf die Wange verabschiedete sich Katharina von mir. Emily mit einem Kuss auf die Stirn. Ich freute mich. Aber wann hatte ich eigentlich das letzte Mal einen Kuss auf den Mund bekommen?

21   FEHLENDE INFORMATIONEN

»Wie Sie beruflich auf fehlende Informationen reagieren, hängt
ausschließlich von Ihnen ab.
Sie können darin das bewusste Vorenthalten von Wissen vermuten
und sich damit negativ belasten.
Sie können fehlende Informationen aber auch als zu lösendes
Rätsel betrachten und sich dadurch in Ihrem kindlichen Abenteuer-
drang gekitzelt fühlen.«

JOSCHKA BREITNER,
»ENTSCHLEUNIGT AUF DER ÜBERHOLSPUR –
ACHTSAMKEIT FÜR FÜHRUNGSKRÄFTE«

MIT DEM NEUEN Schloss aus dem Baumarkt ging ich hinunter in den Keller. Sascha saß auf einem der Stühle in Boris' Zelle. Boris saß eingesunken, matt und erschöpft auf dem Bett und lehnte fast katatonisch an der Kellerwand.

»Hat er schon was gesagt?«, fragte ich Sascha.

»Ich habe ihn noch nichts gefragt. Wollte warten, bis du da bist.«

Ich nahm mir den zweiten Stuhl, drehte ihn um und setzte mich verkehrt herum darauf. Dadurch konnte ich mein Kinn auf der Rückenlehne ablegen und quasi auf Augenhöhe mit Boris reden.

»Also gut, Boris. Wer hat dich hier rausgeholt?«, fragte ich den Schatten eines ehemaligen Mannes.

Boris hob den Kopf. Er schien mich jetzt erst wahrzunehmen.

»Keine Ahnung?«, sagte er mit schwerer Zunge. »Wieso raus? Ich bin hier drin weggetreten und hier drin wieder aufgewacht. War ich in der Zwischenzeit woanders?«

»Du musst den Kerl doch gesehen haben«, insistierte Sascha.

»Nichts hab ich gesehen.« Boris wurde bereits patzig. Ein gutes Zeichen. Zumindest für den Zustand seine Kreislaufs. »Die Klappe von der Tür ist aufgegangen. Aber sonst ist nichts passiert. Ich bin zu der Klappe, um zu sehen, was los ist.«

»Und? Was hast du gesehen?«, fragte Sascha.

»Nichts! Das hat mich ja so gewundert. Ich hab gedacht, einer von euch beiden will wieder irgendeinen Blödsinn mit mir machen.«

»Was für einen Blödsinn?«, fragte Sascha.

»Und wieso wieder?«, sekundierte ich.

»Na, so wie letztens, wo ihr nachts die Klappe aufgemacht habt und mir mit der Taschenlampe ins Gesicht gestrahlt habt, bis ich aufgewacht bin.«

Ich guckte Sascha fragend an. Er schaute ratlos zurück. Der Unbekannte war also letzte Nacht nicht zum ersten Mal im Keller gewesen.

»Wann war das mit der Taschenlampe?«, wollte ich wissen.

»Keine Ahnung. Noch nicht so lange her. Irgendwann letzte Woche. Kurz nach eurem Scherz mit dem nervigen Kindergepfeife.«

Diesmal guckte Sascha mich fragend an.

»Was für ein Kindergepfeife?«, wollte er wissen.

»Na, immer so …«

Boris fing an zu pfeifen. Lausig schlecht. Aber ich erkannte die Melodie. Es war der Titelsong der Kinderzeichentrickserie *Marco Polo*. Sie hing mir längst zu den Ohren heraus. Aber meine Tochter liebte die Sendung. Da Boris weder Kinder hatte noch den Kinderkanal im Keller empfangen konnte, schien er bezüglich des Namens dieses Liedes eine Wissenslücke zu haben. Ich hatte nicht vor, sie zu schließen.

»Und was hast du nach dem Pfeifen gemacht?«, fragte ich.

»Leute, mir reicht's langsam. Wer außer euch soll das denn gewesen sein? Ich habe gebrüllt, dass ich euch bei nächster Gelegenheit die Lippen abbeiße, wenn das scheiß Pfeifen nicht aufhört.«

»Und dann?«

»Hat das scheiß Pfeifen aufgehört, und ich hab auf das Abendessen gewartet. Ihr wart doch dabei.«

»Wir waren nicht dabei. Genau das scheint das Problem zu sein«, schlussfolgerte Sascha. »Du hattest also in den letzten Wochen mindestens zweimal Besuch von einem Fremden. Einmal mit einer Taschenlampe in der Hand. Einmal mit einem Lied auf den Lippen.«

»Und letzte Nacht ist dann wieder die Klappe aufgegangen«, versuchte ich an die Eingangsantwort anzuschließen, um geordnet weitere Informationen aus Boris herauszubekommen. »Du bist zur Tür. Und dann?«

»Dann hat es widerlich gerochen.«

»Chloroform?«

»Nein. Irgendein abstoßendes Parfüm. Das Chloroform kam erst nachher. Als ich den Kopf aus der Klappe stecken wollte, hat mich auf einmal eine Hand an den Haaren gepackt und eine andere Hand hat mir einen Waschlappen vor die Nase gedrückt. Da war Chloroform drin, glaube ich. Ansonsten erinnere ich mich an nichts. Ich bin zusammengesackt und auf den Tisch gestürzt. Glaube ich. An mehr erinnere ich mich nicht. Also – was ist passiert?«

»Keine Ahnung. Das wissen wir selber nicht«, sagte ich wahrheitsgemäß.

»Aber wenn dir der Arsch wehtut, solltest du dir jetzt zu Recht Sorgen machen«, warf Sascha ein.

Ich war mir inzwischen sicher, dass Boris in der Tat keine Ahnung hatte, was ihm widerfahren war. So viel Unwissen konnte man nicht vortäuschen.

»Kann mir jetzt mal endlich einer sagen, was da gestern passiert ist?«, fauchte uns Boris schließlich an.

»Das versuchen wir gerade herauszufinden, Boris«, sagte ich.

»Fakt ist, dass dich gestern jemand betäubt hat. Anschließend hat dieser Jemand das Schloss an deiner Zellentür geknackt und dich in den Hauptkeller geschleppt. Da haben wir dich dann gefunden.«

»Und wozu der Blödsinn?«

»Der Sinn erschließt sich uns zumindest im Moment noch nicht. Aber deshalb sitzen wir jetzt hier. Um das herauszufinden.«

»Und der Typ hat nichts hinterlassen? Keine Nachricht, keine Botschaft?«

»Na ja, zum einen ist es ja schon eine Botschaft, dich erst zu befreien und dann liegenzulassen«, erklärte Sascha. »Die Botschaft lautet: Du bist ihm scheißegal.«

»Zum anderen ist heute Morgen ein Brief gekommen«, fügte ich an.

»Lass sehen«, forderte Boris.

»Ist an uns adressiert.« Sascha hielt nur kurz den Umschlag hoch.

Ich sah Sascha an. »Um ehrlich zu sein, ist er ›An die Bewohner des Hauses‹ adressiert. Also auch an Boris.«

Sascha überlegte einen Moment, dann zuckte er die Schultern. Welchen Sinn sollte es haben, Boris den Inhalt vorzuenthalten? Keinen. Wir gaben ihm den Umschlag.

Boris überflog den Brief und sah sich die Fotos an.

»Ich lag in einem verschissenen Prinzessinnen-Spielhaus?«

»Ich hätte jetzt gedacht, die Sache mit dem Kopfabschneiden würde dich mehr aufregen«, wunderte ich mich.

»Ihr werdet mir nicht den Kopf abhacken. Das hättet ihr schon vor einem halben Jahr tun können. Dazu fehlen euch die Eier. Also geht es doch in erster Linie darum, diesen Idioten hier zu finden und zur Strecke zu bringen. Richtig?«

»*Richtig!*«, triumphierte mein inneres Kind.

»Wir sind uns da noch nicht ganz schlüssig«, konkretisierte ich mit Blick auf Sascha.

Ich bildete mir ein, ein leichtes Aufglimmen von Unsicherheit in Boris' Augen zu sehen.

Auch Sascha schien dies bemerkt zu haben. »Wir sind nicht der islamische Staat«, sagte er, um unseren Dauergast zu beruhigen. »Mit den Kindergartenmessern allein würden wir deinen Kopf ohnehin nicht abbekommen. Und bevor wir viel Geld in neue Messer investieren, investieren wir in der Tat erst einmal ein wenig Zeit in die Klärung der Frage, welcher Idiot diesen Brief geschrieben haben könnte.«

»Wir suchen jemanden, der dich hasst, der weiß, dass du hier im Keller bist, der unauffällig in den Kindergarten reinkommt und der ganz offensichtlich nicht mehr alle Tassen im Schrank hat. Fällt dir jemand ein, auf den all das zutrifft?«

»Außer euch beiden?«

»Wir hassen dich nicht. Wir wissen nur nichts Sinnvolles mit dir anzufangen«, stellte Sascha klar.

»Also – Feinde habe ich jede Menge. Außer euch beiden fällt mir allerdings niemand ein, der weiß, wo ich bin. Ende der Fragestunde. Obwohl – wie kommt ihr darauf, dass dieser Typ nicht mehr alle Tassen im Schrank hat?«

Ich zeigte auf den Brief. »Jemandem den Kopf abzuhacken deutet darauf hin, dass es auch im eigenen Kopf nicht mehr ganz töffte aussieht.«

»Ich kann dir aus eigener Erfahrung sagen, dass es sehr befreiend sein kann, einen Kopf abzusägen. Das ist zwar eine Mordssauerei. Aber wenn man den Kopf, der einen mehr als alles auf der Welt verletzt hat, dann irgendwann in der Hand hält, dann spukt er einem auch nicht mehr im eigenen Kopf rum.«

Seit Boris seine Frau aus begründeter Eifersucht enthauptet hatte, war bekannt, dass Boris völlig krank im Kopf war. Aber seine Worte bestätigten auch unsere Theorie bezüglich des Erpressers: Er musste Boris über alles hassen. Die Frage war nur: warum?

Wir verabschiedeten uns von Boris, der noch immer wie ein nasser Sack auf dem Bett hing, und gingen aus dem Keller wieder hinauf ins Licht des Erdgeschosses.

»Hast du das Lied erkannt?«, fragte Sascha.

»Ja, der Titelsong von *Marco Polo*. Hilft uns das weiter?«

»Ein Kinderlied. Aber Boris kann nur hören, was im Keller gepfiffen wird, wenn in seiner Zelle die Lüftung an ist.«

Sascha hatte recht. Die Be- und Entlüftung von Boris' Räumlichkeiten wurde elektronisch gesteuert. Bei geschlossener Lüftungsklappe war das Verlies schalldicht. Bei geöffneter leider nicht. Damit Boris über den Lüftungsschacht nicht um Hilfe schrie, wurde die Lüftung nur eingeschaltet, wenn es im Haus keinen Publikumsverkehr mehr gab.

»Die Lüftung ist tagsüber erst an, wenn der Kindergarten zumacht«, überlegte Sascha laut. »Und nachts. Das Pfeifen war aber tagsüber. Vor dem Abendessen.«

Ich nickte. »Boris ist also vor seiner Pseudo-Befreiung mindestens zweimal aufgesucht worden. Einmal am späten Nachmittag. Pfeifend. Einmal nachts. Leuchtend.«

»Von jemandem, der Kinderlieder pfeift, Boris hasst und ein stinkendes Parfüm trägt.«

22 GEFAHREN

»Ihr inneres Kind ist in der Regel skeptisch. Nutzen Sie das.
Es reagiert frühzeitig sehr emotional auf mögliche Bedrohungen.
Es liegt an Ihnen, diese als Gefahr oder als Chance zu erkennen.«

JOSCHKA BREITNER,
»DAS INNERE WUNSCHKIND«

ICH WAR ERST vor zwei Wochen zum vorsitzenden Elternvertreter der Nemo-Gruppe gewählt worden. Ein Amt, das mir Ehre und Verpflichtung zugleich war. Ich trug die Verantwortung, die Interessen aller Kinder der Kindergartengruppe meiner Tochter gegenüber dem Kindergarten wahrzunehmen.

Gut, das konnte ich als Anwalt des Trägers hinter den Kulissen ohnehin tun. Aber aus der Mitte der Eltern heraus offiziell gewählt worden zu sein war ein gutes Gefühl. Ein Gefühl, das mir die gewaltsame Übernahme des Kindergartens vor einem halben Jahr so nicht verschafft hatte.

Die Wahl zum vorsitzenden Elternvertreter hatte ich durch Überzeugung gewonnen. Und weil sich außer Laura, meiner Stellvertreterin, und mir beim eher spärlich besuchten Elternabend sonst kein anderer Elternteil zur Wahl gestellt hatte. Laura bekam sieben von acht Stimmen. Bei einer Enthaltung. Ich bekam acht von acht Stimmen. Vielleicht hätte ich mich der Fairness halber auch der Stimme enthalten sollen. So wurde ich halt zum Vorsitzenden gewählt und Laura zu meiner Vertreterin.

Die Vorsitzenden und deren Stellvertreterinnen der Flipper- und der Clownfisch-Gruppe waren mit ähnlich hoher Wahlbeteiligung gewählt worden.

Zweimal im Jahr gab es eine gemeinsame Kindergartenratssitzung mit allen Erziehern und den Elternvertretern. Die nächste stand am Donnerstagnachmittag an. Bei diesen Kindergarten-Beiratssitzungen konnten die Eltern ihre Wünsche gegenüber dem Träger des Kindergartens deutlich machen. Wünsche waren mir wichtig. Dank Herrn Breitner wusste ich ja nun auch, warum. Daher fand ich es sinnvoll, dass wir Elternvertreter uns schon vor der Beiratssitzung in Ruhe Gedanken über unsere Wünsche für unsere Kinder machen konnten. Deshalb hatte ich alle Eltern-vertreterinnen zu mir nach Hause eingeladen.

Es wird viel über »Helikopter-Eltern« geredet. In meinen Augen ist das Wort falsch gewählt. Es müsste viel mehr »Hand-granaten-Eltern« heißen. Kinder sind lediglich der Sicherungs-stift dieser Eltern. Wird der Sicherungsstift unsachgemäß behan-delt, explodieren sie. Damit die Handgranaten-Eltern nicht im Kindergarten explodierten, wollte ich zudem die Chance nutzen und herausfinden, welcher Sicherungsstift bei welchen Müttern des Beirats locker saß. Eine für Sascha vielleicht nicht ganz unwichtige Information vor der Sitzung.

Auf meine Initiative hin trafen wir uns also zu sechst – fünf Mütter und ich als einziger Vater – bei mir in der Wohnung.

Jede der fünf Damen brachte mir als Gastgeschenk etwas zu trinken mit. So kam ich an einem einzigen Abend in den Besitz einer Flasche Grauburgunder, einer Flasche Rioja und von drei Sixpacks alkoholfreiem Radler. Ich habe keine Ahnung, warum Frauen, die sich vor der ersten Schwangerschaft nicht unwesent-lich von Aperol-Spritz ernährt hatten, nach der Niederkunft aus-gerechnet alkoholfreies Radler mit sich herumschleppten. Aber es schmeckte gut. Auch mir. Vier der fünf Damen und ein Herr tranken also mit steigender Stimmung die mitgebrachten Radler. Die fünfte Dame teilte sich binnen einer halben Stunde die Flasche Grauburgunder. Mit sich selbst.

Mein Plan war es, mir möglichst rasch einen Überblick zu

verschaffen über Wünsche und Stimmungen der Elternschaft. Nach zwanzig Minuten war ich im Bilde. Zu meinem Leidwesen allerdings über Themen, über die ich gar nichts wissen wollte. Themen, die ich als Mann geradezu als diskriminierend empfand. Ich erfuhr ungefragt alles über die Qualität der Frauenärzte im Viertel, den Wunsch nach einem besseren Preis-Leistungs-Verhältnis beim Beckenboden-Yoga und den Problemen beim Wiedereinstieg ins Berufsleben als Halbtagskraft. Als die Grauburgunder-Mutti – da nannte ich sie schon Steffi – ihren Wunsch in die Tat umsetzte, die Symptomatik ihrer Dammrissvernarbung zu erörtern, verließ ich das Wohnzimmer und tat, als suchte ich in der Küche noch Getränke. Ich hatte dort gerade den Rioja und einen Öffner in die Hand genommen, als ich bemerkte, dass mir Laura gefolgt war.

»Schöne Wohnung hast du«, sagte sie.

»Danke. Ich fühle mich wohl hier.« Ich hielt die Weinflasche hoch. »Lust auf einen Rioja?«

»Vor allem keine Lust auf Dammrissnarben.«

Ich musste lachen. Lauras Humor gefiel mir.

»Aber ja, ich nehme gern ein Glas«, fügte sie an. »Ist mein Lieblingswein.«

»So ein Zufall.«

»Nein. Deshalb habe ich ihn mitgebracht.«

Geschmack und gutes Benehmen hatte sie also auch. Sie war mir schon bei unserer gemeinsamen Wahl als interessante Frau aufgefallen. Sie war Mitte dreißig und attraktiv. Ich war verheiratet. Das reichte in der Regel, um gar kein weiteres Interesse in mir aufkommen zu lassen. Ich stellte aber in diesem Moment erstmalig fest, dass sie mich eventuell auch als interessanten Mann wahrnahm. Und ich erinnerte mich an den Rat von Herrn Breitner, das Leben einfach mal zu genießen. Wenn schon nicht für mich, dann doch wenigstens für mein inneres Kind.

»Wie schön, dass der Wein nicht allein gekommen ist«, sagte ich und lächelte sie an.

»*Vergiss es, die will eh nicht mit dir schlafen*«, meldete sich mein inneres Kind.

»*Hallo? Ich darf doch noch mit einer attraktiven Frau flirten*«, war meine innere Antwort.

»*Die deine Wünsche auch nicht wichtig nehmen wird. Wie alle Frauen. Also kannst du es gleich lassen. Außerdem bist du verheiratet.*«

Ich hatte in der Tat seit meiner Heirat mit Katharina mit keiner anderen Frau auch nur geflirtet. Am Anfang, weil ich mit Katharina glücklich war. In letzter Zeit, weil mir eine Frau, die mich verletzen konnte, völlig reichte. Aber in diesem Moment wurde mir klar, dass das in den letzten Jahren zu einem nicht unbedeutenden Teil an meinem inneren Kind gelegen haben könnte, das in puncto Flirten wohl ganz offensichtlich seine Abwehrrüstung getragen hatte. Diese Rüstung hatte es dank Joschka Breitner ja nun ausgezogen. Ich beschützte mein inneres Kind jetzt. Und in unserer Partnerschaftswoche war es nun an der Zeit, unser Verhältnis zu anderen Frauen zu klären.

»*Wovor hast du Angst, wenn ich mit Laura flirte: Katharina zu verletzten oder verletzt zu werden?*«

»*Verletzt zu werden*«, kam es wie aus der Pistole geschossen zurück.

Immerhin, das war ein Ansatz, mit dem ich arbeiten konnte.

»Ich verspreche dir, dass ich dich vor jeder Verletzung schützen werde, okay? Ich unterhalte mich einfach ein wenig mit einer attraktiven Frau, die mich vielleicht auch nicht ganz unattraktiv findet.«

»*Versprochen?*«

»*Ehrenwort.*«

Mein inneres Kind ließ sich darauf ein.

Vielleicht tat es mir wirklich mal ganz gut, einfach ein bisschen zu flirten. Meine Wünsche, als Mann wahrgenommen zu werden, waren von meiner Frau lange genug ignoriert worden. Ich wollte jetzt einfach mal ein anderes Verhalten ausprobieren.

Ich schaute Laura also ein wenig befreiter, aber auch intensiver an. Sie war genau mein Typ: Sie war einen Kopf kleiner als ich, schlank und sportlich. Nicht zierlich, sondern auf eine sehr weibliche Art durchtrainiert. Ein Hauch Thai-Boxen und viel Zumba. Und dabei unglaublich feminin. Mit einem kleinen Schatten Traurigkeit um die Lachfalten ihrer Augen. Darauf sprang ich sofort an. Sie hatte ihr dunkelblondes Haar zum Pferdeschwanz gebunden und war unkompliziert, aber geschmackvoll gekleidet. Jeans, Turnschuhe, T-Shirt und dazu ein dunkelblauer Blazer. Eine Silberkette mit einer einzigen dunklen Perle als Schmuck. Kaum Make-up. Ein Hauch von dunklem Lippenstift. Ich schenkte uns beiden von ihrem Rioja ein, und wir stießen an.

»Du bist auch alleinerziehend?«, wollte Laura wissen, als wir einen ersten Schluck getrunken hatten.

Sie musste meinen fragenden Blick bemerkt haben und erklärte sich sofort.

»Das ist eine typische Männerwohnung. Allerdings mit Kinderzimmer.«

»Ach so. Ja, das ist richtig. Was die Wohnung betrifft. Katharina und ich leben vorübergehend getrennt. Jeder hat so seine Zeitinsel. Aber wir erziehen Emily gemeinsam.«

»*Klasse! Erzähl mehr von deiner Frau. Eine bessere Abwehrrüstung kannst du verbal gar nicht anziehen*«, meldete sich mein inneres Kind.

Ich ließ mich nicht beirren, sondern fuhr fort. »Aber ich lebe wertungsfrei und liebevoll im Augenblick und genieße jede neue Begegnung und Erfahrung.«

Mein inneres Kind murmelte leise »*O mein Gott*«, hielt sich aber ansonsten an den Pakt und sagte nichts mehr.

»Du kennst dich mit Achtsamkeit aus?«, wollte Laura wissen.

»Wieso?« Die Frage überraschte mich wirklich.

»Wegen der Zeitinseln. Bewusste Freiräume.«

Zwinkerte sie mir gerade zu?

»Richtig. Und du …?«

»Ich habe genügend Erfahrungen aus der Vergangenheit und genug Vertrauen in die Zukunft, um die Gegenwart zu genießen.«

Ich fand das wunderbar formuliert. Das Kribbeln in mir konnte allerdings auch daher rühren, dass mein inneres Kind gerade die Hände über dem helmlosen Kopf zusammenschlug.

»Wie wohnst du?«, wollte ich von Laura wissen.

»Kleines Schlafzimmer, großes Kinderzimmer. Also – alleinerziehend. Klappt nicht ganz so gut mit der elterlichen Verständigung«, fügte sie lapidar an. Offenbar wollte sie das Thema nicht weiter vertiefen.

Ich insistierte nicht. »Und wer passt jetzt auf Max auf?«, fragte ich stattdessen.

»Mein Bruder. Der springt gern ein, wenn's nötig ist. Heute sogar den ganzen Tag, als der Kindergarten geschlossen war. Und jeden Mittwoch ist immer komplett Lieblingsonkel-Tag.«

»Ihr habt ein enges Familienverhältnis?«

»Geht so. Kurt ist mein einziges Familienverhältnis. Auf Großeltern kann ich leider nicht zurückgreifen.«

»Mein Beileid«, sagte ich kleinlaut.

»Wieso? Nein! Meine Eltern sind nicht im Himmel, sondern

auf Teneriffa. Wobei – so wie die ihre Auswanderung beschreiben, wäre der Himmel für sie sicherlich ein Rückschritt.«

»Welche Eltern lassen ihre Kinder allein?«, fragte ich interessiert. Und vor allem: Welche Rüstung hatte ihr inneres Kind an, wenn ihre Eltern auch schon früher ihre eigenen Bedürfnisse über die ihrer Tochter gestellt hatten. So wie Laura sich verhielt, war das eher eine Angriffsrüstung.

»Eltern, die meinen, es reicht, wenn der Bruder da ist.« Sie prostete mir zu. »Gehen wir wieder rein? Wir können uns ja später weiter unterhalten.«

Wieder ein Zwinkern. Eine Verteidigungsrüstung war das jedenfalls nicht.

23 ZEITKAPSEL

»Die Emotionen Ihres inneren Kindes sind pur. Die prägenden
Erfahrungen Ihres inneren Kindes sind frei von Einflüssen
des Zeitgeistes. Wie ein Bohrkern aus dem ewigen Eis — nur
eben als emotionale Zeitkapsel. Machen Sie sich das zunutze.
Wenn Ihre innere Stimme etwas für zeitlosen Humbug hält,
ist es wahrscheinlich zeitloser Humbug.«

JOSCHKA BREITNER,
»DAS INNERE WUNSCHKIND«

IM WOHNZIMMER STELLTE ich ein frisches Sixpack alkoholfreies Radler auf den Tisch. Steffi hatte die Sorgen über ihre Dammrissvernarbung offensichtlich mit dem letzten Viertel des Grauburgunders erfolgreich wegspülen können. Laura setzte sich mit ihrem Wein wieder auf das Sofa. Im Moment wurde spekuliert, wer wohl in der letzten Nacht im Kindergarten eingebrochen war. Sascha hatte mit seiner WhatsApp-Nachricht und einer kleinen Stellungnahme auf der Homepage des Kindergartens bereits alle offenen Fragen beantwortet: Die Polizei ermittelt, die Täter sind nicht bekannt, und der Einbruch war an den bereits vorhandenen Sicherheitsmaßnahmen, die nun noch einmal verstärkt würden, letztlich gescheitert. Damit war das Thema auch schon erschöpft. Morgen würde der Kindergarten wieder geöffnet haben. Die Plauderei wechselte nahtlos zum Thema »Laternen-Basteln der Väter«, das demnächst anstand. Ich betrachtete meine anderen Gäste dabei ein wenig genauer.

Dammrissnarben-Steffi schien die einzige von den Frauen zu sein, die keinen Hehl daraus machte, dass Lebensträume und Fruchtblasen eine Gemeinsamkeit hatten: Sie konnten platzen. Ihren Job bei der Sparkasse hatte Steffi nach der Kindergartenreife ihres Sohnes nur zum Teil wiederbekommen. Ihren Erzählungen nach, hatte sich ihre bessere Hälfte zu Hause figürlich noch nicht von der Schwangerschaft erholt und füllte seine Vaterrolle in erster Linie am dazu vorgesehenen Feiertag aus. Im Gegensatz zu ihrem Mann bemerkte Steffis Haushaltskasse allerdings das Loch, das das fehlende Gehalt hinterließ. Steffi war ein herzensguter Mensch. Nur leider arbeitete sie den Frust an ihrer Lebenssituation nun im Engagement für ihren Sohn ab.

Die drei anderen Frauen waren Tina, Beate und Claudia. Drei Doppelhaushälften in besserer Wohnlage. Lebensbejahende obere Mittelschicht. Großeltern in der Stadt, Hund im Garten, Mann in Festanstellung. Sie alle wollten das Beste. Für ihre Kinder. Sie lebten das klassische Familienmodel. In Hochglanz. Ich war hin- und hergerissen zwischen Neid und Erleichterung, wenn ich die drei so reden hörte. Die Sicherheit eines Vater-Mutter-Kind-Lebens hatte ich mir auch einmal erträumt. Ich war aber froh, dass all die Probleme, die ich auch bei den dreien erkennbar unter der Oberfläche heraushörte, bei Katharina und mir längst offen ausgebrochen waren. Und damit nicht mehr verleugnet werden mussten. Das gab uns bei aller Melancholie eine gewisse ehrliche Freiheit.

Ich nutzte eine Gesprächspause, um mit den neuen Getränken anzustoßen und das Gespräch in Richtung Elternbeirat zu lenken.

»Jetzt, wo wir alle miteinander warm geworden sind, würde ich gern auf den eigentlichen Grund des Abends zu sprechen kommen. Donnerstag steht die erste Kindergartenratssitzung an. Und da fände ich es schön, wenn wir als Eltern vorher schon mal die Themen und Wünsche ansprechen, die uns wichtig sind.«

Allgemeine Zustimmung. Ich rückte mein Notizheft zurecht und hielt meinen Stift in der Hand. Ich wollte wertungsfrei und liebevoll alle Wünsche sammeln.

»Also – welche Wünsche wären das?«

Keine Reaktion. Ein gutes Zeichen. Offenbar ließ unser Kindergarten keine Wünsche offen. Aber dass ein halbes Dutzend Eltern beisammensitzt und einfach wunschlos glücklich ist, hielt ich für ausgeschlossen. Ich bohrte motivierend nach.

»Kommt schon. Ihr müsst doch Wünsche haben, die den Kindergarten betreffen. Irgendetwas gibt es immer zu verbessern, oder?«

Tina, Beate und Claudia tranken zeitgleich einen Schluck alkoholfreies Radler. Laura führte ihren Rioja zum Mund. Steffi starrte in ein leeres Glas Grauburgunder. Also nutzte ich die von mir selbst geschaffene Gelegenheit und äußerte als Erstes meinen Wunsch.

»Ich würde gern über ein Thema reden, das mir sehr am Herzen liegt. Hat jemand von euch mitbekommen, dass es in manchen Gruppen ein Fruchtquetschie-Verbot gibt? Emily hat mir heute so was angedeutet.«

Vier Frauen guckten fragend.

Laura meldete sich zu Wort und berichtete, dass auch ihr Sohn Max erzählt habe, Frauke habe ihm Fruchtquetschie-Verbot erteilt.

»Womit wurde denn bei Max das Fruchtquetschie-Verbot begründet?«, wollte ich wissen.

»Wenn ich das richtig verstanden habe damit, dass die Erde Fieber hat und sterben wird«, klärte mich Laura auf.

Die Worte kamen mir vertraut vor. Ich war erleichtert, dass ich mich auf Emilys Sachverhaltszusammenfassungen offensichtlich verlassen konnte. Und reagierte entsprechend gelöst mit Ironie auf diese in meinen Augen skurrile Thematik.

»Na, da haben wir ja endlich die Schuldigen für die Klimakatastrophe. Ich denke, Max und Emily sollten den angerichteten Schaden wiedergutmachen. Bis die Gletscher wieder ihre volle Größe erreicht haben, gehen die beide als Strafe ohne Fruchtquetschie ins Bett. So die nächsten fünftausend Jahre.«

Laura schnaubte amüsiert. Ansonsten herrschte Schweigen im Wohnzimmer.

»Ich finde das nicht sehr lustig«, wandte Beate schließlich ein. Allerdings nicht aus kinderpsychologischen, sondern aus ökologischen Gesichtspunkten. »Der ganze Plastikmüll ist schließlich mit schuld daran, dass unsere Kinder keine Zukunft mehr haben.«

Die Diskussion schien unglücklicherweise in die genau entgegengesetzte Richtung zu laufen als die von mir angestrebte.

»Wieso keine Zukunft? Und warum sollen Dreijährige daran schuld sein? Das ist doch alles eher …«, versuchte ich der Absurdität der Schulddiskussion bei Kindergartenkindern Ausdruck zu verleihen. Die vorwurfsvollen Blicke der erwachsenen Mütter ließen mich aber schnell verstummen.

»Niemand ist zu jung, die Welt besser zu machen«, informierte mich Beate.

»Wir sollten vielleicht ganz konkret *alles* Plastik im Kindergarten verbieten«, regte Claudia an.

»Bitte was?«, wollte ich unkonkret überrumpelt wissen.

»Na, von den Frühstücksboxen über die Teller bis hin zu den Tupperdosen mit dem Knabberpausenobst ist doch alles voll mit Plastik. Da sollten wir gerade für die Zukunft unserer Kinder ein Zeichen setzen.«

»Ich hielt es bislang für ein Zeichen, dass die Anzahl der Schnittwunden durch Porzellanteller-Scherben mit der Einführung des Plastikgeschirrs signifikant zurückgegangen ist«, sagte ich naiv.

Laura sprang mir zur Seite. »Und die Anzahl der Lebensmittelkeimvergiftung durch die Benutzung von luftdichten Plastikdosen ebenfalls«, sagte sie makrobiotisch informiert. Aber ohne Erfolg.

»Also irgendwo müssen wir ja mal mit dem Klimaschutz anfangen. Ich bin auch für ein Plastikverbot«, beendete Steffi die ungewollte Informationszufuhr. Ohne im Detail zu erklären, was das Knabberpausenobst-Plastik mit dem Klima zu tun hatte. Aber Zustimmung erntend.

»*Läuft ja super*«, bemerkte mein inneres Kind sarkastisch. Nicht ganz zu Unrecht.

Mit meinem Freispruch-für-Fruchtquetschies-Anliegen kam ich offensichtlich nicht weiter. Sondern hatte, im Gegenteil, die Klimadiskussion aus der Kindergartenbüchse der Pandora gelassen. Ich hätte sie an dieser Stelle schließen sollen. Die Büchse. Tat ich aber leider nicht. Wenn ich das Thema schon nicht vom Tisch bekam, dann wollte ich es wenigstens auf die andere Seite des Tisches schieben.

»Ich bin natürlich auch für Umwelt- und Klimaschutz. Aber dann lasst uns doch zumindest nicht bei den Kindern anfangen, sondern vielleicht bei den Erwachsenen«, regte ich zaghaft an.

Tina übernahm ebenso prompt wie begeistert. »Dann wünsche ich mir eine Dieselverbotszone.«

»Was hat das mit dem Kindergarten zu …?« Weiter kam ich nicht.

»Direkt vor dem Kindergarten«, fiel Tina mir ins Wort.

Fünf überraschte Augenpaare schauten auf Tina.

»Warum?«, fragte ich, obwohl ich eigentlich nur wertungsfrei alle Wünsche aufschreiben wollte.

»Na, wegen des Feinstaubs. Gerade Kinder sind besonders

schutzbedürftig. Hier können wir als Erwachsene konkret was für die Zukunft unserer Kinder tun. Kein Diesel vor der Kita!«

»*Bist du wirklich Anwalt?*«, wollte mein inneres Kind von mir wissen. »*Grandiose Verhandlungstaktik.*«

»Gute Idee!«, bemerkte Beate. »Das mit dem Diesel nimmt echt kein Ende. Seit vorletzter Woche steht da sogar jeden Tag so ein alter Land Rover. Direkt vor dem Kindergarten.«

»Würde gerne wissen, was für ein Mensch heute noch so eine Dreckschleuder fährt«, fragte Steffi.

Mein inneres Kind, wollte ich gerade anmerken. Unterließ es aber. Unter anderem, weil mein inneres Kind zeitgleich in mir wütete.

»*Sag mal, ticken die noch ganz richtig? Der Land Rover ist mein frisch erfüllter Kindheitswunsch! Ich musste damals mit fünf anderen Kindern aus der Nachbarschaft zusammen in einem winzigen VW Käfer in den Kindergarten fahren. Bei zehn Liter verbleitem Benzin auf hundert Kilometer. Ohne Katalysator. Die Abgaswolke, die der bereits beim Anlassen ausgestoßen hat, haben wir durch das gekippte Dreiecksfenster nur deshalb nicht gerochen, weil die fahrende Mutti vorne Kette geraucht hat. Das war nicht nur Feinstaub vom Allerfeinsten. Das war vor allem völlig normal. Hat mir auch nicht geschadet!*«

»Das würde Nils der Kellner sicherlich anders bewerten, wenn er nicht gestorben wäre, nachdem du ihn in die Schlucht geworfen hast«, flüsterte ich ihm innerlich zurück.

Laut sagte ich: »Also – Plastikverbot *im* und Dieselverbotszone *vor* dem Kindergarten habe ich notiert. Auch wenn ich persönlich den Klimawandel lieber in größeren Zusammenhängen bekämpfen würde.«

Eine Anmerkung, die ich mir lieber verkniffen hätte. Da sie leider wieder zu ungewollten Reaktionen führte.

»Wie wäre es denn,« griff Petra sie auf, »wenn unser Kindergarten der erste klimaneutrale Kindergarten der Stadt wird? Kein Plastik, kein Braunkohlestrom, keine Ölheizung!«

»Der Kindergarten hat eine Ölheizung?«, empörte sich Beate.

Ja, und die bleibt auch drin. Dahinter halte ich nämlich einen Russen gefangen, hätte ich am liebsten geantwortet.

»Die muss natürlich als Erstes raus. Das Monster gucken wir uns am besten gleich mal an«, meinte Beate.

Das hatte mir gerade noch gefehlt: dass Boris aus Klimaschutzgründen entdeckt wurde, weil ich mich für die Fruchtquetschies meiner Tochter stark gemacht hatte.

Hier musste ich sofort intervenieren.

»Also ... die Heizung gehört zum Haus. Der Kindergarten ist hier nur Mieter. Der Eigentümer hat es nicht so gern, wenn abends ein halbes Dutzend fremder Menschen durch den Heizungskeller läuft. Ich weiß auch gar nicht, wo der Schlüssel ist. Vielleicht sollten wir das Thema Heizung heute Abend erst mal vertagen ...«

»Dann schauen wir uns die Heizung am Donnerstagabend gemeinsam mit dem Eigentümer an. Bis dahin wird der Schlüssel ja sicher auftauchen«, schlug Claudia vor.

Ich musste die Diskussion zügig beenden, bevor noch vier sich in die Apokalypse steigernde Frauen mit Laura, mir und einem Brecheisen sofort in den Keller ritten, um die Heizung rauszureißen und auf die Straße zu stellen. Es dürfte schon schwierig genug sein, den Ausflug des kompletten Elternbeirats in Boris' Versteck am Donnerstag zu verhindern.

»Also gut, ist notiert – Dieselverbotszone, kein Plastik, klimaneutraler Kindergarten und Ölheizung raus.«

Mit eigenen Wünschen – wie eine Männerquote für den

Elternbeirat – hielt ich mich einfach mal zurück. »Sonst noch Wünsche?«

Steffie wünschte sich, über den anstehenden Termin des Kindergartenfotografen zu sprechen.

»Ich halte das für problematisch, dass die Kindergartenleitung einfach so einen Termin ausmacht, ohne vorher die Inhalte des Shootings mit uns zu besprechen.«

Ich stutzte. Das letzte mir und meinem inneren Kind bekannte Kindergarten-Shooting lag in meiner eigenen Kindergartenzeit. Damals wurden Fotos noch belichtet. Unterbelichtete hatten es entsprechend schwer, öffentlich wahrgenommen zu werden. Der Inhalt eines Kindergarten-Gruppenfotos war in der Regel eine Gruppe Kindergartenkinder. Aber damals gab es ja auch noch keine Model-Casting-Sendungen, die einem das Gefühl vermittelten, ein ordentliches Duck-Face-Foto sei eine größere Herausforderung als eine Ausbildung zum Gehirnchirurgen.

Selbst heute war es für mich bei Kindergartenfotos völlig ausreichend, wenn zweiundzwanzig von fünfundzwanzig Kindern bei dem Satz »Hier ist das Vögelchen« tatsächlich in die Kamera schauten. Die drei Kinder, die nach unten, nach oben oder nach hinten schauten, würden ihr Glück sicher später in irgendwelchen Casting-Shows finden. Wo also sollte bei Kindergartengruppenfotos das Problem liegen?

»Hilf mir kurz, welche Inhalte hättest du gerne besprochen?«, fragte ich Steffi.

»Na, wegen Datenschutz und so. Die können ja nicht einfach so das Persönlichkeitsrecht unserer Kinder ins Netz stellen.«

»Wer sagt denn, dass die Kindergartenfotos ins Netz gestellt werden?«, wollte Laura wissen.

»Na, meine Facebook-Gruppe. Da tauschen wir immer alle Kinderfotos aus.«

»Okay ... Dann tausch doch einfach die Gruppenfotos *nicht* aus. Dann besteht doch auch kein datenschutzrechtliches Problem«, war mein Lösungsansatz.

»Ich werde ja wohl noch Bilder meines Kindes im Internet austauschen dürfen.«

»Dann ... hast du persönlich ja offensichtlich gar kein datenschutzrechtliches Problem.«

»Aber ich will nicht, dass andere Eltern Bilder meines Kindes ins Netz stellen.«

Laura versuchte den Sachverhalt zusammenzufassen: »Du meinst, die Eltern der Kinder, deren Gruppenbilder du ins Netz stellen darfst, sollen kein Gruppenbild mit deiner Tochter ins Netz stellen, in das du es schon längst gestellt *hast*?«

»Richtig. Wegen der Persönlichkeitsrechte.«

»*Könnte ich kurz Helm und Lanze wieder haben?*«, fragte mein inneres Kind wütend, aber höflich.

»Und wenn du deinen Sohn einfach nicht auf das Gruppenfoto lässt? Dann hat auch keiner ein Foto von ihm«, bot ich als Lösung an.

»Weißt du, wie wichtig Kindergartenfotos als Erinnerung sind?«, entgegnete Steffi.

»Gut. Das scheint in der Tat ein Thema zu sein, das wir im Kindergartenbeirat zur Sprache bringen sollten«, schloss ich diesen Punkt ab und notierte auch Steffis Wunsch, bevor mir vom argumentativen Im-Kreis-Drehen schwindelig wurde.

Die anfänglich so gute Stimmung der Gruppe hatte durch den nahenden Klimatod unserer Kinder sowie die von Gruppenfotos ausgehenden Gefahren einen deutlichen Dämpfer bekommen. Laura versuchte die Atmosphäre ein wenig zu lockern, indem sie einen lustigen Wunsch äußerte.

»Ich wünsche mir, dass das Lippenmonster im Keller endlich gefasst wird.«

In mir begann eine Alarmglocke zu schrillen.

»Was für ein Lippenmonster?«, stellte Steffi die Frage, die auch mir auf den Lippen lag.

»Ach, Max behauptet, im Keller des Kindergartens wohnt ein Monster, das Kindern die Lippen abbeißt, wenn sie das Titellied von *Marco Polo* pfeifen.«

Fünf Frauen brachen in lautes Gelächter aus. Bei mir der kalte Schweiß.

Das war genau die Geschichte, die mir Boris vorhin erzählt hatte. Nur aus der Perspektive der anderen Kellertürseite. Aber es war das gleiche Lied. Es war die gleiche Drohung. Es war also Lauras Sohn Max, der im Keller des Kindergartens sein Lied gepfiffen und dafür von Boris angeranzt worden war.

»Wie kommt dein Sohn auf so einen Unsinn?«, wollte Claudia wissen.

»Keine Ahnung«, lachte Laura. »Vielleicht, weil ich ihm gesagt habe, wenn er noch einmal dieses nervige Lied pfeift, würde ich ihm den Mund zunähen.«

Am Ende des Abends hatte ich nicht die Rehabilitierung der Fruchtquetschies erreicht, sondern lauter Wünsche auf meinem Zettel notiert, die sicherlich dazu gedacht waren, zumindest die Welt, in der die Wünschenden lebten, ein wenig besser zu machen. Die allerdings mein inneres Kind, in seiner Welt, erbosten. Und die in meiner Welt die Gefahr der Entdeckung von Boris bargen.

All die Wünsche würde ich zunächst mal Sascha erörtern, bevor sie am nächsten Donnerstag, bei der Kindergarten-Beiratssitzung, zur Sprache gebracht wurden. Ohne anschließenden Gruppenausflug in den Keller. Nicht zuletzt, weil Sascha und ich nach dieser Sitzung Boris den Kopf absägen würden. Um ihn in einen Karton auf die Mauer des Parks vor dem Kindergarten zu legen. Um unsere Köpfe zu retten. Danach könnte der Keller dann allerdings gefahrlos von einem Heizungsbauer CO_2-neutral umgerüstet werden.

Es sei denn, ich erfuhr von Laura vorher, was genau ihr Kind vom Lippenmonster wusste und wem Max davon erzählt hatte.

24 FÜHRUNG

»Ihr inneres Kind will geführt werden. Behandeln Sie
die Wünsche Ihres inneren Kindes deshalb wie die Wünsche
eines echten Kindes: Sie sollen erkannt, besprochen und
geschätzt werden. Ob sie erfüllt werden, entscheiden dann aber
Sie als Erwachsener. Voller Liebe, Umsicht und Respekt.«

JOSCHKA BREITNER,
»DAS INNERE WUNSCHKIND«

CLAUDIA, TINA UND Beate hatten sich schließlich zum Aufbruch gerüstet. Tina bot Steffi an, sie nach Hause zu fahren. Als die Haustür ins Schloss fiel, waren nur Laura und ich noch in der Wohnung. Und mein inneres Kind.

»Ich hab gedacht, den Wein trinken wir noch zusammen, oder?«, teilte mir Laura mit einem neckischen Lächeln auf den Lippen mit.

Informationen über das Lippenmonster waren für mich im Moment verlockender als die Lippen von Laura. »Sehr gern. Hilfst du mir kurz, die leeren Flaschen wegzuräumen?«, fragte ich, um mein Interesse zu verbergen. Laura nahm sich ein paar leere Radler-Flaschen, um sie in der Küche abzustellen.

»Woher hat dein Sohn das mit dem Lippenmonster?«, fragte ich wie nebenbei.

»Ach, der hatte schon immer eine rege Fantasie.« Für Laura schien die Sache keinerlei Bedeutung zu haben.

»Aber dass das Monster ausgerechnet unter dem Kindergarten wohnt, ist doch seltsam, oder? Seit wann erzählt er das?«

»Keine Ahnung, wann das angefangen hat. Vor zwei Wochen vielleicht.«

»Und ... hatte das irgendeinen Anlass?«

»Nicht dass ich wüsste. Aber seitdem muss ich wenigstens diesen *Marco Polo*-Song nicht mehr hören. Wieso fragst du? Hast du auch Angst vor dem Lippenmonster?«

»Na ja, immerhin wohne ich hier im Haus.«

Meine Recherche verlief für den Moment in einer Sackgasse. Laura und ich gingen zurück ins Wohnzimmer. Ich versuchte, mich zu entspannen und mich auf die schönen Aspekte des Abends zu fokussieren.

Das Schöne am Erwachsensein ist unter anderem die Tatsache, dass Dinge, die in der Jugend noch als kitschig galten, mit fortgeschrittenem Alter sehr stilvoll sind. Die Lieder auf *Kuschelrock*-Platten zum Beispiel.

Ich legte eine alte *Kuschelrock*-Platte auf meinen Plattenspieler, und die schönsten Balladen der guten alten Achtziger erfüllten den Raum. Ich war immer wieder aufs Neue berührt, wie ausdrucksstark Liebeslieder waren, als die singenden Künstler noch die sehr reale Gefahr eines Atomkriegs emotional kompensieren konnten. Gefahren wie Mikroplastik in der Zahnpasta schienen mir im Vergleich dazu als Basis für kreativen Weltschmerz nicht sonderlich tragfähig, sofern es über die Besingung der eigenen Belanglosigkeit hinausging.

Wir setzten uns auf das Sofa und kamen sofort ziemlich vertraut ins Gespräch.

Laura und ihr fünfjähriger Sohn Max wohnten erst seit einem halben Jahr wieder in der Stadt. Laura arbeitete als Orthopädin in einer Facharztpraxis. Laura war hier in der Stadt groß geworden, nach dem Abitur aber nach Bayern gezogen, um dort Medizin zu studieren. Dort hatte sie auch an einer Klinik ihren Facharzt gemacht. Sie hatte ein paar Jahre lang eine Affäre mit dem Chefarzt der Orthopädie. Der hatte allerdings von Bandscheiben mehr Ahnung als von Verhütung und Laura bei einer privaten Beckenbodenprophylaxe geschwängert. Der Chefarzt, seit zwanzig Jahren verheiratet und selbst Vater von zwei Kindern, wollte sich nicht auf seine Verantwortung als Erzeuger einlassen. Laura nicht auf den Vorschlag einer kostenfreien Abtreibung. Laura bekam Max und in der Klinik kein Bein mehr auf den Boden. Schließlich zog sie zurück in ihre Heimatstadt. Die Stadt, die ihre Eltern gerade als Auswanderer Richtung Kanaren verlassen hatten.

Allerdings kümmerte sich ihr Bruder liebevoll um Max. Laura fasste hier Fuß und war nun alleinerziehende Mutter eines tollen Kindergartenkindes. Und Ärztin. Und wahnsinnig attraktiv. Allein wie sich ihre Lippen bewegten. Die Worte, die sie formten, waren im Grunde nebensächlich. Lauras Lippen verursachten bei jedem zweiten Wort wunderschöne Falten im Mundwinkel. Eine tolle Frau. Und Single. Und nicht wegen mir, sondern wegen ihres Bruders länger geblieben. Wie ich gerade von meinem inneren Kind erfuhr.

»*Was hast du gesagt?*«, fragte ich mein inneres Kind.

»*Dass sie gerade selbst gesagt hat, dass ihr deine Wünsche nicht wichtig sind. Hör doch mal zu.*«

»Sorry, was hast du gerade gesagt?«, fragte ich also bei Laura nach.

»Dass ich eigentlich nur wegen meines Bruders länger geblieben bin. Ich habe nämlich eine Bitte an dich.«

»Ach … das ist … Worum geht's?«

»Mein Bruder hat ein rechtliches Problem mit seiner Firma und bräuchte mal die Einschätzung eines Anwaltes …«

In diesem Moment hätte ich gern selbst die Verteidigungsrüstung meines inneren Kindes angezogen. Ich hatte mich darauf eingelassen, motiviert durch Herrn Breitners Ratschläge, endlich mal wieder von einer attraktiven Frau als Mann wahrgenommen zu werden. Das war jedenfalls mein Wunsch. Und dieser Wunsch war anscheinend schon wieder jemandem egal. Diesmal Laura. Nach kaum zehn Minuten Gespräch war ich doch nur wieder der

Anwalt, der jemandem einen Gefallen tun sollte. Aber ich versuchte, offen zu bleiben, und hörte zu. Ich würde die Nadelstiche abfangen, bevor sie mein inneres Kind erreichten.

»… und da ich ja jeden Tag dein Kanzleischild sehe, wenn ich Max bringe oder abhole, habe ich meinem Bruder versprochen, dich einfach mal zu fragen, ob er dich mal anrufen kann.«

Mein zwischenzeitlich aufgekommener Wunsch nach intimen Berührungen war nicht unbedingt deckungsgleich mit Lauras Wunsch nach Kontaktaufnahme zwischen mir und ihrem Bruder.

»*Wieder jemand, dem unsere Wünsche egal sind!*«, protestierte das Kind in mir. Offensichtlich beleidigt. »*Sag ihr, sie kann den Wein zu Hause trinken. Der Bruder soll sich einen Anwalt mit einem geregelten Sexleben suchen und uns in Ruhe lassen.*«

Nein, das würde ich nicht tun. Ich versuchte weder mit Angriff noch mit Verteidigung zu reagieren. Sondern einfach wie ein erwachsener Mann, der auf der einen Seite Wünsche, auf der anderen Seite aber auch ein Kanzleischild an der Tür hängen hatte.

»*Aber lass uns ihr doch den einen Gefallen tun. Sie hat doch sonst niemanden*«, versuchte ich zu argumentieren.

»*Und sie sieht so verletzlich aus mit der Traurigkeit um die Augen. Und die Eltern sind nicht da…* «, äffte mein inneres Kind meine Gedankenstimme nach. »*Schlag doch mal im Ratgeber von Herrn Breitner unter ›H – wie Helfersyndrom‹ nach. Dann weißt du, dass das genau der Blödsinn ist, den wir beenden wollten.*«

In der Tat. Im Ratgeber von Joschka Breitner war als eine mögliche Rüstungsvariante des inneren Kindes das Helfersyndrom beschrieben. Gab es innerhalb der Familie zu wenig Harmonie, versuchte das innere Kind die Nadelstiche des Buttons »Dein Wunsch nach Harmonie ist nicht wichtig!« dadurch abzuwehren, dass es selber die Harmonie schuf, die ihm sonst niemand gab.

Meine Eltern hatten sich nie bewusst vor mir gestritten. Aber in meinem Elternhaus wurde auch nicht den ganzen Tag verliebt Neil Diamond gesummt. Ich habe meine Eltern auch nie Händchen halten gesehen. Harmonie war zu Hause, wenn das Essen pünktlich auf dem Tisch stand und ich den Abwasch machte, während meine Eltern in Ruhe die Nachrichten guckten. Dann gab es anschließend Lob. Vielleicht war dieser Mangel an gelebter Harmonie der Grund, warum ich immer wieder anderen Menschen helfen wollte. Warum ich immer wieder Mandate annahm, die mich nicht im Ansatz interessierten. Und warum ich für Probleme der weiblichen Welt so empfänglich war. So wie für die von Laura. Die obendrein nicht ihre, sondern die ihres Bruders waren.

Auf der anderen Seite hatte ich von Herrn Breitner auch gelernt, wie wichtig es war, die Sorgen des inneren Kindes zwar ernst zu nehmen, ihm aber nicht die Führung zu überlassen. Die Wünsche des inneren Kindes waren so zu behandeln wie die Wünsche eines echten Kindes: Sie sollten erkannt, besprochen und geschätzt werden. Entscheiden tut dann aber – voller Liebe, Umsicht und Respekt – der Erwachsene.

Ich versuchte, dieses Wissen in einen inneren Dialog umzusetzen.

»*Du hast Angst vor der Enttäuschung. Ich habe ein Bedürfnis nach Bestätigung. Ich würde Laura in der Tat gern näher kennenlernen. Wenn ich dafür einmal mit ihrem Bruder telefonieren soll, dann ist das eben so. Ich habe deinen Hinweis verstanden, dass es sich dabei um eine pathologische Folge fehlender Harmonie im Elternhaus handeln könnte. Wie wäre es mit folgendem Deal: Ich spiele nicht mit dem Feuer. Ich suche nur nach Wärme. Sollte ich mir dabei die Finger verbrennen, sind es meine Finger. Okay?*«

»*Pffffffff … Lüg du dir dein Leben schön. Du bist der Erwachsene von uns beiden.*«

Ich stellte fest, dass innere Kinder unheimlich altklug wirken können.

Meine Aufmerksamkeit galt wieder Laura.

»Klar, ich geb dir meine Handynummer. Die kannst du gern weiterleiten«, sagte ich Laura gegen den Widerstand meines inneren Kindes zu.

Laura legte ihre Hand auf meine und streichelte sie kurz.

»Das ist lieb. Du bist ein Schatz.«

»*Schön, dass es deine Finger sind. Aber nur zur Erinnerung: Ich habe keine Rüstung mehr an, die mich schützt*«, beschwerte sich mein inneres Kind unhörbar.

»*Aber es wirkt doch. Schau mal. Sie streichelt mich schon!*«

»*Streicheln als Gegenleistung? Du weißt, wie man das nennt, hm? Schmeiß sie raus.*«

»*Rausschmeißen? Ich hab versprochen dich zu schützen. Dafür muss ich nicht unbedingt jeden, der dir nicht passt, verletzen.*«

»*Aber es wäre die effektivste Methode. Du wirst sehen.*«

Das Bockigsein meines inneren Kindes ging mir langsam auf den Geist. Ich wollte mich einfach in Ruhe weiter mit Laura unterhalten.

»*Okay, was willst du, damit du jetzt endlich Ruhe gibst?*«

»*Ich will irgendwann mal einen Wunsch frei haben.*«

»*Was für einen Wunsch?*«

»*Weiß ich noch nicht. Das weiß ich dann irgendwann*«, schmollte mein inneres Kind rum.

»*Okay, du hast irgendwann einen Wunsch frei. Und jetzt gibst du Ruhe.*«

Mein inneres Kind gab Ruhe.

Und damit widmete ich mich wieder Laura.

»Was ist dein Bruder für ein Typ?«

»Er ist eigentlich das genaue Gegenteil von mir.«

»Wer du bist, freue ich mich herauszufinden«, flirtete ich offen. »Beschreib mir deinen Bruder.«

»Er ist fünfzehn Jahre älter als ich. Ich war eigentlich gar nicht mehr geplant.«

Aha, das klang nach einem ziemlich großen »Du bist nicht gewollt«-Button in Lauras Seele.

»Dass er wesentlich älter ist als du, sagt ja nun über seinen Charakter wenig aus.«

»Dass er wesentlich älter ist als ich, hat seinen Charakter aber wesentlich geprägt. Meine Eltern hatten, wie gesagt, nicht mehr mit einem Kind gerechnet. Ich passte ihnen so gar nicht in ihre Lebensplanung. Und deshalb durfte sich mein Bruder schon früh immer viel um mich kümmern. Aus dem verwöhnten Einzelkind wurde binnen neun Monaten die Nummer zwei in der Lieblings-kinder-Reihenfolge. Seine Klassenkameraden bekamen Mofas. Kurt eine kleine Schwester.«

Dann hatte ihr Bruder also den großen »Du darfst unsere Fehler ausbaden«-Button in der Inneren-Kind-Seele. Es war schon toll, wie ich mit Hilfe meiner neuen Joschka-Breitner-Erkenntnisse wildfremde Menschen psychologisch analysieren konnte.

»Seit meine Eltern auf die Kanaren ausgewandert sind, kümmert sich Kurt halt viel um Max. Ein bisschen wie früher.«

»Kurt ist ein selbstloser Mensch?«

»Selbstlos? Nein. Das wäre das letzte Wort, mit dem ich ihn beschreiben würde. Aber er ist … unheimlich engagiert.« Oh. Mein. Gott. Nicht so einer.

»Inwiefern?«

»Klimawandel, Nachhaltigkeit, CO_2-neutrales Leben.«

Also doch: genau so einer. Ein Mensch, der sich durch Worthülsen beschreiben ließ.

»Aha. Und du? Bist du auch … engagiert?«

»Wie schon gesagt – ich bin ein achtsamer Mensch. Ich mag ein Leben in Balance. Wenn ich meine negativen Gewohnheiten von heute auf morgen aus dem Fenster werfe, knalle ich mit der Waagschale der positiven Ansprüche sehr zügig sehr hart auf den Boden der Realität.«

Was für eine intelligente Frau. Worthülsenfrei.

»Und wie handhabt das dein Bruder?«

»Wie er es tatsächlich handhabt, weiß ich nicht. Aber privat verzichtet er aufs Auto und lässt sich die regionale Biokiste nach Hause liefern.«

Wahrscheinlich mit dem Diesel-Transporter des Bauern.

»Hat er keine Kinder?«

»Nein. Er tut sich mit Frauen sehr schwer.«

»Ist das ein Euphemismus dafür, dass er schwul ist?«

»Nein. Er mag Frauen. Aber vor vielen Jahren ist mal eine große Liebe absolut aus dem Ruder gelaufen. Jugendsünde. Seitdem hatte er keine Beziehung mehr. Und auch keine Kinder. Im Grunde hat er noch nicht einmal Freunde. Er lebt für seine Arbeit. Er wohnt sogar in einer Wohnung über seiner Firma. Aber vielleicht ist er gerade wegen seiner fehlenden sonstigen Sozialkontakte der beste Patenonkel der Welt für Max.«

»Was macht er beruflich?«

»Er betreibt ein Start-up mit Elektrorollern.«

Beim Wort »Roller« fingen die Narben vieler Button-Nadeln in der Seele meines inneren Kindes an zu jucken.

»*Mit Rollern will ich nichts mehr zu tun haben!*«, schallte es aus der Tiefe meiner Seele.

»Dein Bruder hat einen Roller?«

»E-Roller. So um die fünfhundert Stück. Er ist der größte Verleiher in der Stadt.«

Aha. Lauras Bruder war einer der Typen, der die von mir mit meinen Steuern bezahlten Bürgersteige kostenlos als Geschäftsräume nutzte. Einer, dessen Produkte die ganze Stadt vermüllten. Niemand käme auf die Idee, ohne behördliche Genehmigung auf dem Bürgersteig einen Elektrobohrmaschinenverleih zu betreiben. Bei Elektrorollern galten, warum auch immer, andere Maßstäbe.

Mir wurde mein Roller damals weggenommen, weil er aus Versehen ein einzelnes Auto verschandelt hatte. Lauras Bruder verschandelte mit fünfhundert Rollern die ganze Stadt und durfte alle behalten. Ich hätte auf mein inneres Kind hören sollen. Dieses Mandat war jetzt schon nicht gut für mich. Aber ich hatte es Laura ja nun bereits versprochen. Dieser hilflosen, attraktiven Frau. Ich gab ihr meine Karte.

»Ich wollte schon immer mal jemanden kennenlernen, dem fünfhundert Kinderroller gehören«, log ich, um das Thema zu beenden.

»Dann solltest du dich mit dem Bankberater von Kurt treffen. Die Roller sind, soweit ich weiß, ausnahmslos auf Pump gekauft.«

Also war Kurt eine ganz arme Socke.

Während Laura die Karte einsteckte, schaute sie auf die Uhr.

»Oh, schon nach elf. Ich sollte dann mal gehen.«

»*Und tschüss!*«, sagte mein inneres Kind.

»Schade«, sagte ich. »War ein netter Abend mit dir.«

»Muss ja nicht der letzte gewesen sein.« Sie zwinkerte mir im Aufstehen zu. Dann zückte sie ihr Handy und bestellte sich per App ein Taxi.

»Darf ich noch mal deine Toilette benutzen?«

»Klar, hinter der Küche die erste Tür links.«

Während Laura die Tür der Gästetoilette hinter sich schloss, räumte ich die Weingläser weg und stellte sie auf die Spülmaschine. Ich würde sie morgen spülen.

Hatte ich gerade ein erstes Date gehabt, oder war ich gerade benutzt worden? Ich wusste es nicht. Das eine fühlte sich ungewohnt an. Das andere gewöhnlich.

Laura kam zurück.

»Auf bald.« Sie hauchte mir einen Kuss auf die Wange und hielt meine Hände einen Moment zu lang für zwei Eltern, die sich lediglich zum Elternbeirat getroffen hatten.

Sie ging. Die Tür fiel ins Schloss, und die Holztreppen des Treppenhauses knarzten mit jeder Etage, die sie erreichte, leiser.

Ein Blick aus dem Balkonfenster zeigte mir, dass Lauras Taxi bereits auf sie wartete.

Ich ging zur Stereoanlage und ließ Vanessa Williams ein letztes Mal »You go and save the best for last« singen, bevor ich die Nadel von der Platte nahm und die Balkontür zum Lüften öffnete. Und damit den größtmöglichen Klimawandel in Bezug auf meine Stimmung in die Wohnung ließ.

»Fooooooootze!«, ertönte es vom Park hoch. Untermalt vom Klirren einer zerspringenden Glasflasche.

In der Sekunde davor hatte ich mich noch an meine Zeit als verliebter Teenager erinnert.

Und in der nächsten Sekunde war ich wieder der untervögelte Ehemann, der ausgenutzte Typ, der sich einen weiteren ungewollten Mandanten hatte aufschwatzen lassen und dessen reale Erotikerlebnisse sich darauf beschränkten, von kulturfremden Assis die frisch gelernten Vulgärnamen für weibliche Geschlechtsorgane auf den Balkon gebrüllt zu bekommen. Hätte Laura sich kein Taxi bestellt, wäre sie diesen Assis voll in die Arme gelaufen.

Durch das Pochen meines hochfahrenden Pulses hindurch meldete sich mein inneres Kind.

»Jetzt würde ich gerne meinen Wunsch einlösen.«

»Was für einen Wunsch?« Ich stand auf dem Schlauch.

»Du hast dir gegen meinen Rat einen ungewollten Mandanten aufschwatzen lassen. Dafür hast du mir einen Wunsch frei gegeben.«

»Ah, ja. Klar. Was willst du?«

»Dass du im Park für Ruhe sorgst. Ich will ungestört schlafen.«

»Okay … « Ich war ein wenig verwundert. *»Ich ruf das Ordnungsamt an, aber ich weiß nicht, ob das was bringt. Die letzten Male … «*

»Das Ordnungsamt bringt gar nichts. Ruf Walter an.«

»Was soll ich?«

»Ruf Walter an und lass seine Jungs die Assis im Park zur Ruhe bringen.«

Ich war baff. Was für eine genial einfache Idee. Da hätte ich auch selbst drauf kommen können. Wenn Polizei und Ordnungsamt personell nicht dazu in der Lage waren, in einem Wohngebiet für Ruhe zu sorgen – Walters Security-Leute waren es.

Mein inneres Kind schien sich wesentlich intensiver mit Lösungsansätzen zum Erreichen eines ruhigen Schlaf auseinandergesetzt zu haben als ich. Und mit unserer Geschichte von der Bedrohung durch die Holgerson-Familie hatten wir sogar die passende Begründung für Walter, mal ein wenig effektiver aufzuräumen, als ein einzelner Eiswürfel oder ein verschreckter Ordnungsamt-Mitarbeiter das konnte.

Der kleine blonde Junge in Lederhose in mir hatte mit kindlicher Intuition die einfachste Lösung gefunden.

Ich rief Walter an. Er ging sofort ran.

»Walter, ich bin's.«

»Ist was passiert?«

»Ich bin mir nicht sicher. Im Park vor meiner Wohnung treiben sich gerade ein paar Gestalten rum, die da nichts zu suchen haben. Vielleicht überprüfen deine Leute mal, ob die von der Holgerson-Familie sind.«

»Wird gemacht. Ist das alles?«

Für mich war es das. Für mein inneres Kind nicht.

»Frag ihn, ob seine Leute Panzerband und Kabelbinder dabei haben.«

»Wieso …?«

»Frag ihn!«

»Habt Ihr Panzerband und Kabelbinder dabei?«

»Klar.«

»Dann soll Folgendes geschehen …« Mein inneres Kind erzählte mir sehr detailliert, wie Walters Leute zur Wahrung unserer Holgerson-Geschichte die Personalie der Park-Assis überprüfen und dann die Vollprolls, die keine Holgersons waren und mich trotzdem seit Nächten nervten, anschließend geknebelt und gefesselt so lange im Park liegen lassen sollten, bis diese selber auf den Wunsch kamen, diesen in Zukunft nie wieder aufzusuchen.

Ich empfand diese konkrete Ausführung des Planes als ein wenig grob. Ich persönlich hatte der Gewalt innerlich abgeschworen. Da ahnte ich aber auch noch nichts von meinem inneren Kind. Inhaltlich war dessen Handlungsempfehlung gerade wegen der Grobheit durchaus erfolgverheißend. Und ich hatte meinem inneren Kind nun mal die Erfüllung eines Wunsches versprochen. Vor die Wahl gestellt zwischen der körperlichen Unversehrtheit der Park-Assis und der seelischen Unversehrtheit meines inneren Kindes, musste ich keine Sekunde lang nachdenken. Ich gab den Wunsch also genau so an Walter weiter. Da wussten allerdings weder mein inneres Kind noch ich, dass zwei der Assis tatsächlich zur Holgerson-Familie gehörten. Und das machte einen weiteren Scherz meines inneren Kindes lebensgefährlich.

25 WISSEN

»Wissen ist Macht. Vor einem Nichtwissenden, der nicht weiß, dass er nichts weiß, steht der Wissende allerdings ohnmächtig da. Sie können andere nur dann mit Ihrem Wissen bereichern, wenn diese zumindest einen Hauch von Ahnung bezüglich ihrer eigenen geistigen Armut haben.«

JOSCHKA BREITNER,
»ENTSCHLEUNIGT AUF DER ÜBERHOLSPUR —
ACHTSAMKEIT FÜR FÜHRUNGSKRÄFTE.«

ICH SCHLIEF IN der folgenden Nacht wie ein Kind. Wie ein inneres Kind, müsste ich wahrscheinlich sagen. Zwanzig Minuten nach meinem Anruf bei Walter war absolute Ruhe im Park vor meiner Haustür. Eine Wohltat.

Ich war meinem inneren Kind dankbar für den kreativen Lösungsvorschlag.

Mein inneres Kind war mir dankbar, dass ich seinen Wunsch erfüllt hatte. Gemeinsam schliefen wir tief, erholsam und ruhig.

Bis mich am nächsten Morgen das Klingeln an meiner Wohnungstür weckte. Ich schaute auf die Uhr: Viertel nach acht. Sonst wachte ich in der Regel von selbst spätestens um sieben auf.

Ich zog mir meinen Morgenmantel über, schlurfte zur Wohnungstür und schaute durch den Spion. Es war Katharina. Sie hatte zwar ebenso einen Schlüssel zu meiner Wohnung wie ich zu unserem Haus, aber um die Privatsphäre des anderen zu respektieren, klingelten wir, wenn wir nicht sicher wussten, dass der andere nicht zu Hause war.

Katharina hatte augenscheinlich gerade Emily in den Kindergarten gebracht.

»Guten Morgen!«, begrüßte ich sie mit dem Versuch eines Kusses. Statt des Mundes wurde mir eine Wange entgegengehalten.

»Schön, dass wenigstens du ausschlafen konntest«, sagte sie mit einem Blick auf meinen Morgenmantel.

Nein, konnte ich nicht, ein Klingeln hat mich geweckt, murmelte ich mental durch meine Verteidigungsrüstung.

»Ich muss vor dem Büro noch mal aufs Klo. Kann ich einen Espresso haben?«

Ablehnung. Vorwurf. Forderung. Ihr Wunsch nach Klo und Kaffee war wichtiger als mein Wunsch nach Harmonie. Oder Ausschlafen. Mein inneres Kind wachte ebenfalls auf, und es hatte schlechte Laune. Es wollte, dass ich meinen Wunsch auf Ausschlafen verbalisierte.

»*Ich kümmere mich drum, wenn sie aus dem Gästeklo zurückkommt*«, versuchte ich mein inneres Kind zu beruhigen. Doch dazu kam es nicht.

Während ich verschlafen eine Espresso-Kapsel in die und eine Tasse unter die Nespresso-Maschine stellte und den Knopf drückte, erklang erst ein Schrei und dann ein splitterndes Klirren aus dem Gäste-WC. Bevor ich nachschauen konnte, was passiert war, kam Katharina schon wie eine Furie aus der Toilettentür geschossen.

»Mach das mit deinen Schlampen gefälligst diskreter!«, fauchte sie mich an.

»Was für …?«

Katharina zeigte auf die Weingläser auf der Spüle. Eins davon, das mit einem Lippenstiftabdruck von Laura, nahm sie in die Hand.

»Und das an meinem ersten Arbeitstag nach der Geburt unserer Tochter! Du … du …«

Sie schleuderte das Glas mit einem Krachen in die Nespresso-Maschine. Während die dadurch aufgeschlagene Crema des Kapsel-Espressos noch langsam und ruhig die Küchenwand runterlief, rannte Katharina schon aufgeregt und hektisch die Treppe im Treppenhaus hinab.

Ich war sprachlos. Um zu verstehen, was da geschehen war, ging ich ins Gäste-WC. Ich selbst benutzte es nie. Mein eigenes Badezimmer grenzte direkt an mein Schlafzimmer.

Auf den versiegelten Holzbohlen lagen Splitter der Keramik-Seifenschale. Der Spiegel über dem Waschbecken war zersprungen, aber nicht aus dem Rahmen gefallen. Auf dem mit zahllosen Rissen überzogenem Spiegelglas stand etwas mit Lippenstift geschrieben: *Danke für den wundervollen Abend. L.* Katharina hatte die Seifenschale zielgenau auf das Wort »Danke« geschleudert.

In diesem Moment war ich der Überzeugung, dass die Lebensqualität eines Mannes im umgekehrtem Verhältnis zur Alphabetisierungsquote der ihn umgebenden Frauen stand. Was fiel Laura ein, so einen Blödsinn auf den Spiegel zu schreiben? Und was dachte Katharina, dass ich mit einer Frau angestellt hatte, die meinen Körper, aber nicht mein Bad benutzen durfte und deswegen den Gästetoiletten-Spiegel beschrieb?

Die Frau, die keinen Sex mit mir haben wollte, war sauer, weil sich eine andere Frau dafür bedankte, auch keinen Sex mit mir gehabt zu haben. Und wer ging zum Coaching, um sein vermeintlich irrationales Verhalten in den Griff zu bekommen? Ich.

Mein Handy klingelte und riss mich aus meiner gedanklichen Verwirrung zurück in die verwirrende Gegenwart. Die Nummer im Display endete auf 2211970 und war mir unbekannt. Sie sah nicht nach den im organisierten Verbrechen üblichen Wegwerfhandys aus. Dazu ähnelte sie zu sehr einem Geburtsdatum aus: 22. Januar 1970. Solche Nummern wünschten sich in der Regel unkreative Business-Kunden von ihrem Fachberater bei der Telekom. Ich ging ran.

»Ja bitte?«

»Hi, hier ist Kurt.«

»Kurt ... wer?«

»Der Bruder von Laura.«

Richtig. Die Dame von gestern Abend hatte nicht nur einen verstörenden Lippenstift, sondern auch einen nervigen Bruder. Ein neuer Mandant, der mich nicht kannte, aber mir schon seinen Vornamen aufdrängte. Ein netter Verstoß gegen meinen Wunsch nach respektvoller Distanz. Das ging schon mal gut los. Die Button-Nadel in meiner Kinderseele machte sich bemerkbar.

»Ah ... Herr Frieling.«

»Wir können uns doch einfach duzen. Ich bin der Kurt. Wann können wir uns sprechen?«

»Da müsste ich mal in meinen Terminkalender ...«

»Weißt du was? Ich hol dich einfach heute Mittag ab und lade dich zum Lunch ein. Abgemacht?«

Das war mir viel zu aufdringlich und viel zu spontan. Auf der anderen Seite wollte ich im Moment alles, was Laura anging, lieber gleich hinter mich und zum Abschluss bringen. Je schneller das geklärt war, desto zügiger konnte ich auch Katharina wieder von der Palme runterholen, die sie sich erst eingebildet und dann bestiegen hatte. Einmal Essen – und dann Ende.

»Also gut. Sie wissen, wo ich wohne?«

»Du. Ich bin der Kurt.«

»Ja, gut, Kurt. Also ... du weißt, wo ich wohne?«

»Klar. Über dem Kindergarten. Ich hab mein Patenkind da schon ein paarmal abgeholt. Bin um halb eins da. Ich klingel durch.«

Da ich das Handy noch in der Hand hatte, versuchte ich Katharina zu erreichen. Vielleicht konnte ich die Sache mit dem Spiegel ja auch telefonisch richtigstellen. Katharinas Telefon war ausgeschaltet. Ich kannte dieses Verhalten. Es konnte Stunden dauern, bis sie wieder für mich erreichbar war. Nun gut. Ich hatte heute noch genug zu tun. Abgesehen von diesem überflüssigen Essen mit Kurt würde ich mich nachher mit Sascha treffen und eine Liste mit Namen von den Personen erstellen, die sowohl eine Verbindung zum Kindergarten als auch zu Boris hatten. Ich versprach mir davon nicht sonderlich viel. Aber irgendwo mussten wir ja anfangen. Außerdem musste ich Sascha davon erzählen, dass Lauras Sohn von einem Lippenmonster im Keller des Kindergartens erzählte, das gewisse Gemeinsamkeiten mit dem von Boris geschilderten Verhalten aufwies.

Ich räumte notdürftig die Scherben weg und duschte dann ausgiebig. Unter der Dusche genoss ich das Prasseln des Wasserstrahls bei einer kleinen Stehmeditation. Dabei sah die Welt schon wieder wesentlich frischer aus. Mein inneres Kind hatte mich vor Laura und ihrem Bruder gewarnt. Hätte ich auf mein inneres Kind gehört, wäre Katharina nicht ausgerastet. Jedenfalls nicht wegen des Spiegels. Sondern wegen irgendwas anderem. Irgendwann anders. Mein inneres Kind hatte recht gehabt. Es ging in Bezug auf mein inneres Kind aber nicht um Rechthaben. Es ging um Führung und Vertrauen. Ich führte. Mein inneres Kind sollte mir vertrauen. Mir fiel eine Übung ein, die ich von Herrn Breitner gelernt hatte.

26 GEFÜHLE

»Das innere Kind, das Jahrzehnte allein im Keller Ihrer Seele
verbracht hat, muss zunächst einmal Vertrauen zu Ihnen und Ihren
Gefühlen aufbauen. Werden Sie sich deshalb zunächst einmal
selber über Ihre eigenen Gefühle klar. Schreiben Sie Ihre Gefühle
auf. Und teilen Sie sie dann ehrlich mit Ihrem inneren Kind.«

JOSCHKA BREITNER,
»DAS INNERE WUNSCHKIND«

HERR BREITNER HATTE mich ausdrücklich darauf hingewiesen, dass die Entdeckung des inneren Kindes kein Spaziergang im Sonnenschein sein würde. Sondern harte Arbeit. Er hatte dafür ein Beispiel gewählt, von dem er nicht im Ansatz ahnen konnte, wie gut ich es verstand.

»Sie holen gerade Ihr inneres Kind aus dem Keller Ihrer Seele ans Tageslicht. Stellen Sie sich vor, Sie wären jahrelang im Keller eingesperrt und ignoriert worden. Und eines Tages kommt dann derjenige, der Sie dorthin verfrachtet hat, vorbei und sagt: ›Ach, dich gibt's ja auch noch. Sorry, dass ich dich so lange ignoriert habe. Lass uns Freunde sein!‹ Wie würden Sie reagieren?«

»Ich denke mir, ich wäre froh, ans Licht zu kommen. Aber mit einem nur sehr begrenzten Vertrauen zu dem, der mich da rausgeholt hat«, hatte ich ehrlich geantwortet.

Herr Breitner hatte genickt. »Und entsprechend wichtig ist es, dass Ihr inneres Kind belastbares Vertrauen zu Ihnen aufbauen kann.«

»Okay. Und wie?«, wollte ich wissen.

»Mit Offenheit und Ehrlichkeit. Mit einem wahren Einblick in Ihre Gefühle.«

»Vielleicht sollte ich mir über meine Gefühle gegenüber meinem inneren Kind erst einmal selber klar werden.«

»Richtig. Das ist der eigentliche Sinn der folgenden Übung: Sie entschuldigen sich verbindlich bei Ihrem inneren Kind. Schriftlich. Schwarz auf weiß. Sie nehmen sich die Zeit, um Ihre Gefühle in wahren und ernst gemeinten Worten zu formulieren. Diese Worte bringen Sie zu Papier. Das nimmt der Entschuldigung die Flüchtigkeit. Ihr Gegenüber, in diesem Fall Ihr inneres Kind, hat es dann selber in der Hand, Ihre Entschuldigung zu akzeptieren, sie beiseitezulegen oder immer wieder zu lesen.«

»Ich soll meinem inneren Kind einen Brief schreiben?«

»Exakt. Als vertrauensbildende Maßnahme. Und als Möglichkeit für Sie, Ihre eigenen Gefühle zu ergründen, zu ordnen und zu fixieren.«

»Bis wann soll der Brief fertig sein?«

»Bis Sie so weit sind.«

Unter der Dusche stehend, dachte ich an genau diesen Brief. Ich war auch über drei Wochen nach dieser Coaching-Stunde noch immer nicht so weit, einen vorzeigbaren Entschuldigungsbrief zu schreiben. Aber es gab das handgeschriebene Fragment eines Entschuldigungsbriefes. Dieser Ansatz einer Entschuldigung lag, zusammengefaltet, hinten in Herrn Breitners Ratgeber. Ich stellte die Dusche ab. Zog mich an. Ging ins Wohnzimmer. Und holte das handschriftliche Fragment des Briefes hervor, um es ein weiteres Mal zu lesen.

»*Es tut mir alles sehr leid. Ich habe dich so lange ignoriert und gar nicht gewusst, mit welchem Schatz ich seit Jahren mein Leben teile. Mir ist jetzt erst klar, wie sehr wir uns gegenseitig das Leben schwer gemacht haben. Ich möchte dich freilassen, ohne dich zu verletzen. Ich möchte, dass du dein eigenes Leben leben kannst. Mit mir als Freund. Nicht als jemand, der dich einengt. Das haben wir nun lange genug probiert. Ich sehe ein, dass das nicht funktioniert. Ich wünsche mir, dass du in Freiheit dein Glück findest. Vielleicht kann der Ballast unserer Vergangenheit das Fundament einer freien Partnerschaft werden ... «*

Weiter war ich nie gekommen.

27 ZUFÄLLE

»Es macht keinerlei Sinn, sich über ›dumme Zufälle‹ aufzuregen.
Entweder geschieht alles, was geschieht, aufgrund einer
höheren Macht. Dieser wäre schwerlich Dummheit zu unterstellen.
Oder es geschieht alles tatsächlich zufällig. Niemand ist dafür
verantwortlich. Dass niemand dumm ist, kann nun wirklich
niemand behaupten.«

JOSCHKA BREITNER,
»ENTSCHLEUNIGT AUF DER ÜBERHOLSPUR –
ACHTSAMKEIT FÜR FÜHRUNGSKRÄFTE«

ICH LIESS DEN Brief offen auf meinem Esstisch liegen, um mir einen Espresso zu machen. Dabei stellte ich fest, dass ich den Inhalt der letzten Espresso-Kapsel wohl vorhin leider von meiner Küchenwand gewischt hatte. Meinen Wunsch nach einem Espresso zum Tagesbeginn wollte ich mir von niemandem nehmen lassen. Im Café auf der anderen Seite des Parks wollte ich ihn mir und meinem inneren Kind erfüllen. Nachdem ich mir Jacke und Schuhe angezogen hatte, machte ich mich auf den Weg. Ein kleiner Spaziergang würde jetzt guttun.

Der Park wurde von einer erfrischenden September-Morgensonne bestrahlt. Die Blätter an den Bäumen erinnerten mich an die Promi-Gäste einer ZDF-Samstagabend-Show. Sie hatten ihre besten Tage hinter sich, erzählten im Vergilben aber von sonnigen Stunden einer wärmenden Vergangenheit. Hin und her schunkelnd, bereiteten sie dem Zuschauer damit in der Erinnerung grundlos gute Laune. Sie klammerten sich so lange an jeden noch so dünnen Ast, bis eine windige Laune sie endgültig mit sich riss und irgendwo zum Vergessen fallen ließ. Und im nächsten Frühjahr wuchsen dann die nächsten Knospen ihrem sicheren Verwelken entgegen.

Ich überquerte den Spielplatz, dem man keine Spuren der gestrigen Nacht mehr ansah. Die Glasscherben und die für sie verantwortlichen Assis waren entfernt worden. Nur den angekokelten Holzspielgeräten, den Graffiti auf den Bänken und der eingeschlagenen Scheibe des »Offenen Bücherschranks« sah man an, dass sich hier große Menschen im Schutze der Untätigkeit der staatlichen Organe viel zu lange Zeit viel zu heimisch gefühlt hatten. Jedenfalls heimischer als die kleinen Besucher, deren sorgloser Spielbereich hier eigentlich hätte geschützt werden müssen. Und die den Spielplatz mit geplatzten Laufradreifen verlassen durften. Aber ich ging aufgrund des gestrigen Abends davon aus, dass hier zumindest für die nahe Zukunft Ruhe herrschen würde.

Ich hatte den Spielplatz gerade hinter mir gelassen, als Walter anrief. Wenigstens ein kleiner Lichtblick. Dachte ich. Die Lügengeschichte von der Bedrohung durch die Holgerson-Familie hatte mir gestern eine ruhige Nacht beschert. Und für die Zukunft hoffentlich die Assis aus dem Park vertrieben. Das erste Problem, das sich dank der Beschäftigung mit meinem inneren Kind komplett aufgelöst hätte.

Weit gefehlt.

»Hi, Björn. Ich wollte dir nur kurz von gestern Abend erzählen. Dein Verdacht war richtig.«

»Welcher Verdacht?«

»Zwei der Typen aus dem Park stehen in Verbindung zur Holgerson-Familie. Kleine Lichter, aber sie gehören dazu.«

Das war das Letzte, mit dem ich gerechnet hätte. Ich blieb abrupt stehen, ließ mich auf eine Parkbank fallen. Wie hoch war die Wahrscheinlichkeit, dass von viertausendfünfhundert über Deutschland verteilten Mitgliedern einer verbrecherischen Familie ausgerechnet einer in dem Moment vor meiner Haustür rumlungerte, in dem ich das ins Blaue hinein behauptete? Ich kannte jetzt die Antwort: zweihundert Prozent.

»Wie jetzt – gleich zwei? Wie habt ihr das herausgefunden?«

»Wir sind gestern nach deinem Anruf mit vier Zweierteams in

den Park. Auf dem Spielplatz lungerten acht Typen rum. Ziemlich betrunken, teilweise bekifft. Hochaggressiv. Wir haben sie überwältigt, mit Kabelbinder gefesselt und mit Panzerband geknebelt. War nicht einfach, aber für meine Leute eine gute, praktische Trainingseinheit.«

Ich ließ meinen Blick über den Spielplatz schweifen und stellte mir in Gedanken die überraschten Gesichter der Typen vor. Festzustellen, dass ein Regelverstoß überhaupt irgendwelche Konsequenzen hatte, muss für sie eine geradezu überirdische Erfahrung gewesen sein.

»Sehr gut. Und dann?«

»Dann haben meine Leute die Papiere von allen überprüft. Sechs von den Typen sind einfach nur irgendwelche Schwachmaten mit einer Testosteron-Fehlfunktion. Wahrscheinlich alle volljährig.«

»Was heißt ›wahrscheinlich‹?«

»Ich denke mir, die Röntgenaufnahmen der Handwurzelknochen werden das bestätigen.«

»Warum sollten die geröntgt werden?«

»Weil sich drei von denen aus Versehen wohl die Handwurzeln gebrochen haben.«

»Aua.« Das war genau die Gewalt, die ich eigentlich nicht mehr wollte.

»Aua waren dann wohl vor allem die Scherben. Sechs von den acht Idioten haben wir schön in zwei Dreierreihen auf den Boden gelegt. So sortiert waren die lange nicht mehr. Was vielleicht etwas unangenehm für die Herren war, ist die Tatsache, dass sie vorher den Boden mit Glassplittern übersät hatten.«

Dass Glasscherben auf einem Spielplatz eine schmerzhafte Sache sind, war eine Erkenntnis, die in den Tagen vorher nur Kleinkinder machen durften.

»Gut, die Herren haben ja jetzt die Gelegenheit, sich schrift-lich bei der Stadtverwaltung über den zu langen Reinigungszyklus auf unseren Spielplätzen zu beschweren«, versuchte ich meinen inneren Zwiespalt zwischen Mitleid und Genugtuung wertneut-ral zu formulieren.

»Ich bezweifle, dass die Herren das Wort ›Reinigungszyklus‹ auch nur buchstabieren können. Jedenfalls sind die sechs gefes-selten und geknebelten Gestalten morgens um sieben Uhr durch-gefroren von den Reinigungsjungs entdeckt worden. Die haben dann die Polizei gerufen.«

»Und die andern beiden?« Mir schwante Böses.

»Auf die traf genau das zu, was du vermutet hast. Mitglieder des Holgerson-Familie. Laut Papieren. Die haben wir mitge-nommen.«

»Wohin?« Die Frage war überflüssig. Im Keller der Zentrale von Walters Security-Firma befand sich ein mir bestens bekann-ter Verhörraum. Dort hatte ich sechs Monate zuvor selbst das erste Mal jemanden zum Reden gebracht. Meinen anfänglichen inneren Widerstand gegen Folter konnte ich damals dank einer entsprechenden Achtsamkeitsübung zur Überwindung innerer Widerstände ziemlich gut überwinden. Mir wurde gerade klar, dass die Holgerson-Geschichte, die ich gemeinsam mit meinem inneren Kind zum Schutz vor Gewalt erfunden hatte, dort wo sie auf die Realität traf, durchaus Gewalt erzeugte. Zwar bislang nicht zu meinen Lasten. Aber dennoch nicht gewollt.

»In meinen Keller«, beantwortete Walter meine Frage wie von mir befürchtet. »Die beiden tun so, als hätten sie keine Ahnung, warum wir sie mitgenommen haben. Sie behaupten, weder Boris noch Dragan noch dich zu kennen.«

»Ihr habt sie nach uns dreien gefragt?« Klar hatte er das. Er musste ja nach meinem Anruf davon ausgehen, dass die Jungs wegen mir im Park waren, mich also sowieso kannten. Taten sie vor der Frage aber nicht. Danach allerdings schon.

»Klar. Deswegen wolltest du doch, dass wir in den Park gehen. Und du hattest recht.«

Nein, hatte ich nicht. Und deswegen drohte jetzt jede Menge Ärger. Die beiden Herren teilten nun zwangsläufig das Schicksal von Boris: zwei weitere Kellerkinder, mit denen ich nichts anzufangen wusste. Die meine Lebensqualität aber erheblich verschlechtern würden, wenn sie den Keller wieder verließen.

Im Gegensatz zu meinem inneren Kind würde keiner der dreien nach dem Verlassen des Kellers noch eine Partnerschaftswoche mit positivem Ausgang mit mir verleben wollen.

Aber eigentlich hatte ich die Probleme mit den Holgersons nur, weil ich in der Partnerschaftswoche dem Wunsch meines inneren Kindes entsprochen hatte.

Dass ich mir bei allen Problemen mit meiner Ehe, meinem Privatleben und der Erpressung durch einen durchgeknallten Unbekannten nun zusätzlich auch noch den Ärger mit einer tausendköpfigen Großfamilie aufhalste, war das Letzte, was ich brauchte.

Irgendwie hatte ich das Gefühl, dass die Anzahl meiner Probleme seit dem Beginn meiner Partnerschaftswoche mit meinem inneren Kind nicht unbedingt weniger wurden. Aber vielleicht war das eine normale Anfangsverschlimmerung vor der eigentlichen Heilung.

»Und was hast du mit den beiden Typen jetzt vor?«, fragte ich Walter in der Hoffnung, er hätte einen Plan.

»Gib uns eine Stunde, und die beiden werden uns eine Menge Antworten geben.«

Nein, würden sie nicht. Weil es keine Antworten gab. Die beiden Assis waren nur mit dem falschen Namen zur falschen

Zeit am falschen Ort gewesen. Im Grunde einfach nur arme Idioten.

»Hatten sie irgendwas dabei?«

»Fünfzehn Gramm Koks, zwei Pistolen, drei Messer.«

Okay. Wer mit fünfzehn Gramm Koks, zwei Pistolen und drei Messern auf dem Kinderspielplatz meiner Tochter rumlungerte, um mir Worte wie »Fooooooootze« auf den Balkon im vierten Stock zu brüllen, musste einem nicht leidtun. Walter hatte sie wegen ihres Nachnamens mitgenommen. Weil sie nun meinen Namen kannten, durften sie nicht wieder gehen. Und dass es den ganzen Holgerson-Boris-goldenes-Kind-Zusammenhang überhaupt nicht gab, durfte Walter nicht erfahren. Vor allem nicht bei einem spontanen Folter-Verhör.

»Walter, tu mir den Gefallen, und lass das erst mal mit den weiteren Verhören. Lass die beiden eingesperrt. Niemand soll mit ihnen sprechen. Ich komm vorbei, und wir klären das vor Ort.«

Ich brauchte eine Lösung für das Problem mit den beiden Holgerson-Angehörigen in Walters Keller.

Ich brauchte eine Lösung für Katharinas Verdacht, ich würde sie betrügen.

Ich brauchte eine Lösung bezüglich des unbekannten Erpressers, der wollte, dass wir Boris den Kopf abschnitten.

Ganz zu schweigen von der Tatsache, dass ich ein Rudel Handgranaten-Mütter von dem Gedanken abbringen musste, aus Klimagründen die Ölheizung aus dem Keller des Kindergartens zu reißen und damit Boris' Versteck auffliegen zu lassen.

Und obendrein musste ich mit dem bescheuerten Bruder von Laura zum Essen gehen.

Viel Programm. Und genau die Art von Problemen, die mich – jedes einzelne für sich – maßlos nervten. Den Stress, den sie verursachten, konnte ich mit Achtsamkeit reduzieren. Ihre schiere Existenz wollte ich eigentlich gern in Zukunft vermeiden. Denn genau deswegen hatte ich doch angefangen, mich mit meinem inneren Kind zu beschäftigen.

28 IRREALES UND REALES

»Wenn Sie eine irreale Sorge beunruhigt, fokussieren Sie sich mit allen Sinnen auf einen realen Gegenstand. Welche Form hat er? Welche Farbe hat er? Wie viel wiegt er? Wie fühlt er sich an? Wie hört es sich an, wenn Sie dagegenklopfen? Wie riecht er? Wie schmeckt er? Wenn Sie alle realen Fragen beantwortet haben, dürfte Ihre irreale Sorge erheblich an Dramatik verloren haben.«

JOSCHKA BREITNER,
»ENTSCHLEUNIGT AUF DER ÜBERHOLSPUR –
ACHTSAMKEIT FÜR FÜHRUNGSKRÄFTE«

HIER, AM ANDEREN Ende des Parks, befand sich das Café Meier-Dennhard. Ein Betrieb, der in den rund hundert Jahren seines Bestehens seine Innenausstattung samt Personal angeblich erst dreimal gewechselt hatte. Und das war gut so. Die letzte Renovierung hatte Anfang der achtziger Jahre stattgefunden, und das Personal blickte auf eine jahrzehntelange Service-Erfahrung zurück. Hier fühlte ich mich optisch und menschlich wie zu Hause. Obwohl ich erst seit einem halben Jahr im Viertel wohnte, kannten mich die Service-Damen mit Namen und wussten schon vor mir, was ich bestellen wollte.

»Guten Morgen, Herr Diemel. Doppelter Espresso und ein Wasser?«, wurde ich begrüßt, als ich durch die Tür trat. Ein Satz, den sich Kellner Nils aus dem Allgäu vielleicht besser auf sein Pailletten-T-Shirt hätte sticken lassen sollen. Ich nickte freundlich und bejahend und setzte mich an einen kleinen Zweiertisch im hinteren Teil des Cafés. Mein Espresso kam umgehend, und nach zwei kleinen Schlucken fühlte ich mich belebt genug, um Sascha anzurufen. Ich wollte ihm vom Lippenmonster erzählen und von den Holgersons in Walters Keller, doch er kam mir zuvor.

»Gut, dass du anrufst. Der Erpresser hat sich gerade eben gemeldet.«

»Wieder ein Brief vor der Haustür?«

»Nein, per E-Mail. Und bevor du fragst – Fantasienamen. IP-Adresse von den Philippinen. Hab ich schon gecheckt.«

»Und was schreibt er?«

»Ich leite die Mail an dich weiter. Lies sie, und ruf mich anschließend wieder an, okay?«

»Gut.«

Ich hatte auf meinem Smartphone aus Achtsamkeitsgründen kein E-Mail-Postfach eingerichtet. Ich wollte nicht alle zwanzig Minuten nachschauen, ob Post da war. Um mich entweder darüber aufzuregen, dass keine da war, oder darüber, mit welchen Belanglosigkeiten ich wieder belästigt wurde. Kein Mensch wäre vor zwanzig Jahren auf den Gedanken gekommen, alle zwanzig Minuten an den Briefkasten zu gehen, um nach Post zu gucken. Der Briefträger kam einmal am Tag. Das reichte völlig. Danach war das Thema »Sie haben Post« für die nächsten vierundzwanzig Stunden erledigt. Genauso handhabe ich es jetzt auch mit meinen E-Mails. »Digital Detox« hieß das in meiner Welt der Achtsamkeit. Selbst mein berufliches E-Mail-Postfach am Rechner zu Hause hatte ich auf einer separaten Benutzeroberfläche. Auf diese schaltete ich exakt zweimal am Tag um. Zu festgelegten Zeiten. Um meine Mails zu checken. Den ganzen Permanente-Erreichbarkeits-Blödsinn von früher war ich damit los.

Doch dies war ein Notfall. Also ging ich, um Saschas Mail zu lesen, mit dem Smartphone ins Internet und öffnete die Homepage meines Mail-Anbieters. Ich gab mehrfach das falsche Passwort ein. Warum man für seine Passwörter mittlerweile so viele Zahlen und Sonderzeichen verwenden musste, dass man sie sich selbst nicht mehr merken konnte, erschloss sich mir nicht. Früher hat einem der Briefträger die Post auch ausgehändigt, weil er den Empfänger persönlich kannte. Und nicht weil man ihm »K@tz3nfee!« ins Ohr hauchte. Wenigstens hielt mich mein

Rechner zu Hause mittlerweile für senil genug, dass er mir die Passwörter, die eigentlich ich ihm mitteilen sollte, schon immer selber zuerst anbot.

Mein Handy tat dies nicht. Deshalb musste ich wie beim Spiel »Mastermind« herausfinden, ob mein E-Mail-Passwort »emi!y«, »EMI!Y«, »3mi!y« oder »3MI!Y« war. Nach fünf Minuten wusste ich es. Das Passwort lautete »kathar1n@«.

Sascha hatte mir die Mail des Erpressers kommentarlos weitergeleitet.

»Schön, dass der Kindergarten wieder aufhat. Ein Kopf bis Freitag. Ein Ohr bis morgen. Oder der nette Kindergartenvater auf den anhängenden Fotos erfährt, wer unter dem Gruppenraum seines Sohnes wohnt. Das Ohr liegt morgen früh, um 7.00 Uhr, in das Titelblatt der aktuellen Bildzeitung gewickelt, auf der Mauer gegenüber dem Kindergarten. Vorher habt ihr das abgeschnittene Ohr von allen Seiten fotografiert. Zusammen mit der Zeitungsseite. Und die Fotos an diese E-Mail-Adresse geschickt.«

Im Anhang befanden sich zwei Fotos. Auf beiden war der nette Kindergartenvater zu sehen, den ich nur zu gut kannte: Peter Egmann. Der Kommissar.

Wir sollten Boris also innerhalb von weniger als vierundzwanzig Stunden ein Ohr abschneiden. Was für ein kranker Wahnsinn. Ich versuchte, die mich überkommende Panik über diese völlig irreale Vorstellung zu unterdrücken.

Es gab eine Achtsamkeitsübung, die für gewöhnlich immer gut funktionierte. Ich wollte mich auf irgendetwas Reales konzentrieren, das ich mit allen Sinnen betrachten und beschreiben konnte. Wenn mein Gehirn damit beschäftigt war, etwas Reales wahrzunehmen, hatte es keine Kapazitäten frei, sich mit einer völlig irrealen Vorstellung wie dem Abschneiden eines Ohres zu beschäftigten. Ich konzentrierte mich deshalb einfach auf die anhängenden Bilder von Peter Egmann. Wie ich feststellte, war eine JPEG-Datei kein wirklich guter Gegenstand, um ihn mit allen Sinnen wahrzunehmen. Die Datei hatte kein Gewicht, keinen Geruch, keinen Geschmack. Aber das Bild hatte eine Form, eine Farbe, einen Inhalt. Ich konzentrierte mich also achtsam auf Letzteren.

Das erste Bild zeigte, wie Peter Egmann seinen Sohn offensichtlich heute Morgen zum Kindergarten gebracht hatte. Jedenfalls sagte das ins Bild gestanzte Datum dies aus. Peters Wagen stand, wie der vieler Eltern, in zweiter Reihe auf der Straße. Peter hatte seinen Sohn auf dem Arm, um ihn vor dem Verkehr zu schützen.

Das zweite Bild zeigte, wie Peter fünf Minuten später, ohne seinen Sohn, zum Wagen zurückkam und das zwischenzeitlich unter seinem Scheibenwischer befestigte Knöllchen zerriss.

Anstatt mich zu beruhigen, fing meine Fokussierung auf dieses Bild sofort an, mich aufzuregen. Nicht wegen Peter. Und bestimmt war dem Erpresser auch gar nicht klar, wie sehr er mein Blut mit diesem Bild in Wallung brachte. Es ging um das Parken vor dem Kindergarten.

In den Stoßzeiten, also beim Bringen und Holen der Kinder, gab es mangels ausgewiesener Parkzonen gar keine Alternative zum Falschparken. Jeder Handyshop bekam Sonderparkzonen für den Lieferverkehr. Kindergärten leider nicht. Entsprechend kam regelmäßig das Ordnungsamt vorbei und verteilte Knöllchen. Und genau das regte mich beim Betrachten des Bildes von Peter auf. Wenn ich abends um zehn Uhr beim Ordnungsamt anrief, um mitzuteilen, dass der Kinderspielplatz von Erwachsenen zweckentfremdet wurde, interessierte das die staatlichen Organe nicht die Bohne. Wenn Anwohner morgens um acht Uhr beim Ordnungsamt anriefen, um mitzuteilen, dass dreijährige Kinder von ihren Eltern von dem in zweiter Reihe parkenden Wagen in den Kindergarten getragen wurden, war der Staat sofort zur Stelle.

Würden sich die Behörden um Park-Assis genauso intensiv kümmern wie um Parksünder, hätte ich jetzt nicht zwei von Ersteren bei Walter im Keller.

Aber wir Eltern waren beim Thema Falschparken ja selbst schuld. Warum brachten wir unsere Kleinen nicht einfach mit dem alle Verkehrsprobleme lösenden E-Roller in die Kita? In der Tat stand in unregelmäßigen Abständen immer mal wieder ein vereinzelter Elektroroller auf dem Gehweg vor dem Kindergarten. Was auch immer für ein Idiot den wohl zusammen mit einem Kind im Straßenverkehr benutzte.

Vielleicht wäre allen Beteiligten geholfen, wenn zu den Bring- und Hol-Zeiten der Kinder jeweils ein Hochzeitskorso die Kindergartenstraße blockieren würde. Wenn die Eltern in einem solchen Stau steckten, könnten sie ganz ohne Bußgeld aussteigen und sich um ihre Kinder kümmern. Aber ich hatte noch kein Start-up entdeckt, das Hochzeitskorsos als »Sharing«-Modell vermietete.

Eins hatte ich zumindest mit dem Aufregen über die Parksituation geschafft: Ich hatte minutenlang nicht mehr an das abzuschneidende Ohr von Boris gedacht. Oder an die Holgersons.

Ganz anders mein inneres Kind. Es meldete sich zu Wort.

»*Sorry, wenn ich störe, aber es geht in dem Brief nicht um Falschparker. Es geht um Ohren.*«

»*Es geht um ein einzelnes Ohr, um genau zu sein*«, korrigierte ich mein inneres Kind.

»*Und wenn es nur um ein halbes Ohrläppchen gehen würde – wir schneiden Boris nicht das kleinste Stückchen Ohr ab. Das wollen wir nicht. Das sind wir Tapsi schuldig. Sind wir uns da einig?*«

»*Ich will das auch nicht. Aber mir fällt ad hoc keine Lösung ein. Dir etwa?*«

Und tatsächlich – mein inneres Kind hatte eine Idee. Und die war unter den nun mal nicht zu verleugnenden Umständen gar nicht mal so schlecht.

29 ZWEIFEL

»Zweifel an Ihren eigenen Lösungen sind völlig normal. Es gibt zu jedem Lösungsvorschlag mindestens zwei Alternativen: eine bessere und eine schlechtere. Nutzen Sie das. Wenn jemand Zweifel an einem Lösungsvorschlag von Ihnen äußert, bitten Sie ihn liebevoll, einen besseren Vorschlag zu machen. Ist er dazu nicht in der Lage, nennen Sie ihm einen schlechteren Vorschlag. Am Ende sind Sie nicht nur den Zweifler, sondern auch Ihre eigenen Zweifel los.«

JOSCHKA BREITNER,
»ENTSCHLEUNIGT AUF DER ÜBERHOLSPUR –
ACHTSAMKEIT FÜR FÜHRUNGSKRÄFTE«

DAS PARKEN IN zweiter Reihe war in der Tat gerade das geringste meiner Probleme. Ich rief Sascha zurück, um das größte Problem aus der ersten Reihe zu erörtern: die Erpressung.

»Wir müssen uns treffen.«

»Soll ich hochkommen?«

»Ich bin nicht in der Kanzlei. Ich bin im Café gegenüber.«

»Ich hol dich ab, und wir gehen spazieren. Du hast es ja gesehen – offensichtlich beobachtet uns dieser Idiot nach Lust und Laune. Mit ein wenig Glück entdecken Walters Leute jemanden, der uns folgt.«

»Ein Schuss ins Blaue?«

»Fällt dir was Besseres ein?«

»Ja. Aber das sollten wir persönlich besprechen. Komm vorbei, und wir gehen spazieren.«

»Mit oder ohne Security?«

»Mit. Kann nicht schaden.«

Ich hatte meinen doppelten Espresso bereits bezahlt und wartete vor der Tür, als Sascha erschien. Wir beschlossen, ein wenig durch die am Vormittag menschenleer vor uns liegenden Straßen des Viertels zu spazieren. Es gab genug zu besprechen. Ich klärte Sascha zunächst darüber auf, was gestern Nacht dort vorgefallen war.

»Mit anderen Worten,« fasste Sascha meine Zusammenfassung

mit einer Sorgenfalte auf der Stirn zusammen, »die Lügengeschichte mit den Holgersons entwickelt eine Eigendynamik.«

»Hast du ein Problem damit?«

»Als es darum ging, uns vor einem ausgebrochenen Boris zu schützen, fand ich die Geschichte echt gut. Zum Glück ist Boris nicht ausgebrochen. Die Geschichte jetzt weiterzuentwickeln, um abends Ruhe zu haben, war vielleicht ein bisschen … wie soll ich sagen? Kindisch.«

»Kindlich«, korrigierte ich.

»Ich weiß, dass Deutsch nicht meine Muttersprache ist. Aber was bitte ist der Unterschied zwischen kindisch und kindlich, auf den du mich seit gestern bereits zweimal hingewiesen hast?«

»Kindisch ist das unreife Verhalten eines Erwachsenen. Kindlich ist das altersgemäße Verhalten eines Kindes.«

Sascha schaute mich an.

»Sorry, aber wenn ich mich nicht irre, bist du dreiundvierzig Jahre alt und Rechtsanwalt.«

»Und in jedem Erwachsenen steckt das Kind, das er mal war.«

Sascha hinterfragte das dahinterstehende psychologische Konzept nicht. Ich hatte auch nicht vor, es ihm an dieser Stelle zu erläutern.

»Meinetwegen. Dann sag dem Kind in dir bitte, dass es naiv ist zu glauben, dass nicht jede Handlung Konsequenzen nach sich zieht.«

Ich beruhigte den Nachplappervogel in meiner Tasche mit einer tätschelnden Handbewegung.

»Nicht weniger als genau diese Erfahrungen haben doch gestern Nacht die Jungs aus dem Park gemacht, oder?«, verteidigte ich den gestrigen Wunsch meines inneren Kindes gegenüber Sascha. Der verstand diese Logik allerdings nicht sofort.

»Versteh mich nicht falsch – das Gebrülle nachts von den Idioten geht mir auch auf den Zeiger. Und ich war schon mehrfach kurz davor runterzugehen und denen persönlich ein paar Laschen zu verpassen. Aber wollten wir nicht in Zukunft auf Gewalt verzichten? Und was hat uns die Gewalt von Walter gebracht? Jetzt haben wir zwei massive Probleme mehr am Hals. Ich finde den Gedanken eher beunruhigend, neben Boris in unserem eigenen Keller nun auch noch zwei Holgerson-Mitglieder in einem weiteren Keller am anderen Ende der Stadt zu Gast zu haben. Zwei Typen, mit denen wir nicht das Geringste anfangen können.«

»Vielleicht hat sich das ja soeben geändert, und wir können mit den beiden doch etwas anfangen …«

Ich erläuterte Sascha die Idee, die mir mein inneres Kind vorhin bezüglich Boris' Ohr mitgeteilt hatte. Sascha brauchte eine Weile, um den Vorschlag zu verstehen.

»Wir sollen denen die Ohren abschneiden?« Sascha war fassungslos.

»Nicht *denen* und nicht *die* Ohren. Es geht hier nur um *ein* Ohr«, versuchte ich die Diskussion zu versachlichen.

»Ich glaube nicht, dass es so klug ist, diese Holgerson-Lügengeschichte noch weiter eskalieren zu lassen. Ohren-Abschneiden ist echt eine Hausnummer.«

Komisch. Als mein inneres Kind mir diese Idee erzählt hatte, hörte sie sich für mich sehr schlüssig an. Ich musste Sascha wohl selber erklären, was ich an der Idee so gut fand. Nämlich, dass sie den Wünschen meines inneren Kindes entsprach, unseren Gast im Keller unangetastet zu lassen. Und dass die Umsetzung dieser Wünsche negative Erfahrungen aus der Kindheit überschreiben könnte. Ich hatte aber das Gefühl, bei der Erklärung besser auf die Begriffe »Partnerschaftswoche«, »negativer

Glaubenssatz«, »Stärkung des Urvertrauens«, »Rüstung« und vor allem »Tapsi« zu verzichten, um Sascha nicht zu überfordern.

»*Ein* Ohr«, korrigierte ich Sascha erneut. »Und wir würden das eine Ohr ja auch nicht zur Strafe abschneiden, weil die abends im Park rumgesessen und ›Fotze‹ gebrüllt haben. Wir würden das eine Ohr einem fremden Arschloch abschneiden, das mit fünfzehn Gramm Koks dealend, mit Schuss- und Stichwaffen bewaffnet einen Kinderspielplatz mit Glasscherben unbenutzbar gemacht hat.«

Sascha war immer noch nicht überzeugt.

»Hast du einen besseren Vorschlag?«, fragte ich ihn. Er hatte keinen. »Hör zu, Sascha, was ist dir lieber – heute Abend eigenhändig eins von Boris' Ohren abzuschneiden oder heute Nachmittag ganz diskret von Walters Leuten ein Ohr von den Idioten in einer kleinen Dose überbracht zu bekommen?«

»Also ich weiß nicht …«

»Um es auf eine einfache Formel zu bringen – wir haben sechs Ohren im Angebot. Vier unbekannte Ohren und zwei bekannte. Von einem der sechs müssen wir uns trennen. Wie willst du dich entscheiden?«

»*Gute Argumentation. Zum ersten Mal fühle ich mich ohne Rüstung sicher*«, lobte mich mein inneres Kind.

»Wenn du so fragst …«

»Na also.«

»Und wie stellst du dir das konkret vor? Ich meine – mit einem fehlenden Ohr können wir die nie wieder aus dem Keller rauslassen.«

»Sähe das mit zwei intakten Ohren pro Person irgendwie anders aus? Die Typen kennen unsere Namen. Die wissen, wer sie aus dem Park geholt hat. Die wissen nur nicht, warum. Und das würden sie und ihre Holgerson-Familie so oder so mit allen Mitteln erfahren wollen.«

»Und wie sollen wir mit den beiden und ihren dann drei Ohren anschließend verfahren? Ich dachte, wir wollten nicht mehr morden.«

Wieder meldete sich mein inneres Kind zu Wort.

»*Da machen wir uns jetzt keine Gedanken drum. Wir leben wertungsfrei und liebevoll im Augenblick. Wenn wir ein Ohr brauchen, brauchen wir ein Ohr. Wenn wir ein anderes Problem haben, haben wir eine anderes Problem*«, bemerkte mein inneres Kind zwischen weise und altklug. Zu einer Zeit, in der ich keine Ahnung von meinem inneren Kind hatte, hatte mein inneres Kind also aufmerksam den ganzen Achtsamkeitskurs mit mir verinnerlicht. Aber es hatte völlig recht. Jetzt, in diesem Moment, war das Problem einzig und allein, dass wir kurzfristig ein Ohr abliefern mussten. Nicht, was mit den Typen in Walters Keller anschließend langfristig geschehen sollte.

»Da mache ich mir jetzt keine Gedanken drum. Ich lebe im Moment«, beantwortete ich Saschas Frage.

»Im Moment frage ich mich, was wir Walter konkret sagen sollen. Mit welcher Begründung soll einem der Holgersons ein Ohr abgeschnitten werden?«

»Pffff … Warum schneiden Verbrecher anderen Verbrechern Ohren ab?«, stellte ich als Gegenfrage in den Raum.

»*Als Botschaft*«, antwortete mein inneres Kind spontan. »*Dragan sagt den Holgersons mit dem Ohr ziemlich deutlich: Egal was Boris mit eurem goldenen Kind angestellt hat – Finger weg von meinen Leuten! Mit der Drohung schützt er uns.*«

Das war eine überraschend schnelle, überraschend schlüssige Erklärung. Außerdem könnte sie der erste Schritt dahin sein, die gegenüber Walter erfundene Holgerson-Gefahr Schritt für Schritt wieder herunterzufahren.

»Anweisung von Dragan. Als kleines Zeichen an die Holgersons, was passiert, wenn sie dir oder mir zu nahe kommen.«

»Aber die Holgersons sind uns doch gar nicht ...«, wollte Sascha einwenden.

Ich ließ ihn nicht ausreden. »Das wissen du, ich und die Holgersons. Für Walter sollten wir schlüssig in der Geschichte bleiben, die er uns bislang noch glaubt.«

»Okay – klingt plausibel. Wird aber für den, der es tut, eine unschöne Angelegenheit werden.«

»Das muss es gar nicht. Ich hab da eine ziemlich gute Idee ...« Was insofern gelogen war, als auch diese Idee eine Idee meines inneren Kindes war. »Was wir haben, sind zwei Kleinkriminelle, fünfzehn Gramm Koks, zwei Pistolen und drei Messer. Was wir brauchen, ist ein Ohr. Die Lösung besteht in drei einfachen Schritten. Erstens: Wir geben den Jungs je ein Gramm Koks wieder. Zweitens: Wenn die beiden sich damit aufgeputscht haben, geben wir den Jungs je ein Messer wieder. Drittens: Wir geben den Jungs eine leicht erlogene Aufgabe: Wer von euch dem anderen zuerst ein Ohr abschneidet, kommt hier mit zwei Ohren wieder raus.«

»Und was passiert, wenn die beiden gar nicht koksen wollen?«

»Irgendeinen Lösungsbeitrag werden ja wohl auch Walters Leute selbstständig auf die Reihe kriegen. Mach ihnen klar, dass ich kreative Mitarbeit von ihnen erwarte.« Ich wollte diese leidige Diskussion endlich beenden. Dragan gegenüber hätte es sicherlich nicht so viele Nachfragen gegeben. »Wie schwer kann es sein, zwei Dealer dazu zu bringen, ihren eigenen Stoff zu konsumieren?«

Ich für meinen Teil fand den Plan meines inneren Kindes genial. Jedenfalls noch zu diesem Zeitpunkt. Als mir noch nicht klar war, dass Saschas Bedenken tatsächlich auf ein nicht unbedeutendes Problem hinwiesen.

30 IRRITATIONEN

»Die Kreativität Ihres inneren Kindes mag auf andere verstörend wirken. Das war die Erfindung des Rades allerdings auch. «

JOSCHKA BREITNER,
»DAS INNERE WUNSCHKIND«

»WOW,« SASCHA WAR offensichtlich beeindruckt. »Lernt man sowas als Anwalt?«

»Nein, in Ratgebern. Längere Geschichte. Könntest du Walter bitte entsprechend briefen?«

»Warum fahren wir nicht direkt zu Walter?«

»Ich bin jetzt noch mit einem möglichen Mandanten zum Mittagessen verabredet.«

»Mit wem?«

»Dem Bruder von Laura.«

»Laura?«

»Laura Frieling. Die Mutter von Max. Meine Stellvertreterin im Elternbeirat der Nemo-Gruppe.«

»Die attraktive Ärztin? Machst du dich an den Bruder ran, um die Schwester rumzukriegen?«

Ich wollte Sascha nicht an meiner Ehekrise teilhaben lassen. »Rein beruflich. Neues Mandat«, wich ich aus.

»Ich dachte, du willst keine neuen Mandanten? Und dann noch so einen Vollidioten?«, fragte Sascha nach. Offensichtlich war mein inneres Kind nicht allein mit seinem Zweifel an der Richtigkeit dieses neuen Mandates.

»Du kennst diesen Kurt?«

»Klar. Der holt einmal die Woche Max ab. Regelmäßig zu spät. Und manchmal auf so einem albernen Elektroroller. Vorletzte

Woche erst ist er über eine Stunde nach Kindergartenschluss gekommen. Dummerweise war niemandem aufgefallen, dass Max noch da war. Hatte sich wohl versteckt, als die Erzieherinnen gingen. Max hatte freie Bahn. Bis dieser Kurt bei mir klingelte. Gut, dass ich hier wohne.«

Seit vorletzter Woche redete Max vom Lippenmonster, über das ich mir vor lauter Ohren in der letzten halben Stunde gar keinen Kopf mehr gemacht hatte. Vorletzte Woche. In der Woche hatte Boris das kindliche Pfeifen im Keller gehört. Ich erzählte Sascha davon, dass Lauras Sohn Max offensichtlich Boris' erster Besuch im Keller war.

»Hatte Max in der einen Stunde die Chance, in den Keller zu kommen?«, wollte ich wissen.

Sascha überlegte. »Keine Ahnung. Aber … ausgeschlossen ist das nicht. Die Kindergartentür war nicht abgeschlossen. Die Tür zum Keller auch nicht. Außer uns wohnt hier ja keiner mehr. Als der Bruder bei mir geklingelt hat, haben wir festgestellt, dass Max mutterseelenallein in der Nemo-Gruppe spielte. Wo er in der Zwischenzeit überall war – keine Ahnung.«

»Ob dieser Kurt das weiß?«

»Das weiß ich wiederum nicht.« Sascha zuckte die Schultern. »Aber der Kerl wirkt auf mich durch und durch unseriös. Vielleicht ist es gar keine schlechte Idee, ihn auf die Geschichte mit dem Lippenmonster hin abzuklopfen. Ich meine – die Schwester sieht scharf aus – aber so scharf, dass du den Bruder als Mandanten willst? Na ja, du bist erwachsen.«

Diese tolerante Einstellung hätte ich mir auch von Katharina gewünscht. Ich wusste jedenfalls jetzt, dass ich Kurt unter sehr vielen Gesichtspunkten sehr kritisch betrachten sollte.

Wir befanden uns schon auf der Straße unseres Hauses, als wir zum Abschluss noch schnell die Ergebnisse unserer Kindergarten-Boris-Connection-Suche durchgingen. Sie waren mehr als bescheiden.

Ich hatte eine Liste erstellt, Sascha auch.

Seitens Dragans Clan hatten zwei Officer eine persönliche Beziehung zum Kindergarten. Die Schwester von Walter, der uns bereits bewachte, hatte ihren Sohn bei »Wie ein Fisch im Wasser« angemeldet. Und die neue Freundin von Stanislav, Dragans Officer für Menschenhandel, hatte ihre Tochter in der Flipper-Gruppe. Bei beiden bestand aber keinerlei Motiv, sich an Boris, Sascha oder mir zu rächen. Sie hatten weder Kenntnis von Boris im Keller noch Interesse daran, Sascha und mir zu schaden.

Von den »zivilen« Eltern des Kindergartens wussten explizit Peter Egmann, der Kommissar, und Herr Breuer, der Leiter des Bauamtes, dass Sascha und ich eng mit einem Mafia-Clan verbunden waren. Drei weiteren Eltern hatten wir aus den bereits erwähnten Aspekten des Kindeswohls einen Platz für ihr Kind zukommen lassen. Diese Eltern hatten zwar von der Struktur des Kindergartens eine Ahnung, von Boris' Existenz aber keinen blassen Schimmer.

»Diese Namenslisten bringen uns im Moment nicht weiter«, resümierte ich.

»Leider nein. Der Erpresser muss eine Verbindung zu Boris und zum Kindergarten haben. Wir sehen sie nur leider nicht. Ich hab noch was anderes versucht – leider mit genauso wenig Erfolg.«

Sascha reichte mir eine weitere Namensliste.

»Ich habe mal überlegt, welche Eltern Zugang zu dém rezeptpflichtigen Betäubungsmittel haben könnten, mit dem Boris sediert worden ist.«

»Gute Idee. Bringt uns das weiter?«

»Auch nicht wirklich. Zwei Eltern betreiben jeweils eine Apotheke. Vier sind Ärzte und könnten das Rezept ausgestellt haben.«

Ich schaute auf die Liste. Laura stand als Ärztin auch darauf. Aber sie hatte keinerlei Verbindung zu Boris. Sie war erst vor einem halben Jahr in die Stadt gezogen. Da befand sich Boris schon in unserem Keller. Auch bei keinem der anderen Namen war irgendeine Verbindung zu Boris erkennbar.

Inzwischen waren wir vor dem Kindergarten angekommen. Um über die Inhalte der Elternbeiratssitzung zu reden, hatten wir gar keine Zeit gehabt. Das würde ich nachholen. Wir verabschiedeten uns im Hausflur, und ich war rechtzeitig in meiner Wohnung, um Kurts Abhol-Anruf zu erwarten. Auf der Straße hatten wir uns noch kurz bei den Security-Mitarbeitern erkundigt – uns war niemand gefolgt.

31 ABARBEITEN

»Nicht alles im Leben ist schön. Noch nicht einmal alles an einem Tag ist schön. Es hängt aber von uns ab, wie wir unsere Zeit zwischen Schönem und Unschönem aufteilen. Schieben Sie unschöne Pflichten nicht vor sich her. Geben Sie dem Schönen Raum, indem Sie das Unschöne abarbeiten und verabschieden.«

JOSCHKA BREITNER,
»ENTSCHLEUNIGT AUF DER ÜBERHOLSPUR –
ACHTSAMKEIT FÜR FÜHRUNGSKRÄFTE«

KURTS ANRUF, DASS er vor dem Haus auf mich wartete, kam allerdings nicht um halb eins, wie verabredet, sondern zwanzig *nach* eins. Und als ich unten vor das Haus trat, bemerkte ich, dass Kurt auch nicht – wie nach Lauras Beschreibung erwartet – zu Fuß, sondern in der S-Klasse eines örtlichen Limousinenservice erschienen war. Mit Fahrer. Kurt saß hinten und zog bei halb geöffnetem Fenster an einem Dampfer-Automaten. Einem dieser Teile, die aussehen, als hätten eine Insulinspritze und ein Benzinfeuerzeug rotzbesoffen ein Kind gezeugt.

Das Gerät passte allerdings zu Kurt. Er war auch optisch das Gegenteil von seiner Schwester. Ende vierzig. Unproportioniert. Bleich. Schwammig. Beginnende Glatze. Locker zwanzig Kilo Übergewicht. Kurt stieg nicht aus, als ich mich dem Wagen näherte. Er wartete, bis ich mich zu ihm in den Fond des Wagens setzte.

Mein erster negativer Eindruck wurde von der restlichen Erscheinung des Mannes nicht revidiert. Er trug teure Sneaker, eine Designer-Jeans, ein viel zu enges T-Shirt und darüber ein sehr teures Jackett. Die maximale Geld-Geschmack-Schere. Genau das überteuert sportliche Outfit, das die absolute Unsportlichkeit der Person darunter auf das Peinlichste unterstrich.

Spontan schoss mir die Frage durch den Kopf, ob ich mit seiner Schwester ein Kind zeugen wollte, das die gleichen Gene in sich trüge wie er. Aber darum ging es zum Glück nicht. Ich schoss in Gedanken gern mal über das Ziel hinaus.

Ich traf mich mit Lauras Bruder aus sehr viel realistischeren Gründen.

Weil ich nicht »Nein« sagen konnte, als Laura so hilfsbedürftig auf meinem Sofa saß.

Weil ich immer noch nicht »Nein« sagen konnte, als ich die Konsequenzen ihres Spiegelspruches zu spüren bekam.

Weil ich das mir einmal aufgehalste Problem einfach zügig abarbeiten wollte.

Und weil ich seine Schwester – trotz oder wegen des Spruches auf dem Spiegel – in der Tat sehr interessant fand.

All das waren die Gründe bis zu dem Gespräch mit Sascha. Jetzt interessierte mich zusätzlich, ob Kurt irgendeine unbekannte Verbindung zu Boris hatte und damit als Erpresser in Frage kam. Schließlich war die Lippenmonster-Geschichte seines Neffen Max bislang der einzig schlüssige Hinweis darauf, dass irgendjemand Boris im Keller entdeckt hatte. Vielleicht an dem Tag, an dem Kurt seinen Neffen zu spät abgeholt hatte. Das alles war aber so vage, dass ich mir Kurt in der Tat auch unabhängig von Laura nun persönlich ansehen wollte.

»Hi, Björn!« Kurt grinst mich an. »Schön, dass wir uns so schnell kennenlernen.«

»Ja, Laura sagte, es sei dringend.«

»Ist das nicht toll, eine kleine Schwester zu haben, die sich um alles kümmert?«

Ich hatte keine kleine Schwester und sah Laura auch in erster Linie als selbstständige Frau. Die Geruchsmischung aus neuem Leder, Zigarettendampf und ziemlich ekelhaftem Aftershave widerte mich sofort an. Ich überspielte auch das. Ein Essen mit diesem Typen, und dann würde ich ihn nie wiedersehen.

»Laura ist eine tolle Frau. Aber ich bin ehrlich gesagt überrascht, dass du mich mit dem Wagen abholst. Ich dachte, du würdest kein Auto fahren.«

»Ich fahre ja auch nicht. Mehmed fährt. Nicht wahr, Mehmed?« Kurt klopfte dem Fahrer jovial auf die Schulter.

»Ich heiße Murat«, erwiderte dieser sachlich kühl.

»Hab meinen Führerschein verloren. Kommt vor.«

Richtig. Wenn man zu schnell fährt. Oder betrunken. Oder zu schnell und betrunken. Und wenn man zusätzlich einen schlechten Anwalt hat. Der eigenen Schwester das als freiwilligen Konsumverzicht zur Rettung der Welt zu verkaufen sagte einiges über Kurt aus.

»Aber sag das nicht Laura– das unterliegt der anwaltlichen Schweigepflicht, oder?«

»Kann man so sehen.« Musste man aber nicht. »Was ist passiert?«

»Zweimal innerhalb eines Jahres mit sechsundzwanzig km/h zu viel geblitzt worden.«

Das war eine Lappalie, die zu exakt einem Monat Fahrverbot führte. Wenn Kurt seit mehreren Monaten auf sein Auto verzichten musste, dann waren mehr km/h im Spiel oder mehr Promille. Das bedeutete, dass er nicht nur seine Schwester, sondern auch mich anlog.

»Was hat dir meine Schwester sonst noch von mir erzählt?«

Ich beschloss, genau davon kein Sterbenswort zu sagen.

»Nicht viel. Bin gespannt, was ich für dich tun kann.«

»Das erzähle ich dir beim Essen. Ich hab uns einen Tisch im Gauchão-Rodizio reserviert.«

Das Gauchão-Rodizio war ein brasilianisches Steakrestaurant. Das beste in der Stadt. Fleisch so zart, dass es einem im Mund schmolz. Obwohl – oder vielleicht gerade weil – es von den in den Urwald gerodeten Weideflächen Brasiliens bis auf unseren Teller bereits einen zehntausend Kilometer langen Flug hinter sich hatte. Es war ein Top-Restaurant. Die Küche war nur eins nicht: regionale Biokiste.

Unser Tisch lag ruhig in einer hinteren Ecke des mit viel Tropenholz eingerichteten Restaurants. Eins musste man Kurt lassen: Er war gut im Small Talk. Das ganze Essen über führte er das Gespräch.

Das begann mit der Vorspeise. Kleine, leicht verdauliche Happen, die einen tollen Eindruck machten. Solange man sich keine Gedanken machte, wo sie herkamen. Das tat ich aber. Sowohl bezüglich der Vorspeise – es gab Foie gras – als auch bezüglich Kurts Gesprächsbeiträgen.

Kurt präsentierte sich als der Weltretter, den Laura mir beschrieben hatte. Zumindest im Reden. Kein einziges Mal im Handeln.

Kurt wusste exakt, wie viel CO_2 ein Tempolimit von 130 km/h auf deutschen Autobahnen einsparen würde, und empörte sich, warum dies nicht schon längst eingeführt worden war. Unverantwortlich sei das. Für einen staatlich beurkundeten Raser ohne Führerschein, dem es jederzeit freigestanden hatte, freiwillig 130 km/h zu fahren, eine interessante These.

Kurt konnte sich über Tiertransporte und Ferkelkastration ohne Narkose aufregen, während er sich genüsslich Gänsestopfleber von zwangsgemästeten, fünf Monate alten Gänsen als Vorspeise bestellte. Dass der Verkauf von Gänsestopfleber in Brasilien aus Tierschutzgründen verboten war, schien weder Kurt noch die Betreiber des Gauchão-Rodizio in Deutschland zu interessieren.

Kurt war gegen eine Vereinfachung von politischen Inhalten und gegen die Verrohung der politischen Kultur. Er meinte allerdings noch mit demselben Bissen im vollen Mund, genau deswegen müssten Populisten, wo immer es geht, ordentlich auf die Fresse bekommen.

Er war für eine staatliche Subventionierung aller Bahntickets. Die Bahn sei nicht nur klimaneutral, sondern auch ein Transportmittel ohne Statussymbole. Er fuhr aber selber nicht Bahn, weil er dort nicht, wie im Auto, in Ruhe telefonieren könne.

Er war für eine gleichberechtigte, offene, bunte, freie Gesellschaft. Hatte allerdings, wie ich später erfuhr, in seinem eigenen Unternehmen eine Behindertenquote von null, eine Frauenquote von zehn und eine Migrantenquote von fünf Prozent.

Ich ging fest davon aus, dass Kurt diesen Riss durch seine Weltanschauung beim selbstverliebten Blick in den moralischen Spiegel nicht sah. Er war nämlich, wie ich mit zunehmender Belustigung bemerkte, nicht dazu in der Lage, seinem Gegenüber in die Augen zu schauen.

Über sein Unternehmen schwärmte er dann ab der Hauptspeise. Es gab für jeden von uns ein perfekt medium gegrilltes, Vierhundert-Gramm-Filetsteak. Für Kurt mit Pommes. Ich hätte auch gerne Pommes gegessen, war aber nicht scharf auf eine weitere Gemeinsamkeit mit Kurt und sei es nur, dass sie in einer Essensbeilage bestand. Ich hatte mir deswegen einen gegrillten Maiskolben bestellt. Ich trank stilles Wasser. Kurt einen Weißwein.

»Mir gehört CN-Mobility«, zerschnitt Kurt die Gesprächspause nach der Vorspeise gleichzeitig mit seinem Steak.

»Nie gehört.«

»Wir verleihen die meisten Elektroroller hier in der Stadt.«

»Wie viele?«

»So um die siebenhundertfünfzig Stück.«

Oder wie Laura gesagt hatte: fünfhundert. Aber Rundungs-fehler von fünfzig Prozent können in einer Diskussion um welt-rettende Verkehrsmittel schon mal passieren.

»*Wieso wurde mir mein einziger Roller weggenommen, und dieser Vollhonk darf gleich siebenhundertfünfzig davon haben?*«, wollte mein inneres Kind wissen.

»*Er hat nur fünfhundert. Der Rest ist Angeberei.*«

»*Prima. Zweihundertfünfzig Nadelstiche weniger. Nimm den Typen bitte auseinander. Du bist meine Rüstung.*«

Also gut. Ich versuchte Kurt zumindest argumentativ ein we-nig auseinanderzunehmen. Das war ich meinem inneren Kind schuldig.

»Wofür steht CN-Mobility?«

»Für eine nachhaltige, bunte, weltoffene Gesellschaft.«

»Ach. Und ich dachte, ihr verleiht bloß Roller.«

Kurt verstand meine Bemerkung ebenso wenig wie meine Frage vorher. Deshalb formulierte ich sie anders.

»Ich meinte, wofür stehen die Buchstaben *C* und *N* in CN-Mobility?«

»Für ›*climate neutral*‹ – also ›klimaneutrale Mobilität‹.«

»Klimaneutral? Elektroroller?«

»Eben.«

»Hilf mir kurz. Wenn jemand zu Fuß von A nach B geht, dann ist das klimaneutrale Mobilität. Wenn jemand, anstatt zu Fuß zu gehen, einen Elektroroller benutzt, dann nutzt er ein Gerät, das aus jeder Menge Plastik, etwas Metall und einer ziemlich giftigen Batterie besteht. Das muss doch alles erst hergestellt werden. Was ist daran klimaneutral?«

»Na, die Mobilität. Wir heißen ja nicht CN-Production. Die Batterie zur Fortbewegung wird mit Ökostrom geladen.«

»Ach. Gibt es in der Stadt jetzt ein eigenes Ökostrom-Netz?«

»Nein ... aber unser Vertrag läuft mit einem Ökostrom-Anbieter. Der speist den Strom dann ins Netz.«

»Und du hast an deiner Steckdose einen Braunkohlestrom-Filter, der verhindert, dass einer der Roller aus Versehen mit Braunkohlestrom geladen wird?«

»Kann das sein, dass du keine Ahnung hast, wie das Stromnetz funktioniert?«

Da waren wir also am Wendepunkt jeder modernen Diskussion angelangt: Sobald jemand eine kritische Frage stellt, wird ihm fehlende Fachkompetenz unterstellt.

Ich hatte meinem inneren Kind allerdings versprochen, ihm im Gespräch eine schützende Rüstung zu sein. Mir war allerdings nicht klar, ob ich eine Angriffs- oder eine Abwehrrüstung war. Ich warf Kurt einfach die Fakten entgegen.

»Nun, wenn ich das richtig verstanden habe, funktioniert ein Stromnetz wie eine Kanalisation. Das, was jeder Einzelne oben reinpinkelt, kommt gesammelt und vermischt unten wieder raus. Ich käme jetzt nicht auf die Idee, mit einem Champagnerkelch aus dem Abwassersystem zu trinken, nur weil irgendjemand in Feierlaune Sekt ins Klo gekippt hat.«

Beim Stromnetz sah das offensichtlich anders aus. Speist auch nur eine Solaranlage oder ein Windrad ein, kommt dieser Ökostrom aus jeder beliebigen Leitung lupenrein beim Verbraucher an. Auch nachts. Bei Windstille.

Kurt öffnete den Mund. Um schnell ein großes Stück Fleisch hineinzustopfen, um zu kaschieren, dass ihm kein Gegenargument einfiel. Kauend tat er so, als wolle er etwas sagen. Ich hielt das schweigend aus. Und innerlich lächelnd. Bis ich Kurt aus Höflichkeit von seiner Peinlichkeit erlöste.

»Okay, du stellst also die ... wie du sagst ... klimaneutralen Elektroroller zur Verfügung. Wie funktioniert das logistisch?«

Kurt war dankbar, wieder festen Boden unter den Füßen zu haben, und verrannte sich gleich von Neuem.

»Total einfach. Du meldest dich über eine App an. Die zeigt dir, wo der nächste Roller steht, und dann fährst du los. Wenn du angekommen bist, lässt du den Roller einfach stehen.«

»Und da kann ihn sich dann der Nächste nehmen, wegen der App.«

»Richtig. Nennt sich Sharing.«

Das englische Wort »*sharing*« bedeutete mehrere Jahrhunderte lang ganz konkret »teilen«. Das hinderte Kurt aber anscheinend nicht, es nun frei Schnauze als vages »Nehmen« zu interpretieren. Wie beim Shareholder Value. In erster Linie scherte Kurt sich jedenfalls nicht die Bohne, dass seine Roller überall rumstanden und er den öffentlichen Raum mit seinem privaten Businessmodell vollmüllte.

»Und wenn den abgestellten Roller an dem Ort keiner haben will, wo ihn der letzte Kunde hingefahren hat?«, fragte ich vorsichtig nach.

»Dann holen wir ihn da ab. Müssen wir ja eh. Wegen des Aufladens.«

»Das wäre meine nächste Frage: Wer sorgt dafür, dass die Roller immer geladen sind?«

»Na, wir. Wir wissen ja über die App, wo die Roller stehen.«

»Das heißt, da läuft dann einer hin und trägt jeden einzelnen leeren Roller abends klimaneutral zur Steckdose?«

»Nein. Das machen wir nachts mit unserem Rückholdienst.«

»Der funktioniert wie?«

»Wir fahren mit unserem Laster zu den einzelnen Rollern, nehmen sie mit zu unserem Betriebshof und stecken sie an die Steckdose.«

»Und was ist das für ein Laster? So ein Elektro-Van, wie von der Post?«

»Das sind fünfzehn Mercedes Sprinter.«

»Mit Dieselmotoren?«

»Es gibt nichts Günstigeres.«

»Jede Nacht bringen also fünfzehn Diesel-Transporter eure rund siebenhundertfünfzig Elektroroller zum Aufladen zurück in die Zentrale?«

»Ja. In zwei Schichten. Um neunzehn Uhr schwärmen die Laster zum ersten Mal aus, bringen die tagsüber geladenen Roller zurück und sammeln die erste Fuhre an leeren Rollern ein. Die sind dann bis spätestens zweiundzwanzig Uhr an den Ladegeräten. Die nächste Schicht bringt dann morgens um vier die nachts geladenen Roller wieder an die Sammelstationen und sammelt den Rest der leeren Roller ein, die dann tagsüber geladen werden. Um zweiundzwanzig Uhr und um vier Uhr ist also richtig Verkehr auf dem Hof. Mordslogistik, sag ich dir. Aber deswegen sind zu jeder Tageszeit eben auch immer genügend geladene, CO_2-neutrale Roller über die Stadt verteilt.«

»Weil sie eure fünfzehn Diesel-Laster da zweimal in der Nacht hinbringen?«

»Du hast das System verstanden. Kannst direkt bei uns anfangen!« Kurt schlug mir jovial auf die Schulter. Weder ich noch das Kind in mir fühlten sich dadurch geehrt. Mein inneres Kind hatte allerdings eine Verständnisfrage, die ich gern weiterleitete.

»Hm ... wäre es da nicht einfacher, eure Kunden würden per App einfach einen der fünfzehn Laster bestellen und sich direkt von dem dahinfahren lassen, wo sie hinwollen?«

Ich wusste nicht, ob Kurt fragend guckte oder einfach nur blöd. Also konkretisierte ich die Frage.

»Ich meine, wenn die fünfzehn Laster sowieso zweimal am Tag

den Rollern hinterherfahren, um sie zurückzuholen, dann könnten sie ja auch gleich die Kunden mitnehmen?«

»Hä? Was soll das denn bringen?«

»Dann könntet ihr euch die ganzen Kosten mit den Rollern sparen, und eure Kunden kämen fürs gleiche Geld wesentlich sicherer ans Ziel. Und für weniger CO_2, weil die Roller nicht erst gebaut werden müssen.«

»Das ist aber nicht unser Geschäftsmodell. Wir vermieten ja Roller.«

»Wegen der Nachhaltigkeit. Richtig.«

Ein kurzer Moment des Schweigens entstand, in dem Kurt wieder sein brasilianisches Steak kaute, dessen Spenderin noch vor wenigen Tagen dort gegrast hatte, wo vor wenigen Monaten noch ein nachhaltiger Regenwald für die schnelle Rinderzucht abgeholzt worden war.

»Du verdienst dein Geld also damit, die Klimakatastrophe zu verhindern«, wollte ich das Gespräch versöhnlich abrunden.

»Nein. Ich verdiene mein Geld mit der Klimakatastrophe.« Er prostete mir zu.

Zum Glück war mein Glas leer. Klimawandel als Geschäftsmodell. Wenigstens war er in diesem Punkt ehrlich.

Trotz seines sportlichen Outfits schienen das Essen und der Wein Kurts Temperaturhaushalt zu überfordern. Er zog sein Jackett aus und hängte es hinter sich über die Stuhllehne. Sein teures Designer-T-Shirt war nicht nur am Bauch zu eng, sondern auch an den Armen zu kurz. Eine Bemalung kam zum Vorschein. An seinem schwammigen, rechten Oberarm prangte ein Tattoo, wie es sich Leute stechen lassen, die auf Mallorca sturzbesoffen eine Wette verloren haben. Ein knallrotes Herz mit schwarzem Rand. Um das Herz herum eine Banderole. Auf der von Kurt stand »Anna«. Wenn Anna Kurts einvernehmliche Jugendsünde war, dann hatte diese Anna sicherlich den weitaus größeren Fehler begangen.

Kurt hatte die ganze Zeit geredet, aber sein angebliches rechtliches Problem war noch nicht zur Sprache gekommen. Beim Nachtisch lenkte ich das Gespräch daher auf den eigentlichen Grund, weswegen ich hier war.

»Laura sagte, du hättest ein juristisches Problem?«

»Richtig. Ich hab ein Problem mit meinem Vermieter.«

Kurt holte ein paar in einer Schutzhülle eingepackte Dokumente aus seiner Jackett-Innentasche.

»Was für eins?«, fragte ich.

»Wir brauchen naturgemäß ziemlich viel Strom zum Laden unserer Akkus. Die Elektroleitungen in unserer Zentrale sind schon auf meine Kosten hin modernisiert worden. Aber das reicht immer noch nicht. Da muss noch mal ein Elektriker ran und die ganze Verkabelung im Haus grundsätzlich neu aufsetzen. Brandgefahr und so. Laut Vertrag kann ich das auch auf eigene Kosten machen, wann immer ich will.«

»Und wo ist das Problem?«

»Ich komm nicht an die Hauptstromleitung ran. Die ist im Keller. Hinter einer dicken Stahltür. Und den Schlüssel hat ausschließlich der Vermieter.«

Ich war ein wenig irritiert. Ich war Anwalt. Kein Schlüsseldienst.

»Dann soll der Vermieter die Tür aufschließen«, war deshalb mein kostenloser Rat dieses Erstberatungsgespräches.

»Das ist das Problem. Der Vermieter ist seit Monaten nicht zu erreichen.«

»Gibt es keine Hausverwaltung?«

»Doch – aber die erreicht den Vermieter auch nicht.«

»Und wer ist der Vermieter?«

Kurt reichte mir eine Kopie des Mietvertrages. Der Name des Vermieters stand fett gedruckt auf der ersten Seite.

»Ich kenne ihn nicht persönlich. Irgendein russischer Geschäftsmann, der seit sechs Monaten wie vom Erdboden ...«

Ich musste gar nicht weiter zuhören. Ich kannte den Vermieter. Er wohnte in meinem Keller. Es war Boris.

32 DIALOG

»Die Fähigkeit, mit Ihrem inneren Kind zu kommunizieren, ist
ein Geschenk. Selbstzweifel, Selbstvorwürfe, Selbstgespräche
brauchen Sie ab diesem Zeitpunkt nicht mehr. Das können
Sie dann alles im freundschaftlichen Dialog mit Ihrem
inneren Kind regeln.«

JOSCHKA BREITNER,
»DAS INNERE WUNSCHKIND«

KURT KANNTE BORIS. Das musste ich erst einmal sacken lassen. Obwohl – er kannte ihn ja gar nicht. Angeblich hatte er ihn noch nie gesehen. Aber gleichzeitig hatte sein Patenkind Max rein zufällig die Gelegenheit gehabt, Boris unbeobachtet im Keller zu hören. Und sprach seitdem vom Lippenmonster. Nein – das konnte kein Zufall sein.

»*Das kann ja wohl kein Zufall sein. Der Roller-Fatzke spielt mit uns*«, meldete sich prompt mein inneres Kind.

»*Aber warum? Das ergibt doch keinen Sinn? Warum sollte die fleischgewordene Klimakatastrophe uns erpressen? Und sich dann obendrein auch noch mit mir treffen?*«, fragte ich uns.

»*Aus dem gleichen Grund, warum er ohne jedes Schamgefühl aus der Klimakatastrophe ein Geschäftsmodell macht. Weil er dreist ist und glaubt, dass er es kann*«, meinte mein inneres Kind.

Oder weil er ein inneres Kind hatte, von dem er nichts wusste, das ihm aber *einredete*, er könne das. Allerdings war ich nicht Psychologe, sondern Anwalt. Folglich versuchte ich, mich der Frage juristisch zu nähern.

»Und was kann ich als Anwalt jetzt für dich tun?«, fragte ich Kurt. »Ich weiß schließlich auch nicht, wo sich dein Vermieter aufhält.«

»Soll ich lieber die Polizei einschalten, weil mein Vermieter verschwunden ist?«, fragte Kurt mit einem Hauch von Schein-heiligkeit.

»Kommt drauf an, was du erreichen willst«, antwortete ich mit reaktionsloser Miene.

Redeten wir gerade über die Tür zum Stromkeller oder über die Erpressung?

»Ich dachte mir, du kannst den Vermieter mit irgendeiner Frist dazu auffordern, den Keller zu öffnen, sonst … verklagst du den. Keine Ahnung. Was Anwälte halt so machen.«

»Gut. Angenommen, wir verklagen ihn, dann hast du frühes-tens in neun Monaten ein Urteil, das dich dazu berechtigt, die Tür von einem Schlüsseldienst öffnen zu lassen. Bringt dich das bei deinem Problem weiter, dass du zeitnah eine neue Verkabe-lung brauchst?«

»Ich sag mal so, wenn die Hütte innerhalb der neun Monate abbrennt, weil irgendeine Sicherung durchknallt, dann bin ich alle finanziellen Sorgen los.«

Ich guckte irritiert und bekam auch gleich die großkotzige Erklärung von Kurt.

»So gut, wie ich versichert bin, ist ein brennendes Geschäft für mich noch lukrativer als ein florierendes. Aber wir soll-ten uns nicht neun Monate Zeit lassen, dem Vermieter mei-nen Willen aufzuzwingen, oder? Trotzdem – was soll ich sonst machen?«

»Wenn du begründen kannst, dass es wirklich drängt, bekom-men wir im einstweiligen Rechtsschutz schneller einen Titel. Das dauert dann maximal ein paar Wochen.«

»Schneller geht's nicht?«

»Nimm dir ein Stemmeisen, und brich die Tür auf. Nennt sich Selbsthilfe.«

»Hast du eine Ahnung, wie schwer das ist, eine Eisentür im

Keller aufzubrechen?«, fragte mich Kurt in einem fast naiven Tonfall.

»Nein, du?«, fragte ich fast provozierend zurück.

Kurt überhörte meine Frage. »Wenn das dein juristischer Rat ist, probiere ich das gern aus.«

Redeten wir hier gerade beide um den heißen Brei herum, oder war das alles nur ein blöder Zufall? Vielleicht wollte ich einfach jemanden haben, den ich verdächtigen konnte. Kurt stand zufälligerweise in einer geschäftlichen Beziehung zu Boris. Und Max hatte sich ein Lippenmonster ausgedacht. Das war es aber auch schon.

Ach ja – und Kurt hätte sich das Betäubungsmittel für Boris über seine Schwester besorgen können.

Viele wesentlichere Dinge waren mir dabei aber viel zu unklar: Welches persönliche Interesse sollte Kurt an Boris' Kopf haben? Und warum sollte er obendrein auch noch meine Nähe suchen?

Sascha und ich hatten immerhin noch gut drei Tage Zeit, das herauszufinden.

Kurt war mir in jedem Fall eins: abgrundtief unsympathisch. Ich leitete über zum Ende des Essens.

»Dann überleg du dir doch, ob ich deinen Vermieter verklagen soll, und melde dich einfach wieder. Das Essen jedenfalls war sehr lecker. Danke für die Einladung.«

»*Du willst den Typen wiedersehen?*«, empörte sich mein inneres Kind.

»*Halte deine Freunde nah bei dir, aber deine Feinde noch näher*«, antwortete ich.

»*Ah – Zitat aus* Der Pate.«

Ich konnte der ganzen Welt etwas vorspielen, aber meinem inneren Kind offensichtlich nicht.

Kurt und ich tranken noch jeder einen Espresso, und Kurt

bezahlte die Rechnung. Sein Angebot, mich von seinem Fahrer wieder zum Kindergarten fahren zu lassen, lehnte ich dankend ab. Ich war froh, diesen Typen so schnell wie möglich loszuwerden, und fuhr mit öffentlichen Verkehrsmitteln nach Hause.

Unterwegs versuchte ich Sascha zu erreichen, um ihm von Kurt zu erzählen. Bei Sascha ging keiner ran.

Ich probierte es noch einmal bei Katharina. Emily würde gleich nach dem Kindergarten von Katharina abgeholt werden. Manchmal wollte Emily dann noch kurz zu mir in die Wohnung oder in die Kanzlei. Katharina und ich würden uns beide nicht vor Emily streiten. Aber ich wollte auch die nonverbalen Spannungen vorher gern aus der Luft nehmen.

Entgegen meiner Erwartung ging Katharina nach dreimal Klingeln ran.

»Katharina,« begann ich vorsichtig, »ich würde dir gern erklären, was du da im WC-Spiegel gelesen hast.«

»Du musst mir nichts erklären«, erwiderte sie.

Ich hatte keine Ahnung, ob das positiv oder negativ gemeint war.

»Aber wir sollten uns zumindest mal in Ruhe darüber unterhalten. Und nicht zwischen Tür und Angel«, versuchte ich die Kommunikation in Gang zu halten.

Wertungsfrei betrachtet, war das darauffolgende Schweigen zumindest positiver, als wenn Katharina gar nicht erst drangegangen wäre oder wieder aufgelegt hätte.

»Katharina?«

»Ja. Du hast recht. Lass uns reden.«

»Wenn du nachher Emily vom Kindergarten abholst?«

»Ich … bin vom ersten Tag im Job ein wenig platt. Ich würde Emily gleich einfach nur abholen und mit nach Hause nehmen. Aber morgen könnte ich eine halbe Stunde vor dem Abholen bei dir sein. Wäre halb vier bei dir okay?«

»Gut, abgemacht. Und – wie war dein erster Arbeitstag?«

»Ansonsten sehr schön. Es ist gut, sich wieder als Mensch und nicht nur als Mutter zu fühlen.«

»Ist da ein Unterschied?«

»Wer ist denn mit fünf Müttern im Elternbeirat?«

»Touché.«

Ich hatte gerade aufgelegt, da klingelte mein Handy erneut. Es war aber nicht Katharina, sondern eine mir unbekannte Nummer.

»Björn Diemel.«

»Und, war es schlimm?«, fragte mich Laura.

»Einer schlimmer als der andere«, rief mein inneres Kind. *»Sowohl der Spruch auf dem Spiegel als auch der Bruder.«*

»Was meinst du genau? Deinen Lippenstiftspruch auf dem Spiegel oder das Essen mit deinem Bruder?«

»Was soll an dem Spruch schlimm gewesen sein? Ich hatte ein schlechtes Gewissen, dass ich dir meinen Bruder auf den Hals gehetzt habe, und wollte einfach klarstellen, dass ich auch ohne meinen Bruder gern länger bei dir geblieben wäre.«

Das klang sehr sympathisch.

»Ich hätte mich auch sicherlich sehr über den Spruch gefreut – wenn ich ihn vor meiner Frau hätte lesen können.«

Ein kurzes, ehrliches, betroffenes Schweigen am anderen Ende der Leitung. Es war schon interessant, wie verschieden Frauen Schweigen zur Kommunikation nutzten. Danach:

»Das tut mir leid. Ich hab gar nicht daran gedacht, dass jemand anderes als du … Das muss ja toll angekommen sein. Sorry, wirklich. Ich hoffe, du hattest keine Scherereien?«

»Na ja, Spiegel kann man neu kaufen. Mit den sieben Jahren Unglück muss ich mich halt noch arrangieren.«

»Kann ich das irgendwie wiedergutmachen?«

Den Ärger für einen nicht begangenen Seitensprung hatte ich bereits bekommen. Vielleicht sollte ich die Vorstellung an die nicht erhaltenen Freuden noch ein wenig im Bereich des Möglichen belassen.

»*Töte deinen Bruder, und zieh zurück nach Bayern*«, mein inneres Kind war da offensichtlich komplett anderer Meinung als ich.

»Vielleicht können wir das zu zweit mal in Ruhe besprechen.« Laura bekam von meinem inneren Disput zum Glück nichts mit.

»Sehr gerne. Wie wäre es mit morgen Abend? Da habe ich frei. Kurt kümmert sich um Max.«

Vielleicht sollte ich erst einmal ein klärendes Gespräch mit Katharina führen, bevor ich mich auf ein nächstes Date einließ.

»Ich weiß noch nicht, ob sich das einrichten lässt. Ich rufe dich morgen Nachmittag an, okay?«

»Das hört sich gut an. Und wirklich – tut mir echt leid, mit dem Spiegel. Das war kindisch.«

Kindlich, wollte ich schon korrigieren. Aber ich war mir hier nicht ganz sicher.

33 VERSCHWIEGENHEIT

»Die Entdeckung und Befreiung Ihres inneren Kindes ist Ihre
ureigenste Erfahrung. Die daraus folgenden positiven
Veränderungen in Ihrem Leben werden andere Menschen
bemerken und zu Nachfragen bewegen. Bleiben Sie bei Ihren
Antworten vage, und irritieren Sie Ihre Mitmenschen nicht mit
zu vielen Details. Sie werden über Ihr inneres Kind nur schwer
mit jemand reden können, der die zugrunde liegenden Prinzipien
nicht kennt.«

JOSCHKA BREITNER, »DAS INNERE WUNSCHKIND«

ICH KAM GEGEN fünfzehn Uhr zu Fuß in meiner Straße an. Vor dem Kindergarten stand Peter Egmann, erneut in zweiter Reihe parkend, mit seinem Sohn auf dem Arm.

»Hi Peter«, begrüßte ich ihn, »hat dir das Knöllchen heute Morgen nicht gereicht?«

»Woher weißt du das?«, fragte er zurück.

Von dem Typen, der mich erpresst, er würde dir sagen, dass ich Boris gefangen halte, wenn ich Boris kein Ohr abschneide, wäre die inhaltlich richtige, aber taktisch unkluge Antwort gewesen.

»Ich wohne hier, da bekommt man einiges mit«, lavierte ich mich stattdessen aus meiner vorschnellen Bemerkung heraus.

Peter fiel das nicht weiter auf. »Schön, dass es noch Menschen gibt, die es sich leisten können mit dem Kissen im Fenster zu liegen und den Blockwart zu spielen.«

»Instagram in analog«, sagte ich und lächelte ihn an. »Neue Erkenntnisse bezüglich des Einbruchs in den Kindergarten?«

»Nicht direkt. Nur, dass gestern Nacht sechs von den Kinderspielplatz-Typen, die du verdächtigt hast, gefesselt von der Stadtreinigung im Park gefunden worden sind. Komische Geschichte.«

»Was ist an der Geschichte komisch?«

»Nun, abgesehen davon, dass die da lagen wie eine ordentlich verschnürte Warenlieferung, behaupten die Herren, sie seien eigentlich zu acht gewesen.«

»Warum sollte jemand zwei Assis aus dem Park klauen?«

»Vielleicht aus demselben Grund, aus dem er sechs Assis im Park fesselt?« Peter sah mich forschend an.

Ich erwiderte den Blick, ziemlich ahnungslos guckend. »Und?«

»Ach, egal.« Peter winkte ab. »Aber wo ich dich gerade sehe ... Hast du morgen Vormittag mal eine halbe Stunde Zeit? Ist was Dienstliches.«

»Wegen der Typen?«

»Nein, erklär ich dir dann in Ruhe. Ich muss jetzt auch langsam ...«

»Klar. Komm doch morgen hoch, wenn du deinen Sohn gebracht hast.«

»Mache ich. Ist auch wohl nur reine Formsache ...«

Mich beschlich ein ungutes Gefühl. Reine Formsache – das waren Scheidungen, Darmkrebsvorsorgeuntersuchungen und Hinrichtungen auch.

Als ich wieder oben war, nahm ich mir erneut Boris' Unterlagen vor – als sein Anwalt hatte ich sie größtenteils zu mir genommen –, um mögliche weitere Verbindungen zwischen ihm und Kurt zu finden. Ich fand aber nichts. Kurt tauchte in der Tat lediglich in dem einen Mietvertrag zur Gewerbeimmobilie seines E-Roller-Verleihs auf.

In jedem Fall musste ich Sascha von der Verbindung erzählen. Der Kindergarten hatte inzwischen geschlossen. Ich rief Sascha an.

»Hast du mal ein Ohr für mich?«

»Um ehrlich zu sein sogar vier.«

»Wie meinst du das?«

»Nun ... Walter hat gerade angerufen. Der Plan mit dem Gegenseitig-die-Ohren-Abschneiden ist ein wenig nach hinten losgegangen.«

»Inwiefern?«

»Das sollten wir uns vielleicht selber anschauen.«

Walters Firmensitz befand sich in einem nichtssagenden Zweckbau am Stadtrand, etwa zwanzig Minuten vom Kindergarten entfernt. Sascha und ich fuhren in meinem Defender dorthin. Uns folgte ein Bewachungsteam von Walter. Ich erzählte Sascha unterwegs von meinem Mittagessen mit Kurt. Sascha konnte sich genauso wenig wie ich einen Reim darauf machen, welches Motiv Kurt haben könnte, uns zu zwingen, Boris zu misshandeln. Zumindest war uns nicht ersichtlich, woher sein dafür notwendiger Hass auf uns oder auf Boris kommen sollte.

Walter holte uns persönlich in der Tiefgarage ab. Er wirkte ein wenig zerknirscht.

»Leute, ich habe keine Ahnung, warum wir diese Jungs im Park tatsächlich aufgemischt haben. Ist mir auch egal – meinen Leuten hat das Spaß gemacht, einfach mal für Ordnung zu sorgen. Ich habe auch keine Ahnung, ob die Tatsache, dass zwei von den Spielplatz-Losern der Holgerson-Familie angehören, lediglich ein Zufall ist. Ist mir auch egal, weil die Typen im Besprechungsraum ziemlich widerliche Idioten sind. Noch viel weniger verstehe ich, warum einem von den beiden ein Ohr abgeschnitten werden soll. Das ist mir allerdings auch deswegen egal, weil ich den Lösungsansatz dafür sehr kreativ fand. Typen, die auf Kinderspielplätzen mit Drogen rumlungern, ihr Zeug einfach selber konsumieren zu lassen, finde ich erfrischend.«

Mein inneres Kind freute sich über diese Wertschätzung seines Lösungsansatzes. Und über Walters Einstellung zu Drogen auf Kinderspielplätzen.

»Jedenfalls, solange es sich um fremde Dealer auf einem Kinderspielplatz in unserem Drogenrevier handelt«, fuhr Walter sehr betriebswirtschaftlich fort und relativierte damit wieder die

Sympathie, die er sich gerade gegenüber meinem inneren Kind erarbeitet hatte.

»Nur leider …«, schloss Walter, »und deswegen wollte ich, dass ihr persönlich vorbeikommt – leider hat das mit dem Konsumieren der eigenen Drogen nicht ganz so wie gewünscht funktioniert.«

Was auch immer da nicht funktioniert haben mochte – eins hatte mir Walters Rede jetzt schon klargemacht: Walter war ein schlauer Mensch. Wie alle Officer aus Dragans Clan. Jedenfalls die, die noch lebten. Mir wurde bewusst, dass wir unsere Bewachung durch seine Leute zügig zurückfahren sollten. Und zwar bevor Walters Mitarbeiter seine berechtigten kritischen Fragen nach dem Sinn dieser Aktion durch eigene Beobachtungen beantworten könnten.

Ich sah es im Hier und Jetzt allerdings nicht als meine Aufgabe an, Walter in wenigen Minuten an meinen Erkenntnissen aus mehreren Wochen Beschäftigung mit meinem inneren Kind teilhaben zu lassen.

Stattdessen versuchte ich achtsam, Walters Sorgen auf Augenhöhe zu begegnen und sie verständnisvoll zu teilen.

»Walter, ich danke dir und deinen Leuten für den Einsatz in den letzten beiden Tagen. Ich bin genauso überrascht von den Ereignissen wie du. Wenn Dragan das nicht alles genau so angeordnet hätte, würde ich auch jeden einzelnen Punkt hinterfragen. Aber Dragan sieht in den Holgersons nun mal eine Bedrohung. Und er will auf diese Bedrohung mit einer Drohung reagieren. Mit dem Abschneiden eines Ohres. Um die Holgersons in die Schranken zu weisen. Du kennst Dragan und weißt, wie grausam er sein kann. Je schneller die Holgersons verstehen, dass sie sich zurückzuziehen haben, desto schneller haben wir das ganze Thema beendet. Die Sache mit dem Ohr dient somit einzig und allein der Deeskalation. Meint Dragan.«

Noch vor einem halben Jahr hatte Dragan mit seinem irrationalen Verhalten und seinem Hang zur Eskalation die Wünsche meines inneren Kindes ignoriert. Wie ich mittlerweile verstanden hatte, wurde er unter anderem deswegen anschließend umgebracht. Von mir. Keine sechs Monate später diente sein entsprechend verändertes Verhalten schon als Ausrede und Rechtfertigung für das Handeln meines inneren Kindes. Der Charakter eines Menschen kann sich nach dem Tod ganz schön verändern. Was mir in diesem Falle sehr zugute kam.

»Aber«, fuhr ich fort, »wir sind ja bestimmt nicht hier, um über den Sinn von Dragans Ansagen zu diskutieren. Wie wir wissen, wäre das müßig. Also: Was an dem Plan hat nicht funktioniert?«

»Kommt mit.«

Walter führte uns durch eine Feuerschutztür in das Kellergeschoss seiner Security-Zentrale. Die beiden Beschützer blieben in der Tiefgarage. Der schalldichte Verhörraum lag am Ende des Gangs. Ihm vorgelagert war ein Beobachtungszimmer mit einem Einwegspiegel. Wir wurden in diesen Raum geführt, in dem zwei weitere Security-Mitarbeiter standen. Wir sahen mit ihnen gemeinsam durch die zwei mal drei Meter große Fensterscheibe in das sogenannte »Besprechungszimmer«.

In der Mitte des Raumes befand sich ein rechteckiger Tisch, an dem bequem vier Personen hätten essen können. Es saßen aber nur zwei Personen am Tisch. Jeweils an der Kopfseite. Dass sie gesessen hätten, wäre als Beschreibung der Situation nicht ganz gerecht geworden. Sie saßen zwar mit dem Hintern auf den Stühlen und hatten etwas zu sich genommen. Allerdings nicht mit dem Mund. Mit dem Oberkörper lagen die beiden auf der Tischplatte. Ihre Unterarme waren mit Panzertape am Tisch fixiert. Ihre Oberkörper ebenfalls. Selbst ihre Köpfe waren mit Klebeband so auf der Tischplatte fixiert, dass eine Wange den Tisch berührte und die Nase nur wenige Zentimeter von der Tischplatte entfernt quasi ortsfest in der Luft schwebte.

Ihre Münder waren ebenfalls zugeklebt. Neben jeder Nase lag auf dem Tisch eine Wäscheklammer aus Plastik.

An der Oberlippe der beiden beziehungsweise auf dem Panzertape darüber waren deutliche Spuren eines weißen Pulvers zu sehen. Kleine Häufchen des Pulvers lagen unter den Nasen auf dem Tisch. Beide Typen bewegten sich nicht. Der linke hatte allerdings ein deutlich zugeschwollenes Auge. Der rechte schien unter dem Tape eine geplatzte Unterlippe zu haben.

Die große Gemeinsamkeit der beiden war allerdings unübersehbar: Sie waren offensichtlich tot.

Schon wieder zwei Tote.

Weil ich einer Idee meines inneren Kindes nachgegeben hatte.

Mein Hirn koppelte sich kurz von meinem Herzen ab. Während mein Herz wie im Leerlauf hochfuhr und sich von einem Pochen zu einem Rasen steigerte, wurde es in meinem Gehirn ganz ruhig. Ich versuchte, mich nicht von der Panik über zwei weitere Leichen beeinflussen zu lassen, sondern einzig und allein das Positive an der Situation zu sehen.

Die beiden Holgersons würden nichts mehr erzählen können.

Ich müsste mir keine Gedanken mehr darüber machen müssen, wie ich in Zukunft mit ihnen verfahren würde.

Die beiden Holgersons würden keine Gegenwehr leisten, wenn es um das Ohr ging.

Walter würde von diesen beiden Herren nie erfahren, dass sie nur rein zufällig im Park vor meinem Haus gesessen hatten.

Das war eigentlich eine ganze Menge an Positivem. Mein Herzrasen verlangsamte sich wieder zu einem normalen Rhythmus.

Während all dieser Gedanken hatte ich schweigend und

ausdruckslos durch die Scheibe gesehen. Sascha beendete die Stille als Erster.

»Nettes Bild«, sagte er zu Walter und seinen beiden Mitarbeitern.

»Ich bin jetzt kein Kunsthistoriker«, meldete ich mich zu Wort, »aber vielleicht kann mir einer von euch das Gesamtarrangement erklären?«

Was weder Sascha noch ich wussten, war, dass auch in Walters Firma durchaus Vollakademiker fachfremd arbeiteten. Einer der beiden Mitarbeiter hatte tatsächlich Kunstgeschichte studiert und interpretierte auf meinen Wunsch hin die Komposition im Raum hinter der Scheibe.

»Lasst mich diese fixierte Momentaufnahme kurz in den historischen Kontext einordnen. Zehn Minuten vor der hier dargestellten Installation haben wir – wie gewünscht – den beiden Hauptfiguren je ein Gramm Kokain, verpackt in zwei kleinen Zellophantütchen, in den Raum gereicht. Auf die Bitte hin, das Kokain zu konsumieren, geschah zunächst einmal gar nichts.«

»*Mist, das hatte ich mir anders vorgestellt*«, sinnierte mein inneres Kind enttäuscht.

»Wir haben fünf Minuten abgewartet. Eine höfliche Nachfrage unsererseits führte zu keiner Steigerung des Konsumverhaltens. Lediglich zu dem geschwollenen Auge bei dem einen und der geplatzten Lippe bei dem anderen.«

Ich wollte eigentlich nichts von den Problemen hören, sondern wissen, warum die beiden auf den Tisch geklebten Herren einen Lösungsansatz darstellen sollten.

Leicht genervt fragte ich den fachfremd tätigen Kunsthistoriker: »Und dann?«

»Da uns Sascha im Vorfeld darauf hingewiesen hat, dass gerade in puncto des Kokainkonsums im Zweifel eine kreative

Lösung von uns erwartet wird, sind wir ein wenig künstlerisch tätig geworden.«

Ich sah wieder durch die Scheibe auf das verstörende Kunstwerk. Die Interpretation folgte nach den einleitenden Worten nun prompt.

»In der rechten und linken Bildhälfte seht ihr die gespiegelten, inhaltsgleichen Ergebnisse unseres Schaffens. Es reicht also, wenn wir uns exemplarisch auf die linke Bildhälfte konzentrieren. Da wir keine weitere äußere Gewalt zur Förderung des Drogenkonsums anwenden wollten, haben wir die Nase des Herrn so in Tischnähe fixiert, dass er das darauf liegende Kokain ganz unvermeidlich selber einatmen musste. Zur Sicherheit haben wir ihm gleich mal drei Gramm auf den Tisch gelegt.«

»Und wofür ist das Panzertape auf dem Mund?«, wollte ich wissen.

»Es hat sich für das Gesamtbild als stimmiger erwiesen, wenn man dem Herrn zunächst die Luftzufuhr komplett unterbindet. Der Mund ist zugeklebt, auf der Nase war eine Wäscheklammer. Wenn man die Plastikklammer nach einer Minute abnimmt, saugt die Nase automatisch die nähere Umgebung leer. Effektiver als ein Dyson-Tischstaubsauger.«

»Find ich nicht okay«, sagte Sascha mit Blick auf die Wäscheklammern.

»Was genau?«, wollte der kunstsinnige Mitarbeiter wissen, der eigentlich ein Lob für seine kurzweilige Erklärung erwartet hatte.

»Dass ihr Wäscheklammern aus Plastik verwendet. Das vermüllt nur unsere Meere. Die gibt es auch aus Holz.«

»Wieso sollten ausgerechnet diese beiden Wäscheklammern irgendwann im Meer landen?«, wollte ich wissen.

»Keine Ahnung, aber in der Nemo-Gruppe wird gerade viel

über Umweltschutz geredet, da kriege ich das immer mit einem Ohr mit.«

»Diesbezüglich wollte ich eh noch mit dir reden …«, stieg ich auf das Thema mit ein, wurde aber von Walter daran gehindert.

»Entschuldigt bitte«, brachte sich Walter ein, »aber das eigentliche Problem ist nicht das Material der Wäscheklammern. Das eigentliche Problem ist die Tatsache, dass unser Plan funktioniert hat. Jedenfalls der erste Teil. Jeder von den beiden hat zwei volle Nasenlöcher Koks eingesaugt. Nur leider sind beide anschließend vorübergehend ins Koma gefallen.«

»Das ist mir schon klar«, entgegnete Sascha. »Das Problem ist mir aber zu komplex. Deshalb führe ich lieber eine Ausweichdiskussion über Wäscheklammern aus Plastik.«

»Was heißt ›vorübergehend ins Koma‹?«, fragte ich nach.

»Das heißt, dass die beiden kurz nach dem Einsaugen des Kokains zwar weggetreten waren, aber noch Vitalfunktionen hatten. Jetzt nicht mehr. Deshalb – vorübergehendes Koma. Ist halt jetzt vorüber. Mit den beiden.«

»War die Qualität oder die Quantität das Problem?«, fragte ich, um ebenfalls vom Thema abzulenken.

»Keine Ahnung«, meinte Walter. »Aber ich denke mir, es wird schon seinen Grund haben, warum die Holgersons ihren eigenen Stoff nicht konsumieren wollten. Weil sie wussten, dass der scheiße war. In kleinen Mengen ist das nicht ganz so gefährlich. Aber die tödliche Dosis ist bei drei Gramm wohl erreicht.«

»*Mist. Das heißt, wir müssen denen das Ohr selber abschneiden*«, murrte mein inneres Kind.

»*Das heißt, dass wir aufgrund deiner lustigen Idee jetzt zwei Leichen am Hals haben, die wir beseitigen müssen*«, murrte ich.

»*Wenn es bloß um das Beseitigen der Leichen geht, da hätte ich eine Idee.*«

»*Bitte nicht*«, murmelte ich.

Doch die Idee, die mein inneres Kind mir als Geistesblitz übermittelte, war in der Tat gar nicht mal so blöde. Jedenfalls machte sie mich neugierig genug, um mich bei Walter direkt nach der praktischen Umsetzung zu erkundigen.

»Wie sind denn die Handys von den beiden gesichert?«, fragte ich in das kurzzeitig eingetretene Schweigen hinein. Die Frage wurde zu meiner vollsten Zufriedenheit beantwortet.

34 ENERGIE

»Verschwenden Sie nicht Ihre eigene Energie, um ein Problem
zu bekämpfen. Verwenden Sie dazu die Energie des Problems.
Anstatt sich zu verbarrikadieren, öffnen Sie Ihre Tür. Und lassen Sie
das Problem mit Anlauf selbst gegen die nächste Wand laufen. «

JOSCHKA BREITNER,
»ENTSCHLEUNIGT AUF DER ÜBERHOLSPUR –
ACHTSAMKEIT FÜR FÜHRUNGSKRÄFTE«

AUF DER RÜCKFAHRT von Walters Firma nach Hause hatte ich endlich Zeit, mit Sascha über die anstehende Elternbeiratssitzung zu sprechen. Ich fuhr. Sascha saß neben mir auf dem Beifahrersitz.

Unseren Personenschutz hatte ich abbestellt. Walters Leute hatten in der Nacht noch genug für uns zu erledigen. Selbst in Walters Augen war die reale Gefahr durch die Holgersons minimal.

Sascha hielt eine Tupperdose in der Hand. Auf der Dose prangte ein Einhorn. In der Dose lag ein Ohr. Keimfrei gelagert.

Wer auch immer der Erpresser war – sein Ohr-Ultimatum würden wir einhalten können. Wenn auch nicht mit Boris' Ohr.

»Ist das Plastikgefäß da eigentlich eine Kindergartendose?«, fragte ich mit Blick auf den Behälter.

»Nein. Ich benutze privat einfach gern Einhorn-Motive. Warum fragst du?«

»Weil ich gestern dieses Gespräch mit den Damen aus dem Beirat hatte.«

»Stimmt. Erzähl! Wer sind die Handgranaten-Eltern?«

»Eigentlich keine. Sind im Grunde alle ganz nett. Es ging auch gar nicht so sehr um die Kinder. Es ging mehr ums Klima.«

»Du willst doch wohl nicht behaupten, das Klima hätte nichts mit unseren Kindern zu tun?«

Nein. Das wollte ich nicht behaupten. Ich wollte einfach nur berichten, mit welchen Forderungen wir übermorgen zu rechnen hätten.

»Also angefangen hat alles mit einer Diskussion über ein Fruchtquetschie-Verbot in der Nemo-Gruppe, weil die Welt sonst stirbt. Und die Kinder dran schuld wären. Weißt du da was von?«

»Nichts Konkretes. Die haben da diese ziemlich engagierte Jahrespraktikantin. Red doch einfach mal mit der, wenn dich das stört.«

Ein sehr praxisorientierter Lösungsansatz, den ich ohnehin verfolgen wollte. Wobei mich das aktuelle Fruchtquetschie-Verbot im Hier und Jetzt mehr störte als der Weltuntergang in vier Milliarden Jahren. Ich kam auf die schwierigeren Themen zu sprechen.

»Es gibt im Kreis der Elternschaft nun obendrein den Wunsch, dass wir komplett auf Plastik im Kindergarten verzichten sollten.«

Sascha nahm das gelassen.

»Gute Idee. Ich weiß aber nicht, ob alle Eltern wirklich wollen, dass wir mit den Kindern jeden Tag nackig im Wald spielen gehen.«

»Warum solltet ihr das tun?«

»Anders wäre ein plastikfreier Kindergarten nicht zu realisieren.«

Das leuchtete ein. »Zumindest wäre damit auch der nächste Wunsch der Eltern erfüllt – ein klimaneutraler Kindergarten.«

Sascha nickte. »Klimaneutral wären wir, wenn wir gar nicht erst in den Wald gingen, weil es uns gar nicht gäbe.«

Auch ein Ansatz, der mir weiterhalf. »Gut, wenn es uns gar nicht gäbe, wäre auch der dritte Wunsch vom Tisch, der mir eigentlich am meisten Sorge bereitet. Der Elternrat würde sich gerne die Heizungsanlage im Keller ansehen, damit wir uns ein

Bild davon machen können, was für eine CO_2-Schleuder eigentlich den Kindergarten heizt.«

»Die Heizungsanlage, hinter der Boris wohnt?«

»Genau die.«

»Gut, bevor ein Rudel Kindergartenmütter entdeckt, dass die CO_2-Bilanz der Heizungsanlage unser geringstes Problem im Keller ist, können wir die ganze Anlage lieber vorher selber rausreißen und den Müttern schenken.«

Irgendetwas machte »klick« in mir. Herr Breitner hatte mir in meinem Achtsamkeitstraining etwas von dem Ansatz erzählt, ein Problem lieber zu umarmen, als es zu bekämpfen. Sollte sich das Problem doch an seiner eigenen Energie abarbeiten. Wie wäre es, wenn wir den Müttern des Elternbeirats einfach so umfangreich alle Wünsche nach Plastikverbot, Klimaneutralität und persönlichkeitsrechtsunterstützenden Kindergartengruppenfotos erfüllten, dass deren Umsetzung zu deren Problem wurde? Und nicht deren Vermeidung ein Problem für uns.

Mein inneres Kind hatte dazu spontan einige Ideen, die ich ebenso spontan mit Sascha teilte.

Sascha war, gelinde gesagt, begeistert. Auf dem Rest der Autofahrt legten wir in groben Züge die Dramaturgie der übermorgen anstehenden Kindergartenratssitzung fest. Sascha versprach, unsere Ideen bis zur Sitzung am Donnerstag präsentabel aufzuarbeiten.

Die Ideen meines inneren Kindes wurden immer ausgereifter. Diesmal schienen sie nicht nur vielversprechend, sondern auch ohne jede Gewalt lösungsorientiert zu sein.

35 AUTORITÄT

»Ihr inneres Kind hat einen zutiefst kindlichen Anspruch
an Sie. Es sehnt sich nach einer schützenden Autorität,
der es vertrauen kann.«

JOSCHKA RREITNER,
»DAS INNERE WUNSCHKIND«

AM NÄCHSTEN MORGEN stand ich bereits um sechs Uhr auf. Es gab jede Menge zu tun. Es hatte sich nicht nur Kommissar Peter Egmann angemeldet, um mit mir über was auch immer zu sprechen. Vor allem mussten Sascha und ich vorher noch den Erpresser zufriedenstellen. Wir mussten seinem Wunsch entsprechend das Ohr fotografieren. Von allen Seiten. Und es danach in die Titelseite des aktuellen Boulevardblatts einwickeln. Und auf die Mauer des Parks legen.

Sascha und ich hatten verabredet, dass er auf seiner Jogging-Runde die Zeitung und Brötchen besorgen würde. Als Freund einer ausgeglichenen Work-Life-Balance hatte ich vorgeschlagen, die Sache mit dem Ohr als Arbeitsfrühstück über die Bühne zu bringen. Ich musste nur den Tisch decken.

Ich räumte daher zunächst den Esstisch frei. Ich nahm das Buch über das innere Wunschkind, legte es wieder in die Papiertüte mit dem Artikel über das goldene Kind und trug diese ins Schlafzimmer. Dass der Entschuldigungsbrief an mein inneres Kind nicht mehr dort lag, wo ich ihn gestern Morgen noch abgelegt hatte, fiel mir weder dabei noch beim anschließenden Decken des Tisches auf.

Es bedarf einiger Übung und eines starken Magens, um ein abgeschnittenes Ohr von allen Seiten zu fotografieren und dabei zu frühstücken. Sascha und ich hatten diese Übung nicht. Ich verglich das abgeschnittene Ohr unwillkürlich immer wieder mit der Mortadella auf dem Wurst- und dem Hartkäse auf dem Käseteller. Irgendwie hatte das Ohr von beidem etwas. Es war runzelig, glänzend, speckig.

In der einen Hand ein solches Ohr vor die Kamera zu heben und mit der anderen ein Honigbrötchen zu halten war schlicht ein Ding der Unmöglichkeit. Schlimme Tätigkeiten werden nicht schöner, wenn man ein Brötchen dabei isst. Wir stellten den Versuch zu frühstücken deshalb ziemlich schnell ein und konzentrierten uns voll und ganz auf die Arbeit.

Als das Ohr von allen Seiten abgelichtet war, lud Sascha die Bilder auf den Rechner und schickte sie kommentarlos an die E-Mail-Adresse des Erpressers. Das Arbeitsfrühstück hatte allerdings weder unsere Mägen gesättigt noch unseren Wissensdurst gestillt. Im Gegenteil.

»Was ergibt das für einen Sinn, Fotos von einem Ohr an jemanden zu schicken, der das Ohr sowieso abholt?«, fragte Sascha.

»Das ergibt nur dann keinen Sinn, wenn der Typ das Ohr tatsächlich abholt.«

»Du meinst, der Erpresser will das Ohr gar nicht haben?«

»Der Erpresser wäre schön blöd, das Ohr tatsächlich von der Mauer zu nehmen. Das ist viel zu riskant. Alles, was er will, ist, dass wir Boris das Ohr abschneiden. Dass wir es auf die Mauer legen sollen, ist reine Demütigung.«

»Du meinst, wir sind die Marionetten eines Hampelmanns? Tolles Gefühl. Wir sollten trotzdem ein Auge auf das Ohr werfen.«

Walters Leute waren gestern noch abgezogen worden. Sie konnten uns also nicht dabei beobachten, wie wir uns von unserem Erpresser an der Nase herumführen ließen. Eine akute Lebensgefahr für uns bestand nicht. Und um den anonymen

Erpresser zu beobachten, dafür gab es moderne Technik aus dem Hausgebrauch. Ich klebte meine Sport-GoPro-Kamera an die Scheibe des Balkonfensters und richtete sie auf die Mauer im Park.

Sascha wickelte das Ohr in die Titelseite ein, zog sich die Joggingschuhe an und ging hinunter. Es war gerade mal zwanzig vor sieben.

In bester HD-Qualität filmte meine Kamera, wie Sascha das kleine Zeitungspaket auf die Mauer legte. Wie eine halbe Stunde lang nichts passierte. Und wie um 7.15 Uhr eine Katze vorbeikam, das Ohr auswickelte und mitnahm.

Das Thema Ohr hatte sich damit erledigt. Dachte ich.

Peter Egmann brachte seinen Sohn wie jeden Morgen um Viertel nach acht in den Kindergarten. Um zwanzig nach acht stand er vor meiner Wohnungstür und klingelte. Ich machte ihm auf.

»Komm rein. Kaffee?«, begrüßte ich ihn. Peter und ich kannten uns aus dem Studium. Seitdem war unser Leben allerdings sehr unterschiedlich verlaufen. Ihn hatte es zur Polizei geführt. Mich in die freie Wirtschaft. Er bekämpfte die Verbrecher, die ich vertrat. Er war glücklich verheiratet. Ich unglücklich getrennt.

»Espresso, gerne.« Peter folgte mir in die Küche und bemerkte den Fleck an der Wand. »Kaffeemaschine explodiert?«

»Explodiert ja. Maschine nein. Das an der Wand sind die Argumente von Katharina in einer überflüssigen Diskussion.«

»Wie schön, dass wenigstens Maschinen ihre Emotionen im Griff haben.«

»Künstliche Intelligenz. Die Kaffeemaschine kann den Dampf ablassen, bevor sie platzt.« Ich reichte Peter seinen Espresso und schob eine Kapsel aus einer neu erstandenen Großpackung für mich nach.

»Ein Hoch auf die Erfindung der Überdruckventile.« Peter nahm die Tasse und wartete, bis auch ich eine in der Hand hatte.

Ich redete nicht lange drumherum. »Du hast gesagt, du wolltest etwas mit mir besprechen, das weder mit dem Kindergarten noch mit den Typen aus dem Park zu tun hat?«

»Ja. Eine reine Formalität, denke ich. Allerdings haben sich seit gestern doch noch ein paar Fragen bezüglich der Parksache ergeben.«

Ich wurde hellhörig. »Inwiefern?«

»Nun, es ergibt einfach keinen Sinn, dass jemand acht junge Männer überfällt, sechs davon ohne jeden Kommentar gefesselt auf dem Boden liegen lässt und zwei davon entführt. Es sei denn …« Peter stockte.

»Es sei denn was?«

»Es sei denn, da steckt was Persönliches dahinter.«

»Und wie kann ich dir da weiterhelfen?«

Peter zuckte die Schultern. »Wie es aussieht, liegen von dir aus den letzten sechs Monaten zwölf registrierte Anrufe bei der Polizei und achtzehn Anrufe beim Ordnungsamt wegen Lärmbelästigung aus dem Park vor.«

»Das sind zumindest die Anrufe, bei denen jemand abgehoben hat. Die Zahl der Anrufe, bei denen das Ordnungsamt erst gar nicht reagiert hat, liegt wesentlich höher.«

Peter nickte. »Die Zahl der Anrufe erweckt zumindest den Verdacht, als hättest du eine Beziehung zu den Typen im Park.«

»Das sehe ich anders. Die Zahl der Anrufe belegt für mich die Tatsache, dass ich keinerlei Wert darauf lege, zu diesen Leuten irgendeine Art von Beziehung aufzubauen. Deshalb habe ich ja die Staatsgewalt wiederholt gebeten, genau das zu verhindern.« Ich tarnte mein achtsames Beruhigungs-Ein-und-Ausatmen, indem ich in aller Seelenruhe einen Schluck Espresso nahm. »Die

Tatsache, dass alle meine Anrufe registriert wurden, die Idioten aber trotzdem jeden Abend aufs Neue im Park ihren Spaß haben können, spricht allerdings nicht gegen mich, sondern gegen die Behörden.«

Irgendwie fühlte ich mich gerade wie das ignorierte innere Kind des Rechtsstaates. Egal wie laut ich um Hilfe schrie – ich wurde einfach nicht wahrgenommen.

»Inwiefern?«, wollte Peter wissen.

»Wäre auf den ersten Anruf adäquat reagiert worden, hätte ich mir alle anderen Anrufe ja sparen können.«

»Aber deine Anrufe wurden doch registriert.«

»Richtig. Und wären statt der Personalien des Anrufers auch nur ein einziges Mal die Personalien der Gründe des Anrufers aufgenommen worden, wären da jetzt weitaus weniger Anrufe von mir im System.«

»Laut Polizeistatistik ist die Anzahl der Ordnungswidrigkeiten in diesem Viertel nicht signifikant angestiegen«, verteidigte Peter sich und andere Staatsdiener.

»Der Wunsch nach einer sauberen Statistik erklärt, warum bei jedem zweiten Anruf erst gar keiner rangeht. Leider haben die Typen im Park in der Regel keinen mathematischen Hintergrund und halten sich vielleicht gerade deshalb nicht an die Statistik. Aber ich hoffe, mit dir zusammen, dass ihr diejenigen, die diese Assis gefesselt haben, sehr schnell ausfindig machen werdet ...«

»Wie schön, dass wir hier einer Meinung sind.«

»... damit ich mich mit einer Flasche Sekt bei ihnen bedanken kann. Seit vorgestern Abend herrscht hier nämlich himmlische Ruhe im Park.«

»*Von mir auch einen schönen Dank!*«, meldete sich der kleine blonde Junge, der seit zwei Nächten in Ruhe schlafen konnte. Ebenso wie ich völlig ignorierend, dass das alles unsere Idee war.

»Nun, was die Ruhestörungen angeht, kann ich dich sogar verstehen. Die Sache hat seit gestern Nacht allerdings einen kleinen Haken«, druckste Peter herum. Ich schaute fragend. «Ich habe dir ja gestern schon gesagt, dass sechs Männer gefunden wurden. Die aber behaupten, dass sie zu acht im Park waren.«

»Wo liegt das Problem?«

»Wir haben die Identität der beiden Vermissten gestern zunächst anhand der Beschreibung der anderen sechs feststellen können. Das waren zwei Mitglieder der sogenannten Holgerson-Familie. Kleine Fische. Aber immerhin.«

»Holgerson? Das sind die mit der goldenen Jesus-Statue, die auch verschwunden ist, richtig?«

»Richtig. Nur mit dem Unterschied, dass diese beiden Holgersons gestern Nacht im Gegensatz zur Jesus-Statue wieder aufgetaucht sind.«

Das überraschte mich nicht. Genau das hatte mein inneres Kind ja für die gestrige Nacht so geplant. Ich tat ahnungslos. »Ach – und wo?«

»Es ist ein wenig skurril ... Also, die beiden wurden heute Morgen um kurz nach vier, zu zweit auf einem Elektroroller fahrend, Hand in Hand, auf einer Hauptverkehrsstraße von einem Transporter überrollt.«

»*Ich wusste, dass mein Plan funktioniert!*«, jubelte mein inneres Kind los. Ich musste aufpassen, dass Peter das laute Jubeln meines inneren Kindes nicht hörte. Es fiel mir schon schwer genug, mein inneres Grinsen unter Kontrolle zu halten.

»Entschuldigung? Was ist daran skurril?«, tat ich unwissend.

»Nun, die beiden waren mit einem roten Band um die Hüfte aneinandergebunden.«

»Wir leben in einem freien Land. Jeder darf sich binden, wie er will.«

Peter holte tief Luft. »In manchen Kulturkreisen gilt so ein Band bei der Hochzeit als Symbol der Jungfräulichkeit.«

»Dann haben die beiden Jungs vielleicht geheiratet. Schwule Hochzeiten sollten in allen Kulturkreisen als normal gelten, nicht als skurril.«

»Okay. Skurril ist aber auch, dass der Fahrer des Transporters behauptet, er wäre kurz vor dem Unfall von einem Feuerwerkskörper am Straßenrand abgelenkt worden. Da wurde angeblich irgendein bengalisches Feuer angezündet. Die Straße vor ihm war frei – behauptet er. Bis auf einen Lieferwagen fünfzig Meter vor ihm. Er schaute also kurz zur Seite, was das mit dem Feuerwerkskörper auf sich hatte, und überfuhr im nächsten Moment die beiden Typen auf ihrem Roller. Die angeblich wie aus dem Nichts kamen.«

»Augen auf im Straßenverkehr.«

»Ich frage mich – was haben die beiden Jungs nachts mitten auf der Straße gemacht?«

»Peter – die Polizei ist doch auch sonst recht tolerant, wenn es um Hochzeitskorsos geht. Oder dürfen Homosexuelle nachts aus Liebe keine Straßen blockieren?«

»Okay. Nehmen wir mal an, ich würde es als normal empfinden, wenn zwei verschwundene Mitglieder der Holgerson-Familie nachts um kurz nach vier auf einem Elektroroller einen homosexuellen Hochzeitskorso abhalten ... Eine Sache geht mir trotzdem nicht in den Kopf.«

»Und die wäre?«

»Laut Gerichtsmediziner waren die beiden zum Zeitpunkt des Unfalls seit mindestens sechs Stunden tot. Das hat schon die Körpertemperatur der beiden Leichen gezeigt. Eine Blutuntersuchung hat außerdem ergeben, dass beide völlig zugedröhnt waren. Und das mit sehr schlecht verschnittenem Koks.«

»Klingt verstörend.«

»Verstörend ist, dass einem von den beiden obendrein ein Ohr fehlt.«

»Das ist jetzt in der Tat absurd.«

»Siehst du auch so? Das beruhigt mich.« Peter war ehrlich erleichtert, einmal keine Widerworte von mir zu bekommen.

Doch ich musste ihn schon wieder enttäuschen. »Skurril ist, dass du mir diese Geschichte erzählst. Nur weil ich ein paarmal bei den regulären Ordnungskräften darum gebeten habe einzuschreiten, bevor die Jungs aus dem Park irgendeinen Scheiß machen. Bin ich jetzt etwa dafür verantwortlich, wenn die Jungs dann tatsächlich irgendeinen Scheiß machen?«

»Björn, am Montag bricht jemand im Kindergarten ein. Du verdächtigst die Typen aus dem Park.«

»Ich habe die Jungs nicht verdächtigt. Ich habe nur darum gebeten, dass ihr sie verdächtigt.«

»Am gleichen Abend werden die Jungs aus dem Park ruhiggestellt und zwei von denen entführt.«

»Anscheinend nicht. Die haben ja sogar noch geheiratet.«

»Am Dienstag sterben die beiden irgendwann im Laufe des Tages, und am Abend werden die Leichen dann von einem Transporter überfahren. Die Leichen von Typen, derentwegen du sechs Monate lang mehrere Dutzend Male bei den Ordnungsbehörden angerufen hast.«

»Minus ein Ohr.«

»Bitte?«

»Na, es sind offensichtlich nicht die kompletten Leichen von den Typen überfahren worden. Ein Ohr scheint zu fehlen.«

»Es geht jetzt aber um *deine* Ohren. Du hast dich über den Lärm der Typen beschwert. Jetzt sind sie tot.«

Ich schüttelte ehrlich entrüstet den Kopf. »Wie blöd müsste ich sein, wenn ich erst bei der Polizei anrufe und dann Selbstjustiz wegen Lärmbelästigung begehe? Was also willst du von mir?«

»*Ich bin nicht blöd! Ich bin kindlich*«, beschwerte sich mein inneres Kind.

»*Richtig, den Unterschied versteht aber die Polizei sicherlich nicht*«, beruhigte ich es.

»Gut, ich wollte ja auch nur der guten Ordnung halber nachgefragt haben, ob dir vorletzte Nacht irgendetwas aufgefallen ist«, sagte Peter, und sein Tonfall ließ erkennen, dass er das Thema abschließen wollte.

»Abgesehen davon, dass die Nacht wunderbar ruhig war? Nein, abgesehen davon ist mir nichts aufgefallen.«

Ich fühlte mich gut! Das war die erste Idee meines inneren Kindes, die voll und ganz funktioniert hatte. Es gab keinerlei Bezug zwischen mir und der Holgerson-Familie. Ich hatte keinerlei Spuren hinterlassen, weil ich an der Tat gar nicht beteiligt war. Und der Plan meines inneren Kindes wich in seiner ebenso exzessiven wie naiven Unberechenbarkeit so vollkommen von allem logischen Handeln ab, dass Peter daraus keinerlei logische Schlüsse ziehen konnte.

Der Plan meines inneren Kindes war aufgegangen.

Die Handys der beiden Holgersons hatten wir am gestrigen Abend problemlos über den Fingerabdruck-Scan entsperren können. Einer der beiden hatte die App von CN-Mobility sogar bereits auf dem Handy. Für beide einen Elektroroller zu buchen war das eine. Sie mitsamt dem Roller auf die Ladefläche eines Lieferwagens zu verfrachten war das andere. Dank Kurts Angeberei wusste ich, dass ab morgens früh um vier rund um sein Firmengelände zahlreiche seiner Transporter unterwegs sein würden. Walters Leute fuhren also mit einem ihrer Lieferwagen in der Umgebung auf und ab und setzten sich dann vor einen von

Kurts Transportern. Ein Security-Kollege stand am Straßenrand und lenkte den Transporterfahrer auf ein Zeichen hin mit einem Bengalo-Feuerwerkskörper ab. Die Jungs im Lieferwagen öffneten die Türen und entließen die beiden toten Holgersons mitsamt ihrem Roller in die Freiheit. Wo sie dann von Kurts Transporter tragischerweise überrollt wurden. Der ganze Plan war im Endeffekt ein kleiner Gruß meines inneren Kindes an Kurts großkotzige Überheblichkeit. Irgendjemand muss sich mit den toten Holgersons rumschlagen. Sollte Kurt das sein. Nicht wir.

»Wie geht es denn dem Fahrer?«, fragte ich nach, denn vom Unfallfahrer war noch gar nicht die Rede gewesen.

»Welchem Fahrer?«

»Na, der Typ, der die Holgersons überfahren hat. Ist der okay?«

»Ach der. Ein Student. Der war zumindest erleichtert, als wir ihm mitteilen konnten, dass die Typen, die er überfahren hat, schon vorher tot waren.«

»War der privat unterwegs?«

»Nein. Auch so ein Zufall. Der fährt nachts einen dieser Transporter, um damit ausgerechnet den Typ E-Roller durch die Stadt zu fahren, den die beiden Opfer sich geliehen hatten. CN-Mobile oder so heißt die Firma.«

Nein, kein Zufall. Ich war stolz auf mein inneres Kind.

»Kenne ich. Der größte E-Roller-Verleiher der Stadt, richtig?«

»Der Chef scheint in jedem Fall der größte Vollidiot der Stadt zu sein. Wohnt im selben Haus, in der auch die Firma sitzt. Wir konnten ihn also direkt in der Nacht noch über den Unfall informieren. Den schien das völlig kaltzulassen, dass ein Mitarbeiter von ihm gerade zwei Menschen überfahren hatte. Erst als er erfuhr, dass einer Leiche ein Ohr fehlte, hat er nachgefragt.«

»Was denn nachgefragt?«

»Welches Ohr fehle. Als ob das für den Unfall von Belang wäre.«

Mist! Vielleicht hatte der Plan meines inneren Kindes doch nicht so optimal funktioniert wie gedacht. Ich hakte nach.

»Konntet ihr dem Mann denn mit der Information weiterhelfen?«

»Ja, es war das rechte Ohr.«

Falls Kurt der Erpresser war, wusste er nun, dass ein rechtes Ohr im Umlauf war. Genau die Sorte Ohr, die wir fotografiert hatten. Um Verdacht zu schöpfen, dass wir nicht Boris' Ohr, sondern ein Holgerson-Ohr geliefert hatten, müsste Kurt also zum einen tatsächlich der Erpresser sein und zum anderen eine Verbindung zwischen den Holgersons und mir herstellen.

»Der Typ hat übrigens sein Patenkind hier im Kindergarten«, ergänzte Peter.

»Wie kommst du darauf?«

»Na, als ich erzählt habe, dass die beiden Toten das letzte Mal vierundzwanzig Stunden vorher im Park gegenüber dem Kindergarten gesehen worden waren, erwähnte er das.«

Na, bitte – da hatte Kurt die Verbindung zwischen den Holgersons und mir. Wie schön, dass die Polizei immer dann gesprächig wurde, wenn überhaupt kein Grund dazu bestand.

»Und hat er sonst noch was gesagt?«

»Nein, er meinte, wenn wir noch irgendwelche Fragen an ihn hätten, würde er uns die Nummer seines Anwalts mitteilen. Den wolle er heute auf das Thema ansprechen.«

Das konnte zu Problemen führen. Musste es aber nicht. In diesem Moment war alles in Ordnung. Der Erpresser hatte ein Ohr. Die Holgerson-Leichen waren entsorgt. Peter hatte keinen konkreten Ansatzpunkt, mich damit in Verbindung zu bringen, und Kurt hatte ein wenig Ärger wegen des Unfalls. Ob Kurt der

Erpresser war, ob er das Ohr der Holgersons mit Boris in Verbindung bringen würde und ob es deswegen Ärger geben würde – all das war reine Spekulation. Achtsam im Augenblick lebend, beschloss ich, mir wegen Peters Besuch also erst einmal keine Sorgen zu machen.

Jedenfalls für zirka siebenundfünfzig Sekunden. Denn dann kam Peter auf den eigentlichen Grund seines Kommens zu sprechen.

36 VERGANGENHEIT

»Wenn Sie konsequent im Augenblick leben, brauchen Sie keine
Angst davor zu haben, dass die Vergangenheit Sie einholen könnte.
Die einzige Zeit, in der Sie leben, ist die Gegenwart. Und auch hier
nur in einem sehr flüchtigen Moment: im Augenblick. Sie müssen
sich in keinem Augenblick grämen, die Vergangenheit nicht ändern
zu können. Sie dürfen sich aber in jedem Augenblick freuen,
die Gegenwart gestalten zu können.«

JOSCHKA BREITNER,
»ENTSCHLEUNIGT AUF DER ÜBERHOLSPUR —
ACHTSAMKEIT FÜR FÜHRUNGSKRÄFTE«

PETERS ESPRESSOTASSE WAR leer. Meine auch.

»Willst du noch einen Kaffee?«

»Nein danke, ich muss auch gleich weiter.«

»Du wolltest aber eigentlich gar nicht mit mir über die Typen aus dem Park reden, sondern über etwas anderes, richtig?«

»Ja, reine Formsache. Die Kollegen aus dem Allgäu haben uns im Rahmen der Amtshilfe gebeten, dich als Zeugen in einer Sache zu vernehmen. Unfall mit Todesfolge.«

Von den Nieren aus umschlang sehr plötzlich eine Eiseskälte meinen Oberkörper. Das konnte nur der tödliche Unfall von Nils sein. Wie um Himmels willen war die Polizei so schnell auf mich gekommen? Und warum?

Ich hatte es dank der Beschäftigung mit meinem inneren Kind gerade erfolgreich geschafft, meine Schuldgefühle wegen des Unfalls auf ein realistisches Maß herunterzufahren. Ich wollte nicht, dass das jetzt alles wieder hochkam.

Ich tat instinktiv das, was ich seit zehn Jahren auch jedem strafrechtlichen Mandanten riet: nichts. Ich wartete einfach ab. Und blieb stumm.

»*Sag ihm, was dieser Kellner für ein Arschloch war! Der hat auf meine blauen Flecke gedrückt!*«, schrie mein inneres Kind. Ich steckte die Hand in die Tasche und streichelte beruhigend den Nachplappervogel. Achtsam konzentrierte ich mich auf die

Beschaffenheit seines Stoffes. Ich erspürte die einzelnen Fasern seiner Federn, die glatte Oberfläche seiner Augen, den kleinen, spitzen Plastikschnabel. Das beruhigte auch mich ein wenig.

Als Peter bemerkte, dass ich von mir aus nichts sagen würde, fuhr er fort.

»Du warst doch letzten Monat im Allgäu, oder?«

Ich stellte meine leere Espressotasse auf den Tisch und sah Peter sehr intensiv an. »Peter. Wir haben zusammen Jura studiert. Wir saßen beide im selben Strafrechtskurs. Wir arbeiten beide seit über einem Jahrzehnt auf zwei verschiedenen Seiten desselben Jobs. Du weißt, dass ich auf solche Small-Talk-Fragen nicht antworten muss und auch nicht antworten werde, bevor du mir nicht gesagt hast, worum es eigentlich geht.«

Während ich meine Panik ganz gut professionell überspielen konnte, merkte man Peter sein Unwohlsein an.

»Also, da ist im letzten Monat ein Kellner auf einer Hütte unter etwas fragwürdigen Umständen von der Terrasse einer Almhütte gestürzt und zu Tode gekommen. Und ein paar Gäste haben ausgesagt, der Kellner habe kurz vor seinem Unfall eine Auseinandersetzung mit dir gehabt.«

Da fuhr ich in die Alpen, um endlich mal mit Leuten zusammen zu sein, die ich weder kannte noch kennenlernen würde – und gerade mal einen Monat später luden mich diese Menschen zu einem Nachtreffen durch die Polizei ein.

»Ich kann mich nicht erinnern, einen Kellner irgendwo stürzen gesehen zu haben. Hilf mir bitte.«

»Die Gäste von der Hütte sagen, du hättest ihn angeblafft, weil er dich nicht vorrangig bedient hätte.«

»Selbst wenn dem so wäre – ist der Kellner währenddessen gestürzt?«

»Nein, danach, aber ...«

»Dann käme ich als Zeuge also gar nicht in Frage.«

»Aber wenn du dich mit dem Kellner gestritten hättest, könntest du ein Motiv gehabt haben, den Unfall zu arrangieren.«

»Peter, noch einmal – willst du mit mir als Zeuge oder als Beschuldigter sprechen?«

»Das weiß ich noch nicht. Ist doch nur eine Routinesache. Es geht nur um zwei Zeilen auf einem Formular.«

»Um es abzukürzen: Wenn bei einem Mandanten von mir auch nur der Hauch einer Möglichkeit besteht, dass er als Beschuldigter vernommen wird, dann verlange ich vorher routinemäßig erst einmal Akteneinsicht. Mein Vorschlag: Du erzählst mir bitte, wie die Kollegen überhaupt auf meinen Namen kommen, und ich überlege dann, ob mir etwas dazu einfällt.«

»Also, der Kellner hat sich in seiner Pause wohl auf ein paar leere Kisten Almdudler gesetzt. Die Kisten sind umgestürzt und gegen das Tor einer Lastenseilbahn-Station gekippt. Das Tor war nicht ordnungsgemäß verriegelt. Kellner und Kisten sind in die Schlucht neben der Terrasse gestürzt. Der Kellner hat sich das Genick gebrochen.«

»Dumme Sache. Aber keine Sache für die Polizei.«

»Der Betreiber der Alm hat ausgesagt, dass er die Kisten am Vormittag *neben* das Tor gestellt hatte. Jetzt standen sie davor. Der Betreiber hat ferner ausgesagt, dass er das Tor eigenhändig verriegelt hatte. Als der Kellner stürzte, war das Tor nicht verriegelt. Gäste haben ausgesagt, dass der Kellner kurz vor seinem Unfall eine Auseinandersetzung mit einem Gast gehabt hatte, der anschließend in Richtung Lastenseilbahn gegangen sei.«

»Und an welcher Stelle komme ich ins Spiel?«

»Zwanzig Minuten von der Hütte entfernt ist die nächste Personenseilbahn. Dort werden alle Passagiere beim Passieren des Drehkreuzes gefilmt. Den Gästen der Alm wurden alle Bilder der

Passagiere, die an diesem Tag die Personenseilbahn benutzt haben gezeigt. Auf einem Bild warst du mit Katharina und Emily. Die Zeugen haben dich als den streitenden Gast identifiziert.«

»Mal so zum Thema Datenschutz in den Alpen: Wie kommen die Kollegen von meinem Bild auf meinen Namen?«

»Die Ticketnummer wird beim Einchecken dem Foto zugeordnet. Du hast dein Ticket zwar bar bezahlt, aber dabei die Ermäßigung von der Touristenkarte in Anspruch genommen. Und die Touristenkarte ist mit deinem Namen im System.«

Im Kindergarten machten sich die Mütter Gedanken, ob ihre Kinder aus datenschutzrechtlichen Gründen mit auf das eigene Gruppenfoto durften. Und in den Alpen wurden offenkundig ohne jede Rückfrage ganze Datenberge erhoben. Was sollte ich dazu sagen?

»Aha.«

»Willst du noch irgendwas anderes dazu sagen?«

Wenn ich ehrlich war, schon. *Tut mir leid.* Oder: *Ich wünschte, ich könnte es ungeschehen machen.* Oder: *Da ist halt diese Sache mit meinem inneren Kind …* Nichts davon würde meine Situation irgendwie verbessern. Bevor ich gar nichts sagte, übernahm ich den Kommentar meines inneren Kindes.

»Helmpflicht in den Alpen wäre nicht schlecht.«

»Bitte?«

»Na, jedes Kind trägt in der Großstadt beim Fahrradfahren einen Helm. Hätte der Kellner in den Alpen einen Helm getragen, wäre er beim Abstürzen nicht dermaßen verletzt worden, dass jetzt so eine Ermittlung in Gang gesetzt werden muss.«

»Warst du jetzt auf der Alm, oder nicht?«

»Bis wann musst du denn im Rahmen der Amtshilfe dieses Formular ausfüllen?«

»Wenn das ein paar Tage bei mir auf dem Schreibtisch liegt,

geht die Welt nicht unter. Sag mir einfach zum Wochenende hin Bescheid.«

Für den Augenblick konnte ich also das Problem mit dem Tod von Nils vertagen. Solange ich im Augenblick lebte, war das völlig ausreichend. Aber die Zukunft würde andere Augenblicke für mich bereithalten. Und die Angst davor hatte ich irgendwo noch nicht ganz besiegt.

Neben den Fragen, ob ich Boris bis Freitag den Kopf abschneiden musste, ob ich heute Nachmittag meine grundlos eifersüchtige Ehefrau wieder einfangen konnte und ob ich morgen ein Rudel klimarettender Kindergartenmütter von meinem Heizungskellerversteck fernhalten konnte, durfte ich mich also bis zum Wochenende obendrein noch mit der Frage beschäftigen, wie ich meinen Kopf aus der Nils-Schlinge zog. Ich hasste Fristen. Sie würdigten den Augenblick nicht.

37 WEISHEIT

»Ihr Wissen über Ihr inneres Kind verleiht Ihnen Weisheit.
Weisheit ist wie Licht. Beide erhellen die Dunkelheit.
Ziehen aber auch die skurrilsten Lebensformen an.«

JOSCHKA BREITNER,
»DAS INNERE WUNSCHKIND«

ICH MUSSTE RAUS. Raus aus der Wohnung. Raus aus dem Haus. Am liebsten raus aus der Stadt. Ich war achtsam. Ich hatte einen guten Kontakt zu meinem inneren Kind aufgenommen. Und trotzdem war mein Leben seit Montag problembeladener als je zuvor. Zu viele Dinge konnten mir um die Ohren fliegen. Die Entdeckung von Boris konnte mir nach wie vor sehr gefährlich werden. Wenn ich den Erpresser – wahrscheinlich Kurt – nicht unter Kontrolle bekäme, würde mein Lügengebilde gegenüber den Organisationen von Boris und Dragan in sich zusammenbrechen. Mit exakt den gleichen Folgen, als wäre Boris tatsächlich entkommen.

Katharinas Fremdgehvorwürfe waren zwar sachlich unbegründet, aber als Wahnvorstellung trotzdem sehr real. Auch die fixe Idee nur eines Elternteils konnte die gemeinsame Erziehungsbasis zweier Eltern zerstören.

Und dann waren da noch die Toten.

Gut – die beiden toten Holgersons und Nils gingen letztendlich auf das Konto meiner Eltern, weil die mein inneres Kind falsch geprägt hatten. Aber das würde weder die gut 4498 noch lebenden Holgersons noch die Polizei interessieren, falls es rauskäme.

Und dass Nils der Kellner nach seinem Tod aus der Allgäuer Schlucht wieder hochgeklettert kam, hatte mir gerade noch gefehlt.

Was ich brauchte, war ein klarer Kopf. Ich beschloss daher,

mit meinem Defender in den Wald zu fahren und eine Stunde lang zu joggen. Ich war mittlerweile in einem ganz guten Trainingszustand. Nicht in der Top-Kondition von Sascha mit seiner täglichen Zehn-Kilometer-Runde. Aber um sehr schnell den Kopf freizubekommen, reichte es schon. Ich zog mir meine Laufklamotten an und verließ die Wohnung.

Ich schaffte es gerade mal bis in den Eingangsbereich des Altbaus. Dort stand Kurt.

Es war Mittwoch. Hätte ich auf Lauras Worte und nicht bloß auf ihre Lippen geachtet, hätte ich mir gemerkt, dass der Mittwoch der Lieblingsonkeltag von Max war.

Kurt kümmerte sich von morgens bis abends um sein Patenkind. Inklusive Kindergartenbringdienst. Anscheinend hatte er Max gerade abgegeben. Nun stand er im Hausflur. Mit einem fast leeren Mehrweg-Kaffee-Thermobecher aus Glas in der Hand.

Sofern es wirklich Kurt war, der vor zirka zwei Stunden die Bilder eines abgeschnittenen Ohres gemalt bekommen haben sollte, so ließ er sich seinen Triumph nicht anmerken. Sofern er wusste, dass es sich dabei nicht um das verlangte Boris-Ohr handelte, ließ er sich auch das nicht anmerken. Kurt wirkte weder arrogant noch erbost. Er wirkte eher wie am Boden zerstört.

»Hi Björn. Zu dir wollte ich gerade.«

»Das ist im Moment ganz schlecht. Ich habe einen Termin ...« Mit mir selbst.

»Ich begleite dich ein Stück. Ich ... brauche deine Hilfe.«

Kurt trank hastig den letzten Schluck Kaffee aus dem Becher. Seine Begleitung war das Letzte, was ich gerade gebrauchen konnte. Es war mir aber auch nicht möglich, ihn einfach stehen zu lassen. Dafür war ich doch zu neugierig auf seinen tatsächlichen Gemütszustand. Im Gegensatz zu unserem Gespräch vom Vortag schien er jetzt nicht mit mir spielen zu wollen, sondern brauchte wirklich meinen Rat. Ich beschloss, ihn wie eine Motte zu behandeln. Abwimmeln, wenn sie zu nahe kommt.

»Okay. Mein Wagen steht ein Stück die Straße runter. Komm mit. Ein, zwei Minuten habe ich Zeit.«

Ich öffnete die Haustür und ließ Kurt den Vortritt. Kurt schaute sich suchend um und stellte dann den leeren Kaffeebecher auf die Briefkästen. Ich ging fest davon aus, dass selbst Mehrwegbecher aus Glas eine negative Ökobilanz hatten, wenn man sie lediglich einmal benutzte. Aber bei Kurt wunderte mich dieses Verhalten ehrlich gesagt nicht. Es passte.

Kurt ging an mir vorbei durch die Haustür. Er hatte tiefe Ringe unter den Augen. Was Sinn ergab, wenn er in der Nacht kaum geschlafen hatte, weil die Polizei ihn wegen des Unfalls eines seiner Transporter mit einem »Hochzeitspärchen« auf Trab gehalten hatte.

»Es gab gestern Abend einen Unfall …«, setzte er an.

Ich machte große Augen. »Was ist passiert?«

»Ein Transporter von mir hat unter etwas merkwürdigen Umständen zwei Menschen überfahren.«

»Gab es Verletzte?«

»Das ist eine der Merkwürdigkeiten … Also, wie es aussieht, waren die Überfahrenen bereits tot.«

Wir gingen an einem abgestellten Elektroroller mit Latte-Macchiato-Halterung vorbei.

»Dann kann ich dir leider nicht helfen. Mit Verkehrsrecht kenne ich mich nicht aus. Nur mit Strafrecht. Körperverletzung mit Todesfolge wäre mein Ding. Tod mit Unfallfolge eher nicht.«

Wenn Kurt nicht ein verdammt guter Schauspieler war, dann setzte diesem Idioten der arrangierte Unfall eindeutig zu, und ich genoss die Genugtuung.

»Die beiden Typen, die überfahren wurden, waren Mitglieder einer Familie mit einer sehr engen Bindung …«

Ich ließ ihn nicht ausreden. »Dann schick ihnen Blumen.«

Wir waren inzwischen an meinem Wagen angekommen. Ich suchte in meiner Tasche nach dem Schlüssel.

»Die haben bereits *mir* etwas geschickt. Das hier klemmte vorhin unter meinem Scheibenwischer.«

Kurt holte einen Zettel aus seiner Jackentasche und reichte ihn mir. Ich nahm den Zettel zögernd entgegen und schaute ihn mir skeptisch an. Ich kannte das Stück Papier. Was daran lag, dass ich es gestern eigenhändig aus einem Notizheft von Sascha herausgerissen hatte. Jetzt war es zerknittert und vermeintlich in der kreativen Handschrift eines alternativ begabten Kalligrafen beschrieben worden. Also mit der Sauklaue eines strunzdummen Analphabeten. Dieser Eindruck lässt sich sehr einfach vermitteln, wenn ein Rechtshänder wie Sascha mit links schreibt. Und ein paar Buchstaben einfach in falscher Größe oder gar nicht verwendet.

Auf dem Zettel jedenfalls stand:

Geraubt ehre kennt kein Buße.

Ich kannte den Satz. Als Strafverteidiger. Wenn auch in richtiger Orthografie. Das war ein zentrales Zitat aus dem sogenannten *Kanon der Ehre*. Ein mit dem Strafgesetzbuch nicht unbedingt vereinbares Regelwerk der Blutrache. Die Holgersons schienen den Tod ihrer Sprösslinge offensichtlich nicht ganz so lustig gefunden zu haben. Diesen Eindruck sollte zumindest dieser Zettel vermitteln. Hatte sich mein inneres Kind gewünscht.

Ich persönlich glaubte nicht, dass sich irgendein Holgerson allzu viele Gedanken über den Tod zweier ihrer kleinsten Drogendealer machen würde. Solange er von einem Unfalltod ausging. Und erst recht derjenige, dessen Laster die Leichen überfahren hatte, wäre ihnen wohl ziemlich egal. Aber es war schön, wenn Kurt das Gegenteil dachte.

Ich las den Zettel noch einmal laut vor.

»Geraubt ehre kennt kein Buße‹ ... Verleihst du eigentlich nur E-Roller oder auch einzelne ›E‹s? Da fehlen offensichtlich zwei im Text.«

Kurt fand die Rechtschreibschwäche desjenigen, der ihm diese Drohung unter den Scheibenwischer gesteckt hatte, eher zweitrangig.

»Ich habe das gegoogelt. Das ist eine Ankündigung von Blutrache. Die beiden Typen, die mein Laster überfahren hat, gehörten zu den Holgersons.«

Sehr gut. Kurt hatte den Köder geschluckt. Wenn er nun deswegen in einem sehr desolaten Gemütszustand war, hatte mein inneres Kind alles richtig gemacht.

»Holgersons? Sind das nicht die mit dem goldenen Jesuskind? Das hört sich nicht gut an. Das scheinen Jungs zu sein, die keinen Humor verstehen. Aber was kann ich für dich tun?«, fragte ich fast zu ahnungslos.

»Du hast doch ... also ich habe gehört ... Du hast doch als Anwalt Kontakte zu solchen Leuten. Kannst du da nicht was regeln? Irgendwas vermitteln?«

Ich ging auf Abstand. Körperlich wie inhaltlich.

»Erstens weiß ich nicht, wovon du da redest. Zweitens: Selbst wenn ich Kontakte zu ›solchen Leuten‹ hätte – zu den Holgersons habe ich keine. Und drittens: Dafür ist die Polizei zuständig. Geh mit dem Zettel zu denen.«

Kurt stellte die Nähe auf unangenehme Weise wieder her. Er näherte sich mir auf wenige Zentimeter. Ich konnte sein widerliches Aftershave riechen. Als wolle er mich trösten, anstatt von mir getröstet zu werden, fasste er mich bei den Schultern, zog mich an sich und flüsterte mir ins Ohr.

»Sollte es hier um mein Leben gehen, und sollte ich wegen

dieser Sache die Hilfe der Polizei brauchen, dann werde ich der Polizei viel erzählen müssen. Sehr viel. Unter anderem, warum einem der Holgersons ein Ohr fehlt. Und die Polizei wird das dann sicherlich den Holgersons erzählen.«

Kurt hatte nicht vor, wie ein Mann zu sterben. Bevor die Wellen über ihm zusammenschlugen, wollte er alles mitreißen. Deshalb soll man einem panisch Ertrinkenden auch nie helfen, wenn man nicht selber festen Halt im rettenden Boot hat.

Mist. Auf diese Gefahr hätte ich mein inneres Kind vielleicht hinweisen sollen. Ich hatte allerdings selbst überhaupt nicht an so eine selbstzerstörerische Reaktion von Kurt gedacht. Die Enttäuschung in meinen Augen über diese Erkenntnis interpretierte Kurt fälschlicherweise als die gewollte Reaktion auf seine Drohung. Er wurde versöhnlicher.

»Das muss aber alles nicht sein. Halt du mir die Holgersons vom Leib. Lass andere den Kopf verlieren. Dann wäre ich dir unter Umständen sehr dankbar.«

Er umarmte mich, ging wieder auf Abstand und lächelte.

»Und wenn du *mir* den Gefallen nicht tun willst – tu ihn meiner Schwester. Die scheint dich ganz attraktiv zu finden.«

Selbst seine Schwester war für ihn also nur Mittel zum Zweck. Was für ein Arschloch.

»Ich … denk drüber nach. Vielleicht kann ich da ein paar Dinge regeln. Dafür brauche ich aber etwas Zeit. Reicht es, wenn ich dir bis morgen sage, wie ich dir helfen kann?«, stammelte ich mit viel Überwindung in seine Richtung. Nicht weil ich Angst vor Kurt gehabt hätte, sondern weil sein widerlicher Geruch nach der Umarmung nun auch an mir haftete.

»Gut. Morgen. Morgen will ich von dir einen Plan haben, wie du mir die Holgersons vom Hals hältst. Sonst bist du dran.«

Kurt bestieg seinen Elektroroller und fuhr davon.

Ich fand die ganze Situation völlig absurd. Grundlose Umarmungen waren mir ebenso suspekt wie begründete Drohungen.

Es gab also keinen Zweifel, dass Kurt der Erpresser war. Ich hatte allerdings immer noch nicht die leiseste Ahnung, warum. Dass er mir nun auch noch begründet mit den Holgersons drohte – anstatt ich ihm unbegründet –, gefiel mir überhaupt nicht. Mit dieser Auffassung war ich nicht allein.

»Ich glaube nicht, dass wir das ohne achtsames Morden hinkriegen«, meldete sich mein inneres Kind.

»Bitte?«

»Na, der Typ läuft ja offensichtlich Amok. Bevor Kurt alles zerstört, was uns etwas bedeutet, sollten wir vielleicht lieber Kurt zerstören.«

Ich musste an Joschka Breitners Erklärung denken, dass Kinder im Exzess leben. Sie wollen alles oder nichts. Auf Kurts inneres Kind schien das auch vollumfänglich zuzutreffen. Es wollte entweder alles erreichen oder alles zerstören. Mein inneres Kind hingegen schien diesbezüglich schon ziemlich reif zu sein. Es wollte achtsam morden. Ich war es, der nicht mehr morden wollte.

Aber ich hatte keine Ahnung, wie ich um die Ermordung Kurts herumkommen sollte.

Ich brauchte jetzt erstens sehr zügig einen Plan, wie ich das ganze Polizei-Holgersons-Drohszenario von Kurt aushebeln konnte. Dafür musste ich aber zweitens endlich in Erfahrung bringen, welches Motiv Kurt eigentlich hatte, Boris so zu hassen, dass wir ihn misshandeln und töten sollten.

Für Ersteres wollte ich wie geplant raus in den Wald, um mir beim Joggen in Ruhe Gedanken machen zu können. Um Letzteres herauszufinden, sollte ich allerdings zunächst einmal runter. In den Keller.

38 VERSTEHEN

»Mit dem Wissen über Ihr eigenes inneres Kind wird es Ihnen auch leichterfallen, andere Menschen zu verstehen. Ihr Gegenüber mag ein Arschloch sein. Aber Arschlöcher haben eben auch innere Arschlochkinder.«

JOSCHKA BREITNER,
»DAS INNERE WUNSCHKIND«

SASCHA LIESS SOFORT alles stehen und liegen, um mich beim Boris-Besuch zu begleiten. Die Tatsache, dass Kurt uns wegen der Holgersons Druck machte, erfreute ihn genauso wenig wie mich. Aber immerhin konnten wir uns genau deshalb nun sicher sein, dass Kurt unser Erpresser war. Wir wussten nur nicht, warum. Gemeinsam wollten wir von Boris erfahren, was ihn mit Kurt jenseits des Mietverhältnisses verband.

Ich öffnete das Vorhängeschloss an der Gefängnistür und zog sie auf. Es war kurz nach neun, und Boris schlief noch. Sascha schaltete das Licht an. Ich beugte mich zu Boris, um ihn zu wecken.

»Hey, Boris. Aufwachen!«

»Lass mich. Ich träume.«

»Wenn du auch in Zukunft noch mit Kopf träumen willst, solltest du jetzt aufwachen.« Sascha trat gegen das Bett, Boris rappelte sich auf.

»Ihr ...« Er hielt inne und fing an zu schnuppern. »Was stinkt hier so? Hey ... Das ist der widerliche Geruch von dem Typen, der mich betäubt hat.« Boris schaute mich an und roch an meinem Hals. »Und du willst mir erzählen, du steckst nicht dahinter?«

»Dann hätten wir das also geklärt. Wir wissen jetzt, wer hinter deiner kurzfristigen Befreiung steckt. Der Typ, der mich vorhin umarmt hat«, stellte ich fest.

»Hat der Typ auch einen Namen?«, wollte Boris wissen.

»Kurt Frieling«, klärte ich ihn auf.

Boris überlegte. »Sagt mir nichts. Wer soll das sein?«

»Hat ein Bürogebäude von dir gemietet«, sagte Sascha.

»Wenn ich mir alle Namen meiner Mieter merken könnte, würde ich damit bei *Wetten, dass ...?* auftreten.«

»Selbst wenn es die Sendung noch gäbe, würde dich die Kellertür daran hindern«, konnte ich mir nicht verkneifen zu bemerken.

Sascha holte sein Smartphone hervor. Er hatte ein Foto von Kurt aus dessen Homepage kopiert und zeigte es Boris.

»Vielleicht hilft dir das weiter. So sieht der Typ aus, dessen Parfüm dir nicht gefällt. Er hat dich aus dem Keller geholt, betäubt und ins Lillifee-Gartenhaus gesteckt.«

Ich verlor langsam die Geduld. »Und er will, dass wir dir bis Freitag den Kopf abschneiden. Also: Kennst du ihn, oder kennst du ihn nicht?«

Boris schaute sich das Foto irritiert an. »Wie heißt der noch gleich?«

»Kurt Frieling.« Sascha und ich riefen es fast zeitgleich.

Auf einmal machte es »klick« bei Boris.

»Ich fasse es nicht. Das ist Dreißig-Sekunden-Kurti. Zwanzig Jahre älter und bestimmt dreißig Kilo schwerer. Aber klar: Den kenne ich. Das gibt's ja gar nicht. Dieser Idiot steckt dahinter?«

»Wieso Dreißig-Sekunden-Kurti?«, wollte Sascha wissen.

»Woher kennst du ihn?«, wollte ich wissen.

Und Boris klärte uns beide auf.

»Der war vor zwanzig Jahren Stammkunde in unserem ersten Bordell.«

»Mit dem Wissen, wer unter welchem Namen in den letzten

zwanzig Jahren in deinen Bordells gebumst hat, könntest du viel eher bei *Wetten, dass ... ?* auftreten«, stellte Sascha staunend klar.

»Weiter«, forderte ich Boris auf. »Warum kannst du dich an Kurt erinnern?«

»Vor zwanzig Jahren hatten Dragan und ich unser erstes richtig großes Bordell eröffnet. Feiner Laden. Topdiskret. Topmädels. Superservice zu Toppreisen. Eigentlich eher ein Theater als ein Puff. Die Mädels konnten jedem einzelnen Kunden so dermaßen die große Liebe vorspielen, dass die meisten Freier sehr schnell Stammkunden wurden. Aber unter diesen Stammkunden stach einer ganz besonders hervor. Der da. Dreißig-Sekunden-Kurti.«

»Was war an ihm besonders?«, fragte ich.

»Er war mindestens einmal in der Woche da. Manchmal sogar öfter. Immer beim selben Callgirl. Der war bis über beide Ohren verliebt. Er brachte irgendwann sogar Blumen mit. Rosen. Für eine Nutte!«

»Und wieso der Name? Dreißig-Sekunden-Kurti?«, interessierte sich Sascha immer noch.

»Weil er nicht nur mehrmals in der Woche kam, sondern auch immer gleich nach dreißig Sekunden.« Boris musste bei der Erinnerung lachen. »Aber er hat uns ordentlich Kohle gebracht, das war unglaublich. Und seine Liebesdame musste ihm eigentlich nur ihre Brüste zeigen, da war der eigentliche Teil des Jobs aufgrund einer Spontanentladung schon erledigt. Den Rest der Zeit wollte Kurti dann nur noch reden. Er hat sogar Zukunftspläne mit der Hure geschmiedet. Unter dem Gesichtspunkt war es fast schade, dass sie den Job aufgegeben hat.«

»Wieso hat sie das getan?«

»Weil eine Frau keine anderen Männer mehr vögelt, wenn sie mit mir verheiratet ist. Auch nicht gegen leicht verdientes Geld.«

»Kurts Lieblingsnutte war ...«, folgerte ich.

»Annastasia. Die ich geheiratet habe. Richtig«, bestätigte Boris.

Auf einmal ergab alles einen Sinn. Selbst das bescheuerte Tattoo auf Kurts wabbeligem Oberarm. Mit dem Schriftzug »Anna«. Kurt hatte sich in Annastasia verliebt. Das war die unglückliche Liebe, von der Laura erzählt hatte. Annastasia hatte ihren Job aufgegeben, weil Boris, ihr Chef, sie geheiratet hatte. Kurt allerdings hatte seine Gefühle ganz offensichtlich nicht aufgeben können.

Und dann wurde Annastasia von Boris enthauptet. Weil er sie dabei erwischt hatte, wie sie ihn mit Dragan betrog. Die Tat konnte Boris nie nachgewiesen werden. Der Verdacht ging aber wochenlang durch die Presse.

Kurt hatte nicht nur seine vermeintlich große Liebe an einen anderen Mann verloren. Dieser Mann war auch noch schuld, dass Kurts große Liebe anschließend den Kopf verloren hatte.

Deutlicher als mit dem Absägen von Annastasias Kopf hätte Boris Kurt gar nicht zeigen können, dass ihm seine Wünsche vollständig egal waren.

Dass auch die lebende Annastasia Kurt mit ihrem Kopf die ganze Zeit lang nur nach Strich und Faden verarscht haben könnte, kam Kurt wiederum offensichtlich nicht einmal als Gedanke in den seinen. Armer Typ.

Kurt, der seit dem Verlust seiner großen Liebe allen Menschen misstraute und außer seinem Patenkind Max und seiner Schwester offensichtlich keinerlei Sozialkontakte hatte, erfuhr durch Zufall von Max, dass im Keller des Kindergartens ein Lippenmonster wohnt. Risikobereit und von sich selbst gelangweilt, bricht Kurt nachts in den Keller ein, um nachzuschauen, was sein Patenkind wohl entdeckt haben mochte. Er findet die Zellentür im Heizungskeller, leuchtet hinein und sieht dort ausgerechnet den Mann liegen, der ihn vor Jahren um sein Lebensglück gebracht hatte.

Kurt braucht ein paar Tage, um einen Racheplan auszuarbeiten. Er will sich nicht bloß an Boris rächen. Er will sich an der ganzen Welt rächen. Also baut er auch Hinz und Kunz für die Drecksarbeit in seinen Racheplan mit ein. In diesem Fall Sascha und mich. Wahrscheinlich hatte selbst der Wochentag, an dem wir Boris enthaupten sollten, eine in Kurts Wahnsinn nachvollziehbare Begründung.

»Weißt du noch, an was für einem Wochentag du Annastasia den Kopf abgesägt hast?«, fragte ich Boris.

»Klar. An einem Freitag. Passenderweise ein Dreizehnter.«

Daher also Kurts Fixierung auf den Freitag.

Ich konnte Kurts Rachewunsch sogar verstehen. Zumindest mit dem Wissen, dass sicherlich auch Kurt über ein inneres Kind verfügte. Ein Kind, das von seinen Eltern mit dem Satz »Du darfst unsere Fehler ausbaden« geprägt wurde. Kurt durfte es ausbaden, dass seine Eltern völlig ungeplant Laura bekommen hatten. Seine Wünsche nach unbeschwerter Jugend waren egal. Und genau auf diesen blauen Fleck von Kurts innerem Kind hatte Boris gedrückt.

Kurt durfte Annastasias Fehler ausbaden, dass sie Boris geheiratet hatte. Sein Wunsch nach großer Liebe war egal.

Kurt durfte Annastasias Fehler ausbaden, dass sie Boris mit Dragan betrog. Sein Wunsch, wenigstens die heimliche Affäre zu sein, war egal.

Und Kurt durfte Boris' Fehler ausbaden, dass Boris Annastasias Kopf abgesägt hatte.

Sein Wunsch, dass das Herz seiner großen Liebe überhaupt nur schlug, war egal.

Nach Kurts Verständnis zahlte er für die Missachtung seiner Wünsche durch alle Menschen, die sein Leben beeinflusst hatten, seit über zwanzig Jahren mit seiner völligen Beziehungsunfähigkeit. Und das schrie nach Rache. Klar.

Nach meinem Verständnis war Kurt also gar nicht an der Situation schuld, in der sich Sascha und ich gerade befanden. Auch Boris war daran nicht wirklich schuld. Boris war nur der Auslöser. Die eigentlich Schuldigen waren Kurts Eltern. Die hatten sein inneres Kind schließlich geprägt. Aber Kurts Eltern waren auf den Kanaren. Somit keine große Hilfe. Boris stand unter dem Schutz meines inneren Kindes, war also auch nicht haftbar zu machen. Blieb also nur noch Kurt, der die Konsequenzen für seine Erpressung letztendlich dann doch tragen musste. Und bei allem Verständnis: Ich war nicht Kurts Therapeut. Sondern in diesem Fall nur der Typ, der nicht für Kurt den Kopf von Boris absägen wollte. Mein inneres Kind jedenfalls wollte sich nicht vorschreiben lassen, wen es tot sehen wollte. Auch nicht vom inneren Kind eines anderen. Und wenn Wunsch gegen Wunsch steht, sticht der Wunsch des eigenen inneren Kindes.

So oder so: Freitag war schon übermorgen.

39 MONOTONIE

»Gerade beim Ausführen monotoner Bewegungen können
Sie sich achtsam in der Gegenwart verankern. Beim Laufen,
Tanzen oder Schwimmen achten Sie auf Ihr Laufen, Tanzen oder
Schwimmen. Sie sind gedanklich genau bei dem, was Sie im
Moment des Denkens tun. Gehen Sie zunächst mit dem Geist
in die Monotonie der Tätigkeit. Verbleiben Sie in diesem für
den Geist entspannenden Zustand, solange Ihre Seele das will.
Wenn Ihr Geist diese Verankerung spürt, wird er irgendwann
ganz natürlich loslassen. Ihr Körper bewegt sich wie in Trance
von selbst. Ihr Geist ist frei für Neues.«

JOSCHKA BREITNER,
»ENTSCHLEUNIGT AUF DER ÜBERHOLSPUR –
ACHTSAMKEIT FÜR FÜHRUNGSKRÄFTE«

WIR HATTEN GERADE einmal zehn Uhr. Bis zu meinem Treffen mit Katharina am Nachmittag hatte ich noch jede Menge Zeit. Jetzt war erst einmal der Wald dran.

Ich parkte meinen Defender am Rand des Wildgeheges. Ich brauchte Natur um mich herum. Und Bewegung. Mein inneres Kind musste ich derweil nicht wie andere joggende Eltern ihre äußeren im Sportbuggy vor mir herschubsen. Es konnte sich selbstständig durch meine Augen die Rehe angucken. Oder mir helfen.

Meine vor ein paar Wochen zum Laufen entdeckte Strecke rund um das Wildgehege schien mir für ein paar Befreiungsrunden ideal. Eine Runde betrug fast exakt zwei Kilometer.

Ich stieg aus dem Wagen aus und legte mein Handy ins Handschuhfach. Ich joggte sehr konservativ. Ich trug keine Uhr. Keinen Pulsmesser. Kein Vitalfunktionen speicherndes Armband. Trotzdem hatte ich keinen Mangel an Informationen. Ganz im Gegenteil. Das Letzte, was ich beim Laufen brauchte, war noch mehr Input. Ich trug meinen Kopf. Der hatte mehr als genug Informationen in sich.

Ich joggte auch nicht in geruchsneutraler Mikrofaser-Sportwäsche. Die zwar angeblich nicht nach Schweiß stank, dafür aber umso penetranter nach geruchsneutraler Mikrofaser-Sportwäsche. Ich trug zum Laufen für gewöhnlich eine Baumwollhose, ein

T-Shirt, einen Kapuzenpullover und eine Wollmütze. Ich lief so, wie Rocky in *Rocky I*. Nur mit weniger Muskeln. Aber mit dem gleichen Ziel. Ich hatte keine Ahnung, wie ich aus dem Schlamassel, das ich mir da eingebrockt hatte, als Sieger hervorgehen sollte. Aber ich wollte auf dem Weg dahin alles geben. Anstatt Schweinehälften im Kühlhaus zu verprügeln, würde ich halt an einem Rudel noch voll funktionsfähiger, zusammengesetzter Wildschweinhälften jenseits des Zauns vorbeilaufen.

Ich schloss meinen Wagen ab, fädelte den Wagenschlüssel an ein Lederband und hängte mir das Band um den Hals. Ich startete mit einem leichten Trab. In zwei Monaten Training war mein Körper bereits auf das konditioniert, was nun ganz automatisch geschah. Ich dachte nicht darüber nach, einen Fuß vor den anderen zu setzen. Ich tat es einfach. In stetiger Wiederholung. Der Automatismus des Laufens beruhigte mich. Nach einer halben Runde um das Wildgehege fing ich an zu schwitzen. Das tat gut. Nach der ersten vollen Runde fing mein Kopf an, getrennt vom Körper die Umgebung wahrzunehmen. Ich hatte das Gefühl, als säße mein Gehirn anstrengungslos auf meinem Rumpf und wurde bequem durch die Landschaft transportiert. Ein bisschen wie Bahnfahren erster Klasse. Nur ohne Angst vor Verspätungen.

Nach anderthalb Runden fing mein Gehirn ohne jeden Druck an, Problem-Tetris zu spielen. Ein Problem nach dem anderen fiel langsam aus meinem Kopf auf die imaginäre Gedanken-Spielfläche. Die Probleme hatten Namen. Sie hießen Kurt, Holgersons, Peter, Boris und Katharina. Jedes Problem war anders geformt. Jedes Problem konnte ich im Fallen drehen und ablegen, wo ich wollte. Wie bei Tetris griffen einige Probleme ineinander und wurden eins. Wie bei Tetris blockierten sich andere. Und ich hegte die Hoffnung, dass sich einige Probleme vielleicht auch gegenseitig auflösen würden. Das Schöne war: Ich hatte beim Laufen Zeit. Probleme, die bei einem Durchgang Problem-Tetris klemmten, wurden von mir in einem nächsten Durchgang einfach anders gedreht.

Das größte Problem war Kurt. Kurt hatte Sascha und mich in der Hand. Selbst wenn er nicht in Amoklaune geradewegs zur Polizei gehen würde. Er könnte der Polizei auch anonym von Boris erzählen. Dann säßen wir im Knast. Er könnte Boris' oder Dragans Leuten von Boris erzählen. Dann wären Sascha und ich tot. Oder er könnte den Holgersons erzählen, warum bei ihrem verstorbenen Familienmitglied ein Ohr fehlte. Aber nichts davon wollte er wirklich. Er wollte in erster Linie Rache an Boris nehmen. Und das konnte er nur, solange er das Wissen über ihn nicht aus der Hand gab.

Die Holgersons würden nur dann ein Problem werden, wenn sie wüssten, dass ich hinter dem Tod ihrer beiden Familienmitglieder stand. Dass konnten sie aber nur über Kurt erfahren. Damit hingen diese beiden Probleme zusammen.

Kurt könnte natürlich auch der Polizei von dem Ohr erzählen. Die Polizei verlangte allerdings – anders als wahrscheinlich die Holgersons – Beweise. Kurt hatte nur Fotos von dem Ohr. Das Ohr selber hatte ja eine Katze gefressen.

Das nächstkleinere Problem hieß Peter. Peter war dafür allerdings ein doppeltes Problem. Einmal in Bezug auf die Ermittlungen in Sachen toter Kellner. Und dann in Bezug auf ein mögliches Geständnis von Kurt. Zum Glück hielt Peter Kurt für einen Idioten. Das konnte man nutzen.

Boris würde immer ein Problem darstellen. Solange er lebte.

Katharina war ein Problem, solange sie dachte. Jedenfalls solange sie dachte, ich würde sie betrügen. Aber sie klang am Telefon gestern ganz vernünftig. Ich musste das Gespräch mit ihr heute Nachmittag abwarten. Das Problem Katharina konnte ich also beim Laufen aus dem Spiel herausnehmen.

Kurt und Boris könnte ich umbringen. Damit wären zwei Probleme gelöst.

Diese Lösung scheiterte allerdings an einem ganz anderen Problem:

Ich wollte nicht mehr töten.

»*Du vielleicht. Aber was ist mit mir?*«, meldete sich mein inneres Kind zu Wort. Anscheinend hatte es genug vom Rehegucken. Ich stockte leicht in meinem Lauf.

Ich hatte bei Herrn Breitner gelernt, dass die Interessen des inneren Kindes nicht immer deckungsgleich waren mit denen des Erwachsenen. In diesem Fall standen sich die Interessen diametral entgegen. Ich wollte eine gewaltfreie Lösung. Mein inneres Kind präferierte eine Lösung mit Toten. Wobei es ein weiteres Problem gab.

»*Und was ist mit Boris*«, hakte ich daher nach. »*Würdest du den inzwischen auch töten?*«

»*Wir töten Boris nicht!*«, war die eindeutige Antwort.

Die Kunst war es nun, einen Interessenausgleich zu schaffen. Das innere Kind sollte sich geborgen fühlen. Der Erwachsene sollte dabei aber nicht in seiner Freiheit eingeschränkt werden.

Ich verfiel wieder in meinen lockeren Laufschritt und brachte hundert Meter Rotwild hinter mich.

Ich wollte nicht töten.

Aber Kurts und Boris' Tod würde beide Probleme lösen.

Mein inneres Kind wollte Tote.

Aber es wollte Boris nicht töten.

Waren das wirklich unvereinbare Gegensätze?

Solange ich weder selber töten noch den Befehl dazu geben

musste, sollte mir der Tod anderer Menschen zum Wohle meines inneren Kindes egal sein. Und mein Kind wollte nicht, dass wir Boris töten. Wenn jemand anderes Boris aus freien Stücken töten würde, sähe die Sache schon anders aus. Getötet zu werden gehörte zu den Berufsrisiken eines Mafia-Chefs. Hätte mir mein Vater Tapsi nicht weggenommen, hätte ich auch keine Garantie gehabt, dass die Katze nicht zwei Tage später von einem Auto überfahren worden wäre. Vielleicht wurde sie das ja sogar. Wer aber sollte Kurt und Boris aus eigenen Stücken töten? Also außer Kurt und Boris sich selber gegenseitig …

Ich stutzte. Das könnte es sein!

Aber wie?

Das stellte ich erst einmal hintan. Erst mal weiter ordnen.

Die Holgersons waren bislang das kleinste Problem. Sie schienen bislang überhaupt keine Ahnung von mir zu haben. Und nichts sprach dafür, dass sich das in absehbarer Zeit ändern würde. Waren Kurt und Boris erst einmal kaltgestellt, gab es sowieso nichts mehr, was mich mit den Holgersons verbinden würde. Bis auf die frei erfundene Geschichte von Boris und dem goldenen Kind. Aber die Geschichte kannte nur Walter. Wenn also Kurt, Boris und das goldene Kind einfach gemeinsam auf Nimmerwiedersehen irgendwohin verschwinden würden? Vielleicht auf eine Farm? Dann wären meine Probleme mit Kurt, Boris und den Holgersons auf einen Schlag gelöst.

Dann blieben nur noch Peter und Katharina als Problem übrig.

Katharina würde ich heute Nachmittag treffen. Peter hatte Zeit bis zum Wochenende.

Ich konnte die nächste Runde um das Wildgehege also dazu nutzen, mit meinem inneren Kind kreativ zu werden.

»*Lust auf eine neue Runde kreativer Problemlösung?*«, fragte ich mein inneres Kind.

»*Ja, aber bitte mit leicht geänderten Spielregeln!*«, kam die Antwort.

Ich wurde neugierig.

»*Wir spielen nicht wie sonst mit den Dingen im Umkreis von zwei Metern. Wir spielen mit den Informationen im Umkreis von zwei Tagen.*«

Ich war ehrlich überrascht. »*Wieso?*«

»*Weil es im Umkreis von zwei Metern bloß ein Wildgehege gibt. Boris könnte Kurt zwar mit einem Wildgehege-Zaunpfahl erschlagen. Und Kurt könnte vorher ein Wildschwein so wütend gemacht haben, dass es Boris nach dem Mord an Kurt sofort tödlich überrennt. Dafür müssten aber beide erst einmal hierhergebracht und die Leichen anschließend wieder beseitigt werden. Das betrachte ich beides mal als unpraktikabel.*«

Ich war in erster Linie baff, dass mein inneres Kind bereits mit den im Umkreis von zwei Metern vorhandenen Gegenständen überhaupt zwei Morde planen konnte.

»*Und was nützen uns die Informationen im Umkreis von zwei Tagen? Wie bekommen wir mit denen Kurt und Boris an einem privaten Ort zusammen?*«

»*Nun*«, fing das Kind in mir an, »*sehen wir doch einmal. Kurt wird von der Polizei für einen Idioten gehalten. Er hat eine schlecht laufende, aber gut feuerversicherte Firma. Er glaubt, seine Firma und er würden von einer rachsüchtigen Großfamilie beobachtet werden. Sein einziger Sozialkontakt außer seiner Schwester und Max ist sein neuer bester Hass-Freund: sein Anwalt.*«

Und so sah ich, Stück für Stück, durch die Augen meines inneren Kindes, zahllose kleine Puzzleteilchen, die sich durch das richtige Aneinanderschieben zu einem wunderbar schlüssigen Plan zusammenfügten. Mit Hilfe zahlreicher, für sich allein belangloser Informationen der vergangenen zwei Tage ergab sich das Gesamtbild einer Lösung. Es gab tatsächlich einen gangbaren Weg, wie sich Kurt und Boris, von der Außenwelt unbemerkt, aber für die Außenwelt schlüssig, gegenseitig ausschalten konnten.

Dazu gehörte allerdings, dass Kurt heute Abend nicht in seiner Firma wäre. Und deswegen musste ich direkt nach dem Joggen Laura anrufen. Und sie gegen meinen Willen um ein Date bitten. Jedenfalls insoweit gegen meinen Willen, als ich mich zu diesem Zeitpunkt noch nicht mit Katharina ausgesprochen haben würde.

40 MORAL

»Moral ist etwas seit der frühesten Kindheit Erlerntes.
Ihr inneres Kind ist somit eine moralische Instanz. Wenn Sie
die Glaubenssätze Ihres inneren Kindes überschreiben,
werden sich auch dessen Moralvorstellungen ändern.
Und das hat wiederum Einfluss auf Ihre eigene Moral. Das mag
irritierend sein. Aber es ist es wert, sich darauf einzulassen.«

JOSCHKA BREITNER,
»DAS INNERE WUNSCHKIND«

»DASS KURT UND Boris sich gegenseitig umbringen sollen, weil wir nicht mehr morden wollen, leuchtet mir ein …« Sascha war schon immer ein Mensch mit einer schnellen Auffassungsgabe gewesen. »Aber warum soll ich vorher noch Kurts Firmenzentrale abfackeln?«

Ich ließ mir mit der Antwort Zeit. Ich stand Sascha im Kindergartenbüro gegenüber und trank einen Schluck hervorragenden Espresso aus einer ziemlich teuren Siebträgermaschine, die wir gemeinsam mit dem Kindergarten übernommen hatten.

»Weil ich will, dass Kurt so verzweifelt ist, dass er mir blind vertraut, wenn ich ihm anschließend einen vermeintlichen Lösungsweg aufzeige. Einen Weg, der ihn direkt zu Boris führt«, erklärte ich.

»Brandstiftung als vertrauensbildende Maßnahme?«

»Klar. Kurt glaubt, er würde von den Holgersons bedroht. Deswegen hat er mich vorhin aufgesucht. Er wird also erst mal denken, die Holgersons stecken dahinter, wenn seine Firma plötzlich in Flammen steht.«

»Warum sollte Kurt nicht nach der Brandstiftung zur Polizei gehen und alles erzählen? Von Boris, dem Ohr und den Holgersons.«

»Erstens – weil die Rache an Boris sein Ein und Alles ist. Das gibt er nicht so einfach auf. Sobald er von Boris erzählt, wäre er

Boris los. Zweitens – weil Kurt nach seinem ersten Schock feststellen wird, dass die Polizei ihm eh nicht glauben würde. Kurt ist unterfinanziert, aber überversichert. Die Polizei wird also zunächst mal davon ausgehen, dass Kurt seinen verschuldeten Laden selber abgefackelt hat. Bei der Gelegenheit hätte ich eine rein technische Frage: Kann man aus einem gläsernen Mehrweg-Kaffeebecher einen Molotowcocktail basteln?«

»Aus allem, was Benzin aufnehmen kann und beim Aufprall zerspringt, kann ich dir einen Molotowcocktail basteln. Wieso?«

Ich stellte Sascha den in einem Frühstücksbeutel verpackten Mehrwegbecher, den Kurt vorhin im Hausflur abgestellt hatte, auf den Schreibtisch.

»Weil dann auf einem der Molotowcocktails der Brandstifter obendrein leider Kurts Fingerabdrücke drauf sein werden. Die Polizei würde Kurt also erst mal kein Wort in Bezug auf die Holgersons glauben. Das Verbindungsglied zwischen den Holgersons und Kurt ist lediglich ein einziges Ohr. Ein Ohr, das von Boris kommen sollte, von uns von einem der Holgersons abgeschnitten und dann von einer Katze gefressen wurde. Wenn Kurt das der Polizei genau so erzählen möchte … soll er! Das würde an seiner Situation nichts ändern, sondern ihm lediglich seine Chance auf Rache nehmen.«

»Also bleibst ausgerechnet du als Vertrauensperson übrig?«

»Kurt ist völlig soziophob. Der hat keinerlei Freunde. Der einzige Mensch, der ihm in der Situation helfen kann, bin mangels Freunden tatsächlich ich. Ich bin ja sogar schon mündlich als sein Anwalt mandatiert. Und mich hat er – wie er meint – in der Hand. Er wird davon ausgehen, ich helfe ihm da raus, um nicht selber unterzugehen. Du wirst sehen: Wenn seine Firma samt Wohnung abgefackelt ist, wird der hier heulend auf der Matte stehen und Schutz suchen. Er kann nirgendwo anders hin.«

»Es gibt Hotels.«

»Da ist er nicht sicher vor den Holgersons.«

»Er hat eine Schwester.«

»Deren Wohnung ist zu klein. Außerdem wird er zwar vielleicht seine Schwester, aber sicherlich nicht Max in Gefahr bringen wollen.«

»Und warum soll der Anschlag exakt nachts um dreiundzwanzig Uhr stattfinden?«

»Da hat die Spätschicht von CN-Mobility bereits Feierabend, und die Frühschicht ist noch nicht da. Alle Laster stehen auf dem Hof. An jeder Ladestation hängt ein Roller. Niemand ist auf dem Gelände, und Kurt ist um die Uhrzeit noch bei seinem Patenkind. Maximaler Schaden bei minimalem Risiko.«

»Wieso sollte Kurt um dreiundzwanzig Uhr bei seinem Patenkind sein?«

»Weil seine Schwester bei mir sein wird.«

Laura hatte vorhin sofort zugesagt, als ich sie für zwanzig Uhr bei mir in der Wohnung zum Essen eingeladen hatte. Mit Kochen, Essen und Reden und so waren wir mindestens drei Stunden beschäftigt. Wobei ich noch nicht wusste, wie weit das »und so« gehen würde. Ihr Bruder würde aber in jedem Fall zum Zeitpunkt der Brandstiftung bei Max sein. Und nicht in seiner Wohnung über seiner Firma. Ein schlafender Fünfjähriger wäre überdies bei der Polizei kein wirklich glaubwürdiger Entlastungszeuge.

Sascha fing an zu grinsen. »Du willst nur, dass ich aus dem Haus bin, damit du da oben aus rein egoistischen Gründen die Schwester unseres Erpressers befummeln kannst. Das will ich nicht unterstützen.« Sein Grinsen erstarb. »Außerdem bist du verheiratet. Also lass den Scheiß.«

Damit brachte Sascha alle tatsächlich existierenden moralischen Probleme auf den Punkt. Ich wollte mich mit Laura heute

Abend in erster Linie treffen, weil sie Kurts Schwester war. Insofern würde ich sie heute Abend aus egoistischen Interessen aus-
nutzen. Nicht aus sexuellen. Für ein ganz normales Date hatte ich
den Kopf einfach nicht frei. Nur deshalb konnte ich auch meine
jetzt schon vorhandenen Schuldgefühle gegenüber Katharina
einigermaßen unterdrücken – die mir grundlos bereits unterstellte, was ich erst heute Abend tun würde. Wenn auch aus gu-
tem Grund: Laura zu daten gehörte nun mal gerade zum Job. Nur
so war sichergestellt, dass Kurt nicht in der Firma war. Und dass
ich nicht aus Versehen wieder töten würde. Kurt zum Beispiel.
Außerdem würde ich durch Laura obendrein ein Alibi haben,
falls irgendjemand – Kurt zum Beispiel – auf die Idee käme, ich
hätte seinen Laden abgefackelt. Insofern war ich heute Abend ein
Stück weit in Lauras Hand. Laura konnte mich heute Abend aus-
nutzen. Wenn sie denn wollte.

Das moralische Problem des Dates mit Laura ließ sich somit
sehr sachlich erklären.

Interessanterweise sahen weder Sascha noch ich im Abfackeln
von Kurts Firma ein moralisches Problem. Lediglich ein logis-
tisches.

41 FEHLER

»Ihre Eltern mögen in Ihrer Kindheit Fehler begangen haben. Ihren Eltern werden diese Fehler wahrscheinlich in bester Absicht unterlaufen sein. Ihre Eltern haben Ihnen aber auch ein Geschenk gemacht, das Sie bis zu Ihrem Tod genießen sollten. Ihre Eltern haben Ihnen Ihr Leben geschenkt. Verzeihen Sie Ihren Eltern.«

JOSCHKA BREITNER, »DAS INNERE WUNSCHKIND«

DAS NAHENDE GESPRÄCH mit Katharina hatte zwei verschiedene Positionen eingenommen. Es stand mir bevor und lag mir im Magen. Ich hatte im Moment sicherlich relevantere Dinge zu tun, als mich gegen aus der Luft gegriffene Vorwürfe meiner getrennt von mir lebenden Ehefrau zu verteidigen. Zum Beispiel, mich gegen echte Erpressungen, echte Ermittlungen und echte lebensbeendende Veränderungen zu verteidigen. Und bei alledem meinem inneren Kind in der Partnerschaftswoche ein guter Verbündeter zu sein.

Aber ich hatte nicht nur ein inneres Kind, sondern auch ein äußeres. Gemeinsam mit Katharina. Und jedes äußere Kind ist die Keimzelle seines zukünftigen inneren Kindes.

Ich wollte zusammen mit Katharina alles unternehmen, um unsere Eheprobleme von Emily fernzuhalten. Um bei unserem realen Kind, Emily, zukünftige Probleme mit deren innerem Kind zu vermeiden.

Ich wollte, dass Katharina und ich bei allem Streit zumindest gute Eltern waren.

Während ich in meiner Wohnung auf Katharina wartete, ging mir immer ein Coaching-Gespräch mit Herrn Breitner durch den Kopf. Es begann mit einer Frage von mir.

»Der emotionale Zustand meines inneren Kind ist der Grund meiner Probleme als Erwachsener. Die Prägung meiner Eltern ist

393

der Grund für den emotionalen Zustand meines inneren Kindes. So weit richtig?«

Herr Breitner nickte.

»Wenn ich mich jetzt mit meinem inneren Kind versöhne, dann ist das ja schön und gut. Gleichzeitig habe ich seit dieser Erkenntnis aber einen riesigen Groll auf meine Eltern. Wie gehe ich damit um?«

»Mit Verzeihen.«

»Meine Eltern haben mir Jahre meines Lebens versaut, und ich soll denen verzeihen?«

»Stellen Sie sich vor, ich würde Ihnen einen Ferrari schenken und dann mit meinem Schlüssel einen fetten Kratzer über die ganze linke Seite ziehen. Wären Sie dann sauer auf mich?«

»Wegen des Ferraris oder wegen des Kratzers?«

»Sehen Sie! Sie könnten nicht das eine ohne das andere haben.«

»Was hat das mit meinen Eltern zu tun?«

»Ihre Eltern haben Ihnen Ihr Leben geschenkt. Und dann im Rahmen Ihrer Erziehung den ein oder anderen Kratzer in Ihrer Seele hinterlassen. Diese Kratzer bessern wir hier gerade aus. Dieses Coaching ist quasi das Pendant zur Ferrari-Lackierwerkstatt. Wenn wir hier fertig sind, haben Sie den Ferrari Ihres Lebens zurück. Erstmalig ohne Kratzer.«

Der Vergleich mit der Ferrari-Lackierwerkstatt erklärte zumindest mal die preisliche Ausrichtung von Herrn Breitners Stundensätzen.

»Okay. Bleibt die Frage, warum meine Eltern diese Kratzer nicht verhindert haben.«

»Genau diese Frage wird Ihnen Ihre Tochter in zirka dreißig Jahren ebenfalls stellen.«

»Und was ist dann die Antwort auf beide Fragen?«

»Das Leben hinterlässt Spuren. Nur wer nicht lebt, macht keine Fehler. Ihre Tochter wird sich mit hundertprozentiger Sicherheit auch später einmal fragen, warum Sie die Fehler bei ihr gemacht haben. Das lässt sich nicht vermeiden. Blöd wäre es nur, wenn Sie die Fehler Ihrer Eltern als Fehler erkennen und trotzdem die gleichen Fehler auch bei Ihrer Tochter machen. Sie sollten die Erfahrungen aus der Vergangenheit weitergeben. Nicht die Fehler der Vergangenheit erneut begehen. Seien Sie insofern dankbar für die Fehler, die Ihre Eltern bei Ihnen gemacht haben. Das sind die Fehler, die Sie Ihrer Tochter ersparen können.«

Breitners Worte weckten mein schlechtes Gewissen gegenüber meiner Tochter wegen meiner offensichtlich gescheiterten Beziehung zu meiner Frau.

»Wir bürden der Kleinen schon jetzt genug auf wegen unserer Trennung«, murmelte ich kleinlaut.

»Vielleicht ist das ja bereits einer der Punkte, die Sie besser machen als Ihre Eltern.«

»Wie meinen Sie das?«

»Gehen wir doch mal die Fakten durch, die Sie mir genannt haben.«

Herr Breitner zog einen Fragebogen aus einer Mappe auf dem Beistelltisch hervor. Mit persönlichen Familiendaten von mir. Ich hatte diesen vor Beginn meiner zweiten Stunde ausgefüllt. Bislang hatten wir nie darüber gesprochen.

»Ihre Eltern haben im August 1975 geheiratet?«

»Ja.«

»Sie sind im Dezember 1975 zur Welt gekommen. Und haben keine Geschwister.«

»Ja.« Ich hatte keine Ahnung, worauf Herr Breitner hinauswollte.

»Dann sind Sie also entweder direkt von der Gebärmutter in den Brutkasten gewandert, oder Sie sind fünf Monate vor der Hochzeit Ihrer Eltern gezeugt worden.«

»Was spielt das für eine Rolle?«

»Wann haben Sie geheiratet, und wann ist Emily zur Welt gekommen?«

»2011 geheiratet. 2016 geboren.«

»Sie hatten also fünf Jahre Zeit, um sich auf Ihr Wunschkind zu freuen. Ihre Mutter hatte vier Monate Zeit, um eine uneheliche Geburt zu vermeiden. Und weitere Wunschkinder sind anschließend nicht gekommen. Sie und Katharina haben offensichtlich aus Liebe geheiratet. Bei der Hochzeit Ihrer Eltern dürfte Ihre nicht geplante Ankunft eine nicht geringe Rolle gespielt haben. Wenn das nicht schon mal ein Unterschied ist.«

»Meine Eltern haben sich aber nicht getrennt.«

»Wenn sich die Eltern in Liebe trennen, kann das für ein Kind sinnvoller sein, als wenn die Eltern in Hass zusammenbleiben …«

Diese Coaching-Stunde hatte mir eine Menge Erkenntnisse gebracht in Bezug auf die Vorwürfe, die ich mir wegen Emily machte. Sie brachte mir aber noch keine Antwort auf die nun gerade ziemlich zentrale Frage:

Wie trennt man sich in Liebe von einer Frau, die einem bereits voller Hass unterstellt, man hätte eine Affäre?

Mein inneres Kind und ich standen kurz vor der Ankunft Katharinas sehr ratlos vor dem Problem meiner Ehe. Keiner von uns beiden ahnte, dass durch mein inneres Kind die Lösung des Problems bereits vorbereitet war.

42 GESCHENK

»Wenn Ihnen das Schicksal ein Geschenk macht, hinterfragen Sie es nicht. Es ist egal, warum etwas gut ist. Genießen Sie einfach, dass es gut ist.«

JOSCHKA BREITNER,
»ENTSCHLEUNIGT AUF DER ÜBERHOLSPUR –
ACHTSAMKEIT FÜR FÜHRUNGSKRÄFTE.«

MEIN EHEPROBLEM TAUCHTE um Punkt halb vier am Nachmittag in Form von Katharina auf. Es gab mal eine Zeit, zu Beginn unserer Beziehung, vor über zehn Jahren, da war ich vor Liebe und Verlangen nervös, bevor sie mich besuchte. Und vor Freude, weil ich nicht fassen konnte, dass sie mich begehrte.

Jetzt war ich nervös vor Angst. Und weil ich keine Lust auf diese unnötigen Streitereien und Vorwürfe hatte. Und weil ich nicht fassen konnte, was sie mir alles unterstellte. Schon komisch, welchen negativen Einfluss die Ehe auf die Gefühle der an ihr teilnehmenden Personen haben konnte.

Katharina klingelte. Ich öffnete die Tür. Katharina gab mir – zum ersten Mal seit Monaten – einen Kuss auf den Mund und nahm mich minutenlang still und liebevoll in den Arm.

Ich sagte nichts. Ich war einfach nur überrascht und baff. Ich erwiderte die Umarmung allerdings bereitwillig. Katharina beendete die ungewohnte Begrüßung.

»Auch ich muss mich bei dir entschuldigen«, eröffnete sie das Gespräch.

»*Wieso ›auch‹?*«, fragte sich mein inneres Kind zeitgleich mit mir.

»Ich …«, stammelte ich stattdessen ratlos in den Raum.

»Sag jetzt bitte nichts. Lass mich erst reden, okay?«

Katharina ging vor ins Wohnzimmer und setzte sich auf das große Lümmelsofa. Ich setzte mich neben sie und wartete ab.

»Ich muss mich zum einen bei dir entschuldigen, weil ich gestern noch einmal bei dir in der Wohnung war.«

Aha. Das war nicht weiter tragisch. Ich hatte ja keine Geheimnisse vor Katharina. Schließlich waren wir verheiratet. Warum also diese Entschuldigung – zum einen? Und – was war dann das andere? Aber ich hatte versprochen, Katharina zuerst reden zu lassen, und stellte deswegen keine Fragen.

»Emily wollte dich gestern nach dem Kindergarten besuchen, und ich war so in Gedanken, dass ich ganz vergessen hatte zu klingeln und einfach die Wohnung aufgeschlossen habe. Und als Emily durch die Wohnung rannte, um dich zu suchen, da ... hab ich deinen Brief gefunden.«

Welchen Brief?

»Der Entschuldigungsbrief, den du mir geschrieben hast, war das Liebevollste, was ich in den letzten Jahren von dir gehört habe.«

Ich hatte Katharina keinen Entschuldigungsbrief geschrieben. Ich hatte in den letzten Jahren an niemanden einen klassischen Brief geschrieben. Außer ... meinem inneren Kind. Ich schaute zum Esstisch. Auf dem gestern noch der Entwurf des Briefes an mein inneres Kind gelegen hatte. Ich hatte ihn nicht zusammen mit dem Ratgeber von Herrn Breitner ins Schlafzimmer gebracht, als ich den Frühstückstisch für Sascha und mich gedeckt hatte. Trotzdem lag er jetzt nicht mehr da. Die Fragezeichen in meinen Augen wandelten sich langsam in Ausrufezeichen. Katharinas Augen hingegen füllten sich mit Tränen.

»Ich habe keine Ahnung, was du mit Herrn Breitner in deinem Coaching besprichst. Aber du hast dich in den letzten Wochen stark verändert. Und du hast mit deinem Brief exakt das in Worte gefasst, was auch ich fühle, aber nicht so in Worte fassen kann. Ich möchte dir deinen Brief an mich deshalb gern vorlesen. Und ich möchte, dass du weißt, dass jedes einzelne Wort auch von mir so für dich gemeint ist.«

Katharina holte den Brief aus der Tasche und begann mit tränenerstickter Stimme vorzulesen:

»Es tut mir alles sehr leid. Ich habe dich so lange ignoriert und gar nicht gewusst, mit welchem Schatz ich seit Jahren mein Leben teile. Mir ist jetzt erst klar, wie sehr wir uns gegenseitig das Leben schwer gemacht haben. Ich möchte dich freilassen, ohne dich zu verletzen. Ich möchte, dass du dein eigenes Leben leben kannst. Mit mir als Freund. Nicht als jemand, der dich einengt. Das haben wir nun lange genug probiert. Ich sehe ein, dass das nicht funktioniert. Ich wünsche mir, dass du in Freiheit dein Glück findest. Vielleicht kann der Ballast unserer Vergangenheit das Fundament einer freien Partnerschaft werden ...«

Katharina heulte ungehemmt los. Ich nahm sie in den Arm. Wir weinten beide. Der Brief, der gar nicht an sie gerichtet war, schien uns beide zu vereinen. Herr Breitner hatte also recht: Die Versöhnung mit dem inneren Kind löst auch die Probleme in der Beziehung.

Mir war halt nur nicht ganz klar, wie Katharina das »Freilassen« deutete. Ich wollte ja gar nicht mehr Freiheit. Ich litt halt nur seit Monaten unter der fehlenden Nähe. Aber Katharina war noch nicht fertig.

»Und ich habe überhaupt kein Recht, dir wegen deiner Affäre Vorwürfe zu machen ...«

Ich habe überhaupt keine Affäre. Jedenfalls noch nicht, wollte ich gerade widersprechen, als Katharina erzählte, was sie sowohl mit dem »Freilassen« als auch mit dem anderen Teil, für den sie sich entschuldigen wollte, meinte.

»... denn ich habe ja selber seit drei Monaten eine Affäre. Puh. Jetzt ist es raus.«

Das Stimmengewirr in meinem Kopf war ohrenbetäubend. Und ich kann bis heute nicht mehr auseinanderhalten, welche innere Stimme von mir und welche von meinem inneren Kind da gerade um die Wette riefen. Das war am Ende auch egal. Die beiden Stimmen riefen das Gleiche.

» Wie bitte? Der Grund, warum du seit Monaten meine Wünsche nach Nähe ignorierst, ist ein anderer Mann? Und du redest mir die ganze Zeit ein, es läge an mir? An meinen Stimmungsschwankungen? Du schickst mich zum Achtsamkeitstrainer, weil du selbst nicht mit deinen Schuldgefühlen klarkommst, einen anderen Typen zu vögeln? Ich bin so was von wütend. Wütend. Wütend!«

Aber meine Wut war nur wie ein Strohfeuer. Schnell. Heftig knisternd. Und dann auf einmal vorbei. Das Strohfeuer meiner Wut vernichtete mit einem inneren *» WUSCH«* das ganze getrocknete Reisig monatelang nicht geäußerter Vorwürfe. Und auf einmal war da … Platz. Platz für neue, frische Gedanken. Mit mir war alles okay. Mit Katharina stimmte etwas nicht. Das war befreiend. Als die Wut verraucht war, fühlte ich, dass ich eines nicht war: verletzt. Und mein inneres Kind war es auch nicht. Ich war auch nicht eifersüchtig. Sollte sie doch eine Affäre haben. Ich fand meine Frau nach wie vor attraktiv und begehrenswert. Aber ich hegte keinerlei Besitzansprüche. In diesem Moment war mir klar, dass ich nicht mehr in sie verliebt war. Schon seit langer Zeit nicht mehr.

Und ich musste meiner Frau auf ihr Geständnis hin noch nicht einmal verzeihen. Das hatte ich ja schon mit dem Brief getan. Der gar nicht an sie gerichtet war.

Ich konnte ihr Geständnis einfach als das auffassen, was sie fälschlicherweise in meinen Brief an mein inneres Kind interpretiert hatte: als ein selbstloses Geschenk. Ein Geschenk, das das

Fundament einer neuen Beziehungsebene zwischen uns sein konnte. Ohne Vorwürfe. Ohne Ansprüche. Aber voller Vertrautheit.

Ich hatte an dieser Stelle die Wahl, all dies mit der richtigen Reaktion anzunehmen.

Oder mit der falschen Reaktion zunichtezumachen.

Ich sah Katharina an. Ich küsste sie auf die Stirn. Ich nahm sie in den Arm.

»Ich danke dir« war alles, was ich ihr sagte.

Ich dankte Katharina für all das, auf das ich gerade noch wütend war. Dass sie nun eine emotionale Nähe zuließ, die sie monatelang verwehrt hatte. Dass sie ihren Anteil an unseren Beziehungsproblemen zugab, den sie monatelang ignoriert hatte. Und vor allem, dass sie mich erneut zu Herrn Breitner geschickt hatte. Ohne diesen Anlass hätte ich nicht so schnell von meinem inneren Kind erfahren. Dem ich einen Brief geschrieben hatte. Den Katharina auf sich bezogen hatte. Weswegen wir uns in diesem Moment gerade versöhnten. Der Kreis schloss sich.

»Willst du gar nicht wissen, wer es ist?«, fragte mich Katharina.

Ehrlich gesagt war mir das völlig egal.

»Du bist mir keine Rechenschaft schuldig. Du bist frei. Aber wenn du mit mir als Freund darüber reden willst, dann kannst du es mir gern sagen.«

Katharina war mindestens genauso verwundert über die Größe meiner Antwort wie ich selber.

»Es ist … Oliver. Der Kollege aus der Versicherung, der in meiner Abteilung für mich eingesprungen war. Der … mit dem ich vorgestern essen war. Wir hatten uns schon vor Emilys Geburt immer ganz gut verstanden, aber da war nie mehr und …«

Hieß der Typ, mit dem sie essen war, Oliver? Katharina hatte mir da irgendwas von ihrer Vertretung erzählt. Ich hatte es, wie alles, was ihren Beruf anging, als uninteressant überhört. So wie jetzt gerade wieder. Katharina erzählte sich ihre Affäre von der Seele. Und es interessierte mich einfach nicht. Aber niemand kann verständnisvoller gucken als jemand, dem ein Thema inhaltlich völlig am Arsch vorbeigeht. So wie mir Katharinas Arbeitskollege Oliver. Ich hätte, glaube ich, auch eine Affäre mit einem Oliver angefangen, wenn Katharina so wenig Interesse an meinem Job zeigen würde wie ich an ihrem. Wobei ... Katharina *hatte* ja keinerlei Interesse an meinem Job gezeigt. Was nun aber auch völlig egal war. Wir hatten uns verziehen. Katharina hatte mir sogar meine Affäre mit Laura verziehen. Die ich noch gar nicht hatte. Ich konnte aber eine haben. Ab heute sogar ganz ohne schlechtes Gewissen. Irgendwie freute ich mich in diesem Moment auf den heutigen Abend.

»Keine Vorwürfe?«, fragte Katharina.

»Keine Vorwürfe. Lass uns das bleiben, was wir sind – gute Eltern.«

»Und das werden, was wir sein sollten – gute Freunde.«

Wir hatten uns freigelassen.

Und ich hoffte, dass ich diese Freiheit auch noch länger als bis zum nahenden Freitag genießen konnte.

43 ABLENKUNG

»Ihr mit Ihnen versöhntes inneres Kind ist im besten Sinne naiv.
Es ist Ihnen gegenüber gutgläubig und leicht ablenkbar. Nutzen Sie
das. Wenn Ihr inneres Kind an der Gegenwart rumnörgelt, erzählen
Sie ihm eine Geschichte.«

JOSCHKA BREITNER,
»DAS INNERE WUNSCHKIND«

LAURA UND SASCHA hätten sich beinahe noch im Hausflur treffen können. Was ohne jede Bedeutung gewesen wäre. Zwar waren beide Teile desselben Plans. Aber jeder der beiden hatte einen völlig unterschiedlich gelagerten Abendverlauf vor sich.

Sascha würde den Plan meines inneren Kindes umsetzen und das Betriebsgelände von Kurt nach allen Regeln der Kunst in Flammen aufgehen lassen. Liebevoll vorbereitet. Sensibel ausgeführt.

Ich hingegen würde improvisieren müssen. Ich musste Laura in jedem Fall so lange in meiner Wohnung beschäftigen, bis sichergestellt war, dass ihr Bruder Kurt seinen Babysitter-Job erst beendete, wenn seine Firma bereits lichterloh brannte.

So attraktiv ich Laura auch fand: Ich hätte gern mit Sascha getauscht. Er wusste, was er zu tun hatte. Ich hingegen ... Mein letztes richtiges Date hatte ich vor über zehn Jahren. Und zwar mit meiner jetzigen Ehefrau. Unterdessen hatten Katharina und ich uns »freigelassen«. Ich hätte meine neue Freiheit mit Laura auch genießen können – aber ich konnte nicht.

Erst wenn man nicht tun muss, was man nicht tun will, erst dann ist man wirklich frei. Und ich musste Laura an diesem Abend ablenken. Ob ich wollte oder nicht. Ich war nicht frei. Ich persönlich hätte den ersten Abend meiner harmonischen Trennung von meiner Frau wahrscheinlich sogar gern komplett allein verbracht. Nur mit mir und meinem inneren Kind. In stiller Erinnerung an eine vergangene Zukunft.

Aber ich konnte eben nicht. Weil meiner nahen Zukunft noch ein Vollidiot im Weg stand, den es aus dem Weg zu räumen galt. Und weil dessen Schwester gerade bei mir klingelte. Kurz nachdem ich Sascha das Treppenhaus nach unten hatte laufen hören und mitbekam, wie die Haustür ins Schloss fiel.

Ich betätigte den Türsummer. Ich hörte Laura die Treppen hochgehen.

Alles war so von mir vorbereitet, wie ich mir eine romantische Affäre als verheirateter Ehemann immer vorgestellt hatte. Auf dem Plattenspieler drehte sich eine Platte mit Balladen aus den Achzigern. Der große Kerzenleuchter im Wohnzimmer brannte. In der Küche waren alle Zutaten für das gemeinsame Kochen eines Drei-Gang-Menüs bereitgestellt. Ich war frisch geduscht und trug Jeans, T-Shirt und einen ziemlich neuen Pullover.

Die Wohnungstür war angelehnt. Laura klopfte, als sie davorstand. Ich zog sie auf. Laura sah umwerfend aus. Unkompliziert attraktiv. Eine zerrissene Jeans, die unterstrich, dass Laura alles tragen konnte. Oder nichts. Und sicherlich in beidem fantastisch wirkte. Sie hatte ihre Haare zu einem Zopf gebunden. Der hinten auf einen ausgewaschenen Militär-Blouson fiel. Den sie als Jacke über ein schlichtes weißes Hemd gezogen hatte. Unter dem man vorne am Rande des locker aufgeknöpften Ausschnittes ihren weißen Spitzen-BH sehen konnte. Ihre Füße steckten barfuß in ein paar Nike-Turnschuhen. In der einen Hand trug Laura einen großen Pizzakarton. In der anderen eine Flasche ihres Lieblings-Rioja. Ich gab ihr einen Kuss auf die Wange und schaute irritiert den Karton an.

»Hast du so große Zweifel an meinen Kochkünsten?«, fragte ich mit Blick auf den Karton.

»Ich hatte bloß nichts anderes zum Transportieren meines Gastgeschenks.«

Sie drückte mir den Karton und den Wein in die Hand. Ich schaute fragend von einer Hand zur anderen, weil ich ihr eigentlich aus der Jacke helfen wollte. Aber sie hatte ihren Blouson schon fallen lassen, mit dem Fuß hochgehoben und dann lässig an die Garderobe gehängt.

Der Inhalt des Kartons war schwerer als eine handelsübliche Pizza. Und kleiner.

»Jetzt klapp schon den Deckel hoch«, forderte Laura mich auf.

Ich stellte den Karton auf den Esstisch und öffnete ihn. Innen lag der Ikea-Spiegel »Fullen«. Ich musste lachen.

»Ich dachte, den kannst du vielleicht für dein Gäste-WC gebrauchen.«

Ich nahm Laura in den Arm. Sie erwiderte meine Umarmung genau die Sekunde zu lang, die sie von einer reinen Höflichkeitsumarmung unterschied.

Wir gingen in die Küche, ich öffnete den Rioja. Wir begannen zu kochen.

Auch Sascha hatte sich auf seinen Abend vorbereitet. Er hatte als Gastgeschenk für den abwesenden Kurt keinen Spiegel mitgebracht. Sondern fünf Molotowcocktails, eine Brechstange, einen großen Schraubenzieher und eine Spraydose Autolack. Er trug für sein Rendezvous schwarze Jeans, einen schwarzen Gebirgsjägerpulli sowie eine Sturmmütze, die lediglich Augen, Nase und Mund frei ließ. Dazu schwarze Special-Forces-Stiefel.

Sascha hatte bereits am Nachmittag alle für den weiteren Verlauf unseres Planes notwendigen Dinge im Baumarkt gekauft. Und dazu aus Transportgründen meinen Defender genommen. Zum Abfackeln der E-Roller-Firma war er dann wieder CO_2-bewusst mit seinem Kleinwagen unterwegs.

Während Sascha die Zutaten seines Abends am späten Nachmittag im Heimwerkerhandel erstanden hatte, war ich in der Asia-Abteilung des Supermarkts fündig geworden. Ich hatte eigentlich vor, das Essen mit Laura gemeinsam zu basteln. Asia-Sommerrollen als Vorspeise. Wok-Gemüse mit Hähnchen als Hauptgericht. Mit Liebe gekaufte Mousse-au-Chocolat-Gläschen als Nachtisch. Letztere waren nur noch zu öffnen. Aber die beiden anderen Gänge hätten wir zeitraubend selber kochen können.

Doch dazu kam es nicht.

Schon als ich die Salatblätter für die Sommerrollen waschen und Laura die noch trockenen Reisblätter zur Seite legen wollte, passierte es. Wir stießen zusammen. Mir entglitt der Salat. Laura warf die Reisblätter dem Salat hinterher. Wir küssten uns.

»*Lass das!*«, protestierte mein inneres Kind. »*Hier geht es nicht um dein Vergnügen mit Laura. Hier geht es um meine Rache an Lauras Bruder. Bleib professionell.*«

Joschka Breitner hatte mich darauf vorbereitet, dass das innere Kind seine Bockigkeit und seinen Egoismus nie komplett verlieren würde. Genau deswegen sei eine erste Partnerschaftswoche, in der ich mich mit jedem Wunsch meines inneren Kindes zumindest auseinandersetzen sollte, so wichtig. Nur so könne ich in der Praxis lernen, die Launen meines inneren Kindes mit der Zeit immer besser zu handhaben.

Ein Trick, mit der Bockigkeit des inneren Kindes zurechtzukommen, war die Fantasie. Wie echte Kinder waren auch innere Kinder mit einer tollen Geschichte abzulenken. Ich weiß nicht, wie oft ich Emily mit dem Satz »Schau mal, da vorne fliegt ein Einhorn!« aus Wutanfällen herausholen konnte. Gut – ich weiß es. Keine zehn Mal. Emily war ja nicht blöd. Aber zumindest funktionierte diese fantasievolle Ablenkung vom Prinzip her.

Als Erwachsener konnte ich den mich stressenden Gedanken durch eine Achtsamkeitsübung entkommen. Mein inneres Kind konnte ich aus der stressenden Situation am besten mit einer Gedankenreise entführen.

Herr Breitner hatte diesbezüglich einen sehr verständlichen Leitsatz entwickelt:

»Wenn Ihr inneres Kind an der Gegenwart rumnörgelt, erzählen Sie ihm eine Geschichte.«

Sofern ich in Gedanken eine Welt betrat, die meinem inneren Kind gefiel, würde ich die Emotionen meines inneren Kindes von der Welt ablenken können, in der ich mich gerade befand.

Und so verweilte ich zwar an diesem Abend körperlich bei Laura, war aber in Gedanken beim Attentat auf das Geschäft ihres Bruders.

Ich nahm nur peripher und mechanisch zur Kenntnis, dass Laura und ich uns bereits küssend auf dem Lümmelsofa befanden. Meine Hände unter ihrer Bluse.

In Gedanken konzentrierte ich mich auf das, was mein inneres Kind erleben wollte: Es wollte bei den Ereignissen auf dem Betriebshof dabei sein. Ich bemühte mich also, für mein inneres Kind das Hier und Jetzt mental zu verlassen und stattdessen in Gedanken in die Situation auf dem Betriebshof einzutauchen.

In der Realität glitt Lauras Hand gerade durch meinen geöffneten Reißverschluss in meine Hose, und ich befürchtete kurzzeitig, den Verstand zu verlieren.

In meiner Fantasie glitt Saschas Hand durch den Reißverschluss seiner Trainingstasche und näherte sich suchend der Farb-Spraydose, mit der eine Botschaft an die Wand gesprüht werden sollte.

Die Hand schob sich an den anderen Gegenständen vorbei, bis ihre kühlen, behandschuhten Fingerkuppen zärtlich die weiße Hülle der Dose berührten. Die ganze Hand umschloss, Vertrauen bildend, den länglichen Weißblechkörper. Fast wirkte es, als würde sich die gerade noch liegende Dose, die die letzten Monate unangetastet in einem Baumarktregal gelegen hatte, vor Freude selber in der Tasche aufrichten. Ja, diese Dose wollte leben. Die Hand zog die Dose zärtlich aus der Enge des Stoffgebildes heraus. Ein wissendes Augenpaar sah sich das Objekt seiner Begierde in Ruhe an. Bevor der Besitzer der Augen anfing, die Dose rhythmisch zu schütteln. Erst mit langsamen, ruhigen Bewegungen. Dann immer schneller. Mit jeder Armbewegung schien die Dose bereiter zu sein für ihren so lang ersehnten Einsatz. Im Inneren lösten sich wochenalte Verkrustungen. Bis die ganze Dose nur noch ein einziger Körper prall voll mit Flüssigkeit war. So unter Druck stehend, dass sie mit absoluter Gewissheit jede gewünschte Botschaft hinaus in die Welt schreien konnte.

Und dann geschah es: Die Hand, die die Dose gerade noch bis zur Besinnungslosigkeit geschüttelt hatte, hielt die Dose konzentriert nur Zentimeter vor einer glatten, sauberen, jungfräulichen Hauswand an und drückte voll sinnlicher Entschlossenheit auf den Druckkopf. Und die Dose entlud ihre Botschaft in Richtung Mauer:

RACHE!

Perfekt. Mein inneres Kind hatte sich während der Fantasiegeschichte kein einziges Mal über das beschwert, was Laura mit mir gerade in der Realität getan hatte.

Wie zwei Teenager lagen Laura und ich anschließend kichernd auf dem Sofa.

»Jetzt ich«, hauchte mir Laura ins Ohr.

»*Nicht schon wieder …* «, beschwerte sich mein inneres Kind dann doch.

Während ich Laura küsste, schob ich meine Hand unter ihre Jeans. Während meine Finger wanderten, wanderten auch meine Gedanken wieder auf den Betriebshof ihres Bruders. Das Kind in mir verlor das Interesse an Laura und erwartete gespannt zu erfahren, wie es Sascha wohl gelingen sollte, in das Gebäude einzudringen.

Um die Tür zum Büro zu öffnen, brauchte es kein Stemmeisen. Die Tür war bereit und willig, zärtlich geöffnet zu werden. Die Spitze des Schraubenziehers wanderte suchend am Rahmen entlang zum Türspalt. Sie hielt einen Moment inne und betastete ihn zärtlich. Dann drang der kleine Schraubenzieher keine zwei Zentimeter in die enge Ritze der Eingangstür. Mit ein paar gefühlvollen Bewegungen weitete die Spitze des Schraubenziehers den Türspalt, bis der ganze Schraubenzieher in die dunkle Öffnung gleiten konnte. Er tastete wissend in Richtung Schloss. Mit rhythmischen Bewegungen nach vorn und hinten brach der Schraubenzieher selbstbewusst die letzten schüchternen Zweifel des Türschlosses, bis dieses sich dem Drängen des harten Schaftes schließlich willenlos ergab und mit einem satten Schmatzen jeglichen Widerstand aufgab ...

Ich machte mir keine Sorgen mehr, dass Laura nicht lange genug bleiben würde. Weil ich mir über gar nichts mehr Sorgen machte. Und die Zeit völlig vergaß. Es war alles so unkompliziert. Es hatte nur zwei Gläser Rioja gedauert, dann lagen wir nicht mehr neben, sondern übereinander. Uns wild küssend.

Aber was immer wir da gerade machten – wir unterbrachen es. Nicht weil mein inneres Kind intervenierte, sondern um unsere Hosen auszuziehen.

Es gibt zwei Stellen, bei der jeder noch so flüssige Paarungsakt logistisch ins Stocken gerät. Das ist zum einen das Ausziehen der Hosen. Zum anderen das Überziehen eines Kondoms. Wenn eines Tages jemand eine Hose erfindet, die sich auf Knopfdruck, Pulsfrequenz- oder Hormonspiegelmessung automatisch in ein übergezogenes Kondom verwandelt, so wird dieser Jemand einen großen Absatzmarkt erschließen.

Während der ersten dieser beiden Pausen meldete sich mein inneres Kind bei mir.

»Vergiss nicht, warum wir das Ganze hier veranstalten.«

Ich konzentrierte mich also wieder auf das, was mein inneres Kind sehen wollte. Ich sah vor meinem inneren Auge einen bis zum Rand mit hochentzündlichem Benzin gefüllten Glaskolben, der heute Morgen noch zweckentfremdet ein Leben als Mehrweg-Kaffeebecher geführt hatte. Ich sah, wie über seinen beinahe schon überschwappenden Schaft ein Lappen gezogen wurde. Wie der Lappen mit geübten Fingerbewegungen auf dem Kopf des Bechers platziert wurde und bereits anfing, sich mit der brennbaren Flüssigkeit vollzusaugen. Ich spürte, wie der Lappen mit einem Gummiband am Becherrand fixiert wurde, damit er bis zur Explosion nicht verrutschte. Der Lappen wurde entzündet und stand sofort in Flammen. Ich merkte, wie eine Hand den Kolben ergriff, um ihn zu seinem Bestimmungsort zu führen. Ich spürte, wie der brennende Lappen und der Becher in einem zarten Bogen kurz zurückwichen, um dann mit Schwung in die Freiheit entlassen zu werden. Wie der Becher jeglicher Kontrolle entglitt und schwerelos durch einen dunklen Raum reiste, seinem Ziel entgegen, den Flug genießend. Das Lodern der Flammen des Lappens strich durch den Raum. Es erleuchtete schemenhaft zahllose Elektroroller unter sich. Die Flammen flogen einem Sicherungskasten entgegen, an dem alle Stromleitungen zusammenliefen. Der Becher traf. Er zerbarst in Hunderte von Teilen. Er entlud die ganze angestaute Energie. Ein halber Liter Benzin ergoss sich zunächst in alle Richtungen, um Sekundenbruchteile später vom Feuer des Lappens erfasst zu werden und die gesamte Wand auf einer Fläche von mindestens vier Quadratmetern in Brand zu setzen. Die Plastikverkleidung des Sicherungskastens bäumte sich kurz auf und zerschmolz dann willenlos unter der Hitze der Flammen.

Sascha verwendete an diesem Abend alle fünf Molotowcocktails. Um mein inneres Kind abzulenken, hätten mir zwei völlig gereicht. Aber ich konnte mit dem Ergebnis zufrieden sein. Kurts Firma brannte bis auf die Grundmauern nieder. Inklusive der Hälfte seiner Roller und zehn seiner fünfzehn Transporter. Niemand wurde verletzt. Das Wort »Rache« prangte in großen, verrauchten, roten Buchstaben innen auf der Mauer seines Betriebshofs.

Und Laura lag glücklich und erschöpft in meinen Armen. Bis ihr verblödeter Bruder um exakt dreiundzwanzig Uhr achtundzwanzig anrief.

44 UMWEGE

»Wenn der Weg das Ziel ist, ist auch jeder Umweg ein Teil
des Weges zu sich selbst.«

JOSCHKA BREITNER,
»ENTSCHLEUNIGT AUF DER ÜBERHOLSPUR —
ACHTSAMKEIT FÜR FÜHRUNGSKRÄFTE«

LAURA WAR MIT dem Fahrrad gekommen. Ich fuhr sie in meinem Defender zurück zu ihrer Wohnung. Erstaunlicherweise reagierte sie nicht im Geringsten besorgt, als Kurt ihr mitgeteilt hatte, dass sein Firmengelände in Flammen stand. Sie war eher sauer, dass unser schöner Abend damit vorzeitig endete.

»Typisch Kurt. Auf den war noch nie Verlass. Noch nicht einmal einen gemütlichen Vögel-Abend unter Kindergarteneltern kannst du mit dem planen.«

Über diese Bemerkung musste ich schon wieder lachen.

»Na ja, der Brand der Firmenzentrale ist vielleicht eine akzeptable Entschuldigung, oder?«

»Jede Katastrophe wäre als singuläres Ereignis eine Entschuldigung. Wenn die Katastrophen aber wie bei Kurt die Regel darstellen, verlieren sie irgendwann ihre argumentative Stärke.«

»Wie meinst du das?«

»Ach, Kurts ganzes Berufsleben ist ein einziger Reinfall. Schon mit Mitte zwanzig hat er sich von meinen Eltern 50 000 Mark geliehen. Angeblich für eine unschlagbare Geschäftsidee. Und dann hat er das Geld komplett durchgebracht. Bis heute weiß keiner, womit.«

Doch. Boris, Sascha und ich wussten das. Mit vielen Rosen und einer Nutte. Aber damit musste ich Laura nicht belasten.

»Und seitdem setzt er eine Geschäftsidee nach der anderen in den Sand. Er nennt das den ›schlauen Umweg‹. Immer einen Bogen mehr machen als die anderen. Darin liegt angeblich der Clou.«

Zum Beispiel einen verhassten Menschen, den er bei anderen Menschen im Keller findet, nicht bei der ersten Gelegenheit selber zu töten, sondern andere Menschen dazu zu zwingen, dass sie es taten.

»Was hatte Kurt denn sonst noch so für Umweg-Ideen?«

»Einen regionalen Biogemüse-Versand, einen E-Zigaretten-Verleih, ein Dating-Portal für Transgender … Alles völliger Irrsinn. Weißt du, warum er unbedingt einen E-Roller-Verleih aufziehen wollte?«

»Klär mich auf.«

»Weil er durch Zufall auf eine tolle Immobilie gestoßen ist, die er dann unbedingt haben wollte. Und zur Nutzung ist ihm dann nichts anderes eingefallen. Der Typ hat erst das Gelände gefunden und dann die passende Geschäftsidee dafür gesucht. Kein Wunder, dass seine Firma völlig überschuldet ist.«

Es war also gar kein Zufall, dass Boris Kurts Vermieter war. Das Einzige, was Kurt seit Jahren kontinuierlich verfolgte, war fast schon masochistisch die Nähe zu Boris zu suchen. Und sei es als Mieter. Was für ein Geschenk muss es für Kurt gewesen sein, Boris dann völlig unverhofft und zufällig in unserem Keller zu finden? Und was macht der Idiot? Geht den schlauen Umweg. Nun, wenn alles nach Plan lief, würde Kurt Boris in der Tat schon recht bald sehr nah kommen.

»Aber was seine Babysitterqualitäten angeht, vertraust du ihm?«

»Mit Kindern kann er. Auch wenn ich meine Wertsachen immer wegschließe, wenn er allein da ist. Seit letzter Woche fehlt mir ein Rezeptblock. Aber damit hat Kurt natürlich nichts zu tun. Sagt er.«

Daher hatte Kurt also das rezeptpflichtige Schlafmittel. »Ist er medikamentenabhängig?«

»Keine Ahnung. Vielleicht will er auch einfach nur Arzt spielen. Die Handschrift dazu hat er. Alles, was mehr als vier Wörter hat, schreibt er auf dem Computer. Weil nicht mal er seine Schrift lesen kann.«

Interessante Information.

»Das hört sich nach ziemlich viel Groll auf deinen Bruder an. Und ich dachte, eure Beziehung wäre so innig? Bester Patenonkel der Welt und so.«

»Meine Eltern haben mir 25 000 Euro dafür gezahlt, dass ich von Bayern wieder hierherziehe. Das war mein noch offener Studienkredit. Wie gesagt – Kurt hat vor zwanzig Jahren 50 000 Mark einfach so bekommen. Meine Eltern sind nicht aus freien Stücken nach Spanien ausgewandert – sondern vor Kurt geflohen. Sie wollten endlich ihre Ruhe vor ihrem seit Jahrzehnten volljährigen Sohn haben. Sie halten mit ihm nur noch schriftlichen Kontakt. Per Brief. Für meine Schuldenfreiheit habe ich ihn jetzt an der Backe. Dass er dafür ab und zu mal auf Max aufpasst, ist ja wohl das Mindeste.«

Es gab also auch Kinder, die seelische Verletzungen bei ihren Eltern hinterließen. Ich nahm mir vor, Herrn Breitner bei Gelegenheit nach der Existenz innerer Eltern zu fragen. Jedenfalls erklärte das mit den elterlichen Briefen die spanische Marke auf Kurts erstem Erpresserumschlag.

»Aber lass uns den schönen Abend nicht mit meinem Bruder beenden. Wofür hast du eigentlich die ganzen Maurersachen hinten im Wagen?«

Ich schaute kurz über die Schulter. Im Kofferraum lagen von

Saschas Shoppingtour noch einige Sack Zement, Ytong-Steine, Maurerputz, Wandhaken, Ketten, Vorhängeschlösser sowie Spachtel, Eimer und Kellen.

»Ich muss im Keller ein wenig sanieren. Die alte Ölheizung soll demnächst mal raus, und da kann ich auch gleich ein paar Schäden dahinter beheben.«

»Du bist mit deinen Händen offenbar vielseitig begabt«, sagte Laura und lächelte mich vielsagend an.

Dann zeigte sie mir das Haus, in dem sie wohnte. Vor der Tür wartete eine Limousine des Mietservice, der Kurt und mich zum Lunch gefahren hatte.

Ich küsste Laura innig, bevor sie ausstieg. Mein inneres Kind hatte diesmal gar nichts dagegen. In ihrer Abneigung gegen ihren eigenen Bruder war Laura ihm plötzlich viel sympathischer geworden. Ich sah Laura in ihrem Hauseingang verschwinden und fuhr dann wieder zurück nach Hause. Kurt jetzt zu begegnen wäre kontraproduktiv, sonst hätte er mich als »seinen« Anwalt noch gebeten, ihn zum Tatort zu begleiten. Dort sollte er schön allein Angst vor den Holgersons bekommen. Und sich dann bei mir melden.

Als ich zu Hause ankam, sah ich Licht in Saschas Wohnung. Ich ging ins Haus und klingelte bei ihm.

Er begrüßte mich mit einem verschmitzten Grinsen.

»Na, schönen Abend gehabt?«, wollte er wissen.

»Kann man so sehen. Wie war deiner?«

»Völlig unkompliziert. Ich hab die Botschaft an die Wand gesprüht. Die Tür aufgebrochen. Zwei Mollis in den Raum geworfen und drei unter die Fahrzeuge geknallt. Schnell rein, schnell raus.«

»*Das hast du mir aber viel schöner beschrieben*«, bedankte sich mein inneres Kind.

»Aber ich muss sagen, nach sechs Monaten Aufbauarbeit als Kindergartenleiter hat es echt mal wieder Spaß gemacht, als Erwachsener einfach nur irgendwas zu zerstören. Und jetzt?«

»Jetzt warten wir, bis Kurt sich meldet. Ich denke mir, das wird irgendwann morgen früh der Fall sein. Wenn die Polizei mit ihm durch ist.«

»Bis zur Beiratssitzung morgen Nachmittag wissen wir also, ob der erste Teil deines Planes aufgeht.«

»Und anschließend erfahren wir dann, ob sich auch alle Beteiligten an den zweiten Teil halten.«

Sascha und ich räumten noch gemeinsam den Inhalt des Kofferraumes in den Keller. Anschließend räumte ich meine Wohnung auf. Stellte das nicht gekochte Essen in den Kühlschrank und legte mich zufrieden ins Bett. Der heutige Tag hatte gezeigt, dass ich mit meinem inneren Kind durchaus partnerschaftlich harmonieren konnte. Meine Probleme mit Katharina hatten wir gemeinsam gelöst. Meine frisch begonnene Affäre hatte es trotz Widerwillen akzeptiert. Morgen würde sich zeigen, ob ich der Empörung meines inneren Kindes in Bezug auf die Pläne der Beiratsmütter und Lady Surrender gerecht werden konnte. Und vor allem: ob sich trotz unserer gegensätzlichen Interessen die gemeinsame Lösung für Boris und Kurt in die Tat umsetzen ließ.

Wir beide freuten uns auf den morgigen Tag.

45 ÜBERRASCHUNGEN

»Kinder lieben Überraschungen. Sie haben allerdings eine
andere Definition von Überraschung als Erwachsene. Kinder sehen
es auch als positive Überraschung an, wenn alles genauso passiert
wie erwartet: Der Weihnachtsmann kommt, der Osterhase war da,
jeden Tag geht die Sonne aufs Neue auf. Nutzen Sie diese
Eigenschaft Ihres inneren Kindes. Erfreuen Sie sich daran,
wie Ihr inneres Kind sich an den alltäglichen Überraschungen
erfreut.«

JOSCHKA BREITNER,
»DAS INNERE WUNSCHKIND«

KURT STAND UM sieben Uhr bei mir vor der Tür. In Erwartung seines Besuchs war ich bereits wach, hatte geduscht und meinen ersten Kaffee getrunken. Obwohl ich nicht lange geschlafen hatte, fühlte ich mich topfit. Ganz anders als der Mensch, der da vor der Tür stand.

Kurt hatte in dieser Nacht offensichtlich noch kein Auge zugetan. Er stank diesmal nicht nach seinem widerlichen Parfüm und seinem Dampfer, sondern nach seinem widerlichen Parfüm und dem echtem Rauch eines abgebrannten E-Roller-Verleihs.

»Kurt!«, sagte ich strahlend. »Was führt dich so früh zu mir? Komm rein.«

»Wir müssen reden«, sagte er in einer Mischung aus Verzweiflung und Starrsinn.

Ich führte ihn zum Esstisch, an dem ich am Abend vorher beinahe mit seiner Schwester gegessen hätte.

Auf das Sofa, auf dem ich stattdessen nicht mit seiner Schwester gegessen hatte, wollte ich mich nicht mit Kurt setzen.

Kurt wirkte apathisch. Ich machte ihm einen Espresso und stellte die Tasse vor ihm auf den Tisch. Er trank ihn in einem Zug aus. Ich wartete, bis er das Gespräch begann.

»Heute Nacht haben die Holgersons meine Firma angezündet.«

»*Wie schade!*«, bemerkte mein inneres Kind höhnisch. Ein schöner Start.

Den Teil der Story glaubte Kurt also schon mal.

»Die Polizei verdächtigt allerdings mich. Die glauben, ich habe meine Firma selbst angesteckt, um die Versicherung zu kassieren!«

»*Juhu!*«, jubelte eine zarte Kinderstimme in mir. Es wurde immer besser. Auch dieser Teil des Planes funktionierte offensichtlich.

»Ich werde also auf der einen Seite bedroht, auf der anderen Seite nicht geschützt.«

»*Strike!*« Welch freudige Überraschung, dass alles so funktionierte wie gewollt.

»Puh. Das kommt jetzt überraschend. Du ... ich wollte mir wie versprochen heute überlegen, wie ich am besten mit den Holgersons in Kontakt trete. Das ändert jetzt natürlich einiges ... Aber sag du einfach – was kann ich für dich tun?«, fragte ich wahrscheinlich einen Tacken zu freundlich.

Kurt knallte die leere Espressotasse auf den Tisch und sah mir in die Augen.

»Wir beide hören jetzt mal mit dem Versteckspielen auf. Du weißt, dass ich Boris bei euch im Keller entdeckt habe. Ich weiß, dass du deswegen ausgerechnet einem Mitglied der Holgersons ein Ohr abgeschnitten und zwei von denen vor einen meiner Laster geworfen hast. Nur deswegen stecke ich jetzt in dieser Scheiße.«

Nein. Du steckst jetzt in dieser Scheiße, weil du meinem inneren Kind auf den Senkel gegangen bist, als du angefangen hast, mit Boris zu spielen.

Aber ich ging zunächst mal auf Kurts Version ein: »Okay, dann lass uns offen reden. Was willst du jetzt von mir?«

»Ich habe keine Ahnung, warum du Boris gefangen hältst. Das ist mir auch egal, solange du ihn tötest. Aber wenn die Holgersons meinen Kopf wollen – dann opfere ich lieber deinen. Das habe ich dir gestern schon versucht klarzumachen. Es gibt jetzt zwei Möglichkeiten. Entweder du erzählst den Holgersons klipp und klar, dass du hinter dem Tod von ihren Leuten steckst, oder ich erzähle der Polizei, dass Boris in deinem Keller wohnt.«

Ich trank meinen Espresso in kleinen Schlucken und tat so, als würde ich nachdenken.

»Hm. Der Nachteil von beiden Szenarien wäre, dass Boris anschließend nicht tot wäre.«

Kurt horchte auf.

Ich fuhr fort. »Ich habe keine Ahnung, warum du Boris' Kopf haben willst. Aber es scheint dir wichtig zu sein, dass jemand anderes Boris tötet und nicht du. Warum auch immer.«

Dass ich von seinem Spleen des schlauen Umwegs wusste, ging Kurt nichts an. Ich unterschlug dies also und redete weiter: »Nur leider wäre Boris' Kopf bei beiden deiner Lösungen noch dran. Und Boris aller Wahrscheinlichkeit nach anschließend ein freier Mann. Wenn die Holgersons mich töten, würde die Polizei routinemäßig mein Haus auf den Kopf stellen und Boris finden. Und wenn du der Polizei erzählst, dass Boris in meinem Keller ist, ist er sowieso innerhalb von einer Stunde frei.«

Kurt schien das jetzt erst aufgefallen zu sein. »Verdammt.«

Ich seufzte. »Vielleicht gibt es ja auch noch eine dritte Möglichkeit.«

Kurt wurde hellhörig. »Und die wäre?«

»Ich sorge dafür, dass Boris stirbt. Dafür tauchst du unter und fängst irgendwo anders noch einmal komplett neu an. Keine Holgersons. Kein Brandstiftungsverdacht. Kein Boris mit Puls.«

Kurt wirkte gleichermaßen überrascht und interessiert. Für neue Ideen hatte ein innovativer Geschäftsmann wie er natürlich immer ein offenes Ohr.

»Ich garantiere dir, dass Boris stirbt. Du kannst dich davon selber überzeugen. Wenn das geschehen ist, helfe ich dir beim Untertauchen.«

»Wie soll das gehen?«

»Boris zu töten?«

»Erfolgreich unterzutauchen.«

»Wie weit bist du bereit zu gehen?«

»Wenn Boris tot ist und ich anschließend meine Ruhe vor den Holgersons habe? Dann breche ich hier gern alle Zelte ab. Mich hält hier nichts.«

Kein Wort von seinem Patenkind. Oder seiner Schwester. Die extra für ihn hierhergezogen war. Und für 25 000 Euro.

»Dann wäre das mein Vorschlag: Boris stirbt. Du verschwindest. Ich werde ein paar Spuren legen, die nach Selbstmord aussehen. Dann stellt niemand Fragen. Schon gar nicht die Polizei. Die Ermittlungen gegen dich werden sehr schnell eingestellt. Man sucht lediglich lustlos deine Leiche. Und wenn die Polizei erst einmal davon ausgeht, dass du tot bist, werden die Holgersons das auch schlucken. Sprichst du Französisch?«

»Ich … ein bisschen. Wieso?«

»Weil ich dir neue Papiere für ein Leben auf einer kleinen Farm in Frankreich besorgen kann.«

»Und wovon soll ich da leben?«

Das Schauspiel begann mir Spaß zu machen. Als Kind hatte ich mit Begeisterung an Schultheaterstücken teilgenommen. Mein inneres Kind schien sich daran zu erinnern und legte sich mit seinen Textvorschlägen pathetisch ins Zeug.

»Ich kann nur dann in Ruhe leben, wenn du in Ruhe leben kannst. Solange du in Frankreich bleibst und Schweigen bewahrst, was meine Verbrechen betrifft, werde ich dich finanziell unterstützen.«

Kurt schien ein Licht am Ende des Tunnels zu sehen.

»Richtig. Schließlich bin ich in der wesentlich besseren Verhandlungssituation als du«, sinnierte er vor sich hin.

»*Du bist im Wesentlichen ein Vollidiot*«, sinnierte mein inneres Kind.

»Exakt«, sagte ich laut. »Also, sollen wir das so machen? Boris stirbt, du verschwindest?«

»Das hört sich gut an. Aber ich muss erst mal drüber nachdenken. Ich habe jetzt seit fast zwei Nächten kein Auge zugemacht. Ich muss vor so einer Entscheidung wenigstens ein paar Stunden geschlafen haben.«

»Nimm dir alle Zeit der Welt. Soweit dir die Polizei diese Zeit lässt«, sagte ich mit einer absichtlich unglaubwürdigen Entspanntheit, während ich eine vorbereitete SMS an Sascha schickte.

»Was passiert, wenn die Polizei heute schon Fragen an mich hat?«

»Die wird sie garantiert haben. Weiß irgendjemand, dass du hier bei mir bist?«

»Nein.«

»Hast du deine Schwester angerufen?«

»Mein Akku ist alle. Und mein Ladekabel ist heute Nacht leider verbrannt.«

Sehr gut. Noch nicht mal in meiner Netz-Wabe war der Idiot registriert.

»Dann wird dich hier auch niemand finden. Alles, was wir besprechen, fällt unter die anwaltliche Schweigepflicht. Solange du nicht offiziell Selbstmord begangen hast, kann ich offiziell dein Anwalt sein. Dafür müsstest du mir allerdings eine Vollmacht unterschreiben …«

»Gib her.«

Ich schaute mich suchend um.

»Hm. Hab gerade keine hier ... eine Sekunde.«

Mein Telefon klingelte. Unbekannter Teilnehmer. Ich ging ran.

»Hi, Peter ...«, meldete ich mich, wissend, dass es Sascha war. »Nein, natürlich kann ich dir nicht sagen, wo Kurt Frieling ist. Warum sollte ich? ... Nein, wenn er mein Mandant wäre, würde ich dir seinen Aufenthaltsort nicht sagen dürfen ... Und wenn er nicht mein Mandant wäre, warum sollte ich dann wissen, wo er ist? ... Ja, dir auch ...« Ich legte auf.

»Sorry. Das war Peter Egmann. Der Kommissar. Du wirst in der Tat bereits gesucht. War ein Schuss ins Blaue, bei mir nachzufragen. Noch bin ich ja gar nicht offiziell dein Anwalt. Mach dir also keine Sorgen. Sobald ich dein Anwalt bin, darf dich sowieso niemand mehr ohne mich befragen.«

Der Satz »Mach dir keine Sorgen« ist der größte Indikator für die Tatsache, dass sich jemand besser längst hätte Sorgen machen sollen.

»Dann lass mich sofort diese Vollmacht unterschreiben!« Kurt flehte fast.

»Die Vollmacht, ja ... Sekunde. Ich hol kurz ein Blatt Papier. Das kannst du blanko unterschreiben, und ich setze dann gleich in der Kanzlei die Vollmacht darüber.«

Ich stand auf, ging in die Küche, machte Kurt noch einen Espresso und holte dann ein Blatt Papier aus dem Regal im Wohnzimmer.

»Einfach unten unterschreiben. Die Polizei halte ich dir dann ganz offiziell vom Hals. Du kannst dich gern hier in der Wohnung erst mal ausschlafen und dir danach in Ruhe überlegen, ob du untertauchen willst.«

Kurt wollte das Blatt nehmen. Aber ich zog es zurück.

»Dafür versprichst du mir aber in die Hand, dich bei niemandem zu melden – bis du dich endgültig entschieden hast. Auch bei deiner Schwester nicht. So viel Vertrauen muss sein – unter Geschäftspartnern.«

Kurt nickte. Er fühlte sich offensichtlich geschmeichelt, nicht als der offensichtliche Versager angesehen zu werden, der er nun mal war.

Ich gab ihm das leere Blatt. Er sah das leere Blatt an, als müsse er als Geschäftspartner tatsächlich erst mal lesen, was er da unterschreiben sollte. Er schien keinen Haken an den nicht vorhandenen Formulierungen zu finden und unterschrieb blanko. Er gab mir das unterschriebene Blatt zurück und trank auch seinen zweiten Espresso auf ex.

»Bäh. Der schmeckte aber bitter. War das eine andere Kapsel?«

»Gleiche Kapsel. Nur mit einem Schuss Midazolam.«

Kurt schaute mich fragend an. In dem Moment, da er begriff, dass dies das Schlafmittel war, das er mit dem geklauten Rezeptblock seiner Schwester erworben, das er Boris intravenös verabreicht und das ich noch in Form einer halbvollen Ampulle im Schrank stehen hatte, klappten seine Augen allerdings schon zu. Sein Kopf fiel neben der leeren Espressotasse auf die Tischplatte.

46 IDENTITÄT

»Menschen sind wertvoller als Diamanten. Aber beide haben Facetten. Und bereits jede einzelne Facette leuchtet, je nach Lichteinfall, völlig verschieden.

Wenn jemand meint, einen Diamanten mit einem einzigen Wort beschreiben zu können, dann liegt das in der Regel nicht an der Einfältigkeit des Diamanten, sondern an der Einfältigkeit des Betrachters.

Warum sollte das in Bezug auf Menschen anders sein?«

JOSCHKA BREITNER, »DAS INNERE WUNSCHKIND«

KURT SOLLTE AB sofort von niemandem mehr gesehen werden. Außer von Sascha, mir und Boris. Da Kurt meine Wohnung somit erst nach Schließung des Kindergartens würde verlassen können, musste ich ihm notgedrungen ein wenig Gewalt antun. Ich fixierte ihn an Händen und Füßen mit Kabelbinder an mein Schlafzimmerbettgestell. Ich knebelte ihn mit einer Socke und Panzertape. Die Tür schloss ich sicherheitshalber von außen ab und nahm den Schlüssel mit. Nicht dass Katharina wieder aus Versehen unangemeldet in der Wohnung auftauchte und ihre positive Meinung über mich beim nächsten Zufallsfund wieder revidierte.

Ich informierte Sascha kurz, dass bislang alles nach Plan verlief, und ging in den Keller. Bis zur Kindergarten-Beiratssitzung am Nachmittag hatte ich im Grunde genommen frei, und es gab noch ein paar Vorbereitungen zu treffen für heute Abend. Zur Feier des Tages hatte ich Boris sogar einen frischen Espresso mitgebracht. Boris fragte nicht nach dem Grund, sondern trank das nicht alltägliche Getränk, ohne mit der Wimper zu zucken, in einem Zug aus. Der Geschmack von Midazolam schien ihn nicht zu stören, und wenn, dann zu spät. Denn im nächsten Moment wanderte auch er ins Reich der Träume.

Ich kam im Keller gut voran und war um kurz nach dreizehn Uhr fertig. Ich hatte mich gerade in meiner Wohnung geduscht und umgezogen, als Laura anrief.

»Ich hab ganz vergessen, mich auf dem Klospiegel für den schönen Abend zu bedanken«, sagte sie.

Ich musste innerlich lachen. Laura war wunderbar unkompliziert. Allein die Tatsache, dass wir gestern mit keinem Wort über meine Beziehung geredet, sondern einfach nur die Zweisamkeit genossen hatten, rechnete ich ihr hoch an.

»Das erklärt, warum ich bislang einen sehr friedlichen Morgen hatte«, antwortete ich. »Wie war deiner?«

»Völlig ruhig. Ich habe Max um halb neun in den Kindergarten gebracht und bin zur Arbeit. Jetzt habe ich gerade Mittagspause.«

Um halb neun hatte ich ihrem Bruder gerade den letzten Kabelbinder an die Fußgelenke geschnürt. Ich schlenderte telefonierend durch den Flur und öffnete die Schlafzimmertür einen Spalt. Kurt lag benommen, aber mit offenen Augen auf dem Bett.

»Was von deinem Bruder gehört?«

»Nein. Aber das wundert mich nicht. Wenn er tief in der Scheiße steckt, wird er immer erst einmal ganz still. Manchmal meldet er sich monatelang nicht, wenn er wieder mal etwas grandios gegen die Wand gefahren hat.«

Das war beruhigend. Laura würde ihren Bruder nicht so schnell vermissen. Kurt registrierte gerade, dass ich in der Schlafzimmertür stand, und schaute mit fragenden Augen zu mir herüber.

»Schönen Gruß von deiner Schwester!«, hauchte ich ihm zu, während ich mit einer Hand das Mikrofon des Telefons zuhielt. Die mit Panzerband fixierte Socke hinderte Kurt allerdings daran zurückzugrüßen.

»Sehen wir uns gleich auf der Beiratssitzung?«, fragte ich Laura.

»Klar. Die Diskussion über den klimaneutralen Kindergarten

lasse ich mir nicht entgehen. Hast du schon mit der Jahrespraktikantin wegen des Weltuntergangs gesprochen, den Max und Emily verursacht haben?«

»Nein, aber das werde ich gleich als Nächstes tun.«

Wir legten auf. Was für eine unkomplizierte Frau.

Ich ging runter in den Kindergarten. Nicht nur auf Anregung Lauras, sondern vor allem, um mein inneres Kind zufriedenzustellen, wollte ich die Sache mit der Jahrespraktikantin und dem Weltuntergang nun geklärt haben. Als Vater. Egal, was die anderen Mütter davon hielten. Ich klopfte an Saschas Bürotür und trat ein. Sascha war gerade mit Bauplänen des Kindergartens beschäftigt. Als ich eintrat, blickte er überrascht auf die Uhr.

»Björn? Bis zur Beiratssitzung ist doch noch reichlich Zeit ...«

»Ja. Ich wollte mich bloß vorher mit Lady Surrender wegen des Fruchtquetschie-Verbots unterhalten.«

»Mit Lady *wem*?«

»Lady Surrender. Eselsbrücke für die Jahrespraktikantin. Wie heißt die nochmal?«

»Ach, du meinst Frauke.«

»Richtig. Mit Frauke will ich sprechen.«

»Als Vater von Emily oder als Vertreter des Elternbeirats?«

»Fragst du mich das als Freund oder als Geschäftsführer des Kindergartens?«

»Als Geschäftsführer des Kindergartens muss ich dich darauf hinweisen, dass Eltern bitte den Dienstweg einhalten, wenn es Probleme mit den Erzieherinnen gibt. Das heißt, sie wenden sich entweder an den Elternbeirat oder an mich. Anschließend kann der Elternbeirat dann in Anwesenheit der Kindergartenleitung mit der Erzieherin reden.«

Für einen ehemaligen Mafia-Fahrer hatte Sascha die Formalien eines korrekt geführten Kindergartens sehr schnell gelernt.

Aber wegen dieser Fähigkeiten war er ja auch Kindergartenleiter geworden.

»Ich bin als Vater hier. Im Körper des Elternbeirats. Und was sagst du mir als Freund?«

»Als Freund deute ich mal zaghaft an, dass ein Gespräch in der Konstellation Elternbeirat-Kindergartenleiter-Jahrespraktikantin natürlich ein wenig heikel ist. Zwei alte weiße Männer und eine junge Frau – das geht eigentlich gar nicht.«

»Du bist kein alter weißer Mann. Du bist Mitte dreißig und Bulgare«, intervenierte ich.

»Wenn das mal alles so einfach wäre. Ich hatte vor zwei Wochen eine Fortbildung für Kindergartenleiter über diskriminierungsfreies, gendergerechtes Führungsverhalten. Die Dinge sind ein wenig komplexer«, versuchte Sascha zu erklären.

»Und was hast du da genau gelernt?«, wollte ich wissen.

»Politisch korrektes Rechthaben-Schnick-Schnack-Schnuck. Eigentlich ein ganz lustiges Spiel.«

»Erklär mir das bitte.«

»Also, nehmen wir mal Frauke, dich und mich als Beispiel. Eine junonische Frau Mitte zwanzig, ein Mann mit Migrationshintergrund Mitte dreißig und ein Bio-Deutscher Mitte vierzig. Alle drei sitzen am Tisch und diskutieren. Wer hat Recht?«

»Worüber diskutieren die denn?«, wollte ich naiv wissen.

»Die Frage zeigt schon, dass du das Problem nicht verstanden hast. Beim Rechthaben-Schnick-Schnack-Schnuck ist es völlig egal, worum es geht. Es kommt darauf an, die Identität der Teilnehmer zu würdigen. Recht hat der, der die meisten schützenswerten Minderheiten in sich vereint.«

»Wie bitte soll das gehen?«

Sascha stand auf und trat an das Whiteboard, das in seinem Büro an der Wand hing. Er wischte eine Namensliste weg, die offensichtlich die Ergebnisliste der Erzieherinnen-Beiratswahl war.

»Im Grunde so, wie beim Spiel Schnick-Schnack-Schnuck auch. Also – Stein sticht Schere, Schere sticht Papier, Papier sticht Stein.«

»Und das heißt konkret?«

Sascha fing an, auf das Whiteboard zu schreiben.

»Minderheit sticht Mehrheit. Also weiblich sticht männlich ...«, begann er zu erklären.

»Die Hälfte der Weltbevölkerung ist weiblich«, unterbrach ich ihn, »wo ist da die Minderheit?«

»In DAX-Vorständen sind Frauen die Minderheit.«

»Der Kindergarten ist aber nicht im DAX. Außerdem arbeiten hier fünfundneunzig Prozent Frauen.«

»Jetzt werd hier mal nicht sachlich! Ich als Mann leite den Kindergarten. Somit sind Frauen in der Minderheit. Kann ich weitermachen?«

»Sehr gerne. Ich bin gespannt, was noch kommt.«

Sascha notierte die folgenden Begriffspaare auf der Tafel. »Also – weiblich sticht männlich, Migrationshintergrund sticht Bio-Einwohner, homosexuell sticht heterosexuell, jung sticht alt, gesundheitlich beeinträchtigt sticht kerngesund und links sticht rechts. So weit klar?«

»Verständlich erklärt.«

»Vielleicht kommst du dann auch selber drauf, warum wir zu zweit im Gespräch mit einer jungen, junonischen Frau beim Rechthaben-Schnick-Schnack-Schnuck argumentative Schwierigkeiten bekommen könnten?«

»Hieß ›junonisch‹ früher mal ›fett‹?«

»Wenn die Frage erlaubt wäre, hätte man das Wort nicht geändert.«

»Okay.« Ich verstand. »Jung, junonisch, Frau. Dreimal im Recht.«

Sascha nickte stolz über seinen pädagogischen Erfolg.

Ich hatte aber noch Fragen. »Was ist mit dir? Du hast immerhin einen Migrationshintergrund.«

»Dir gegenüber bin ich mit meinem Migrationshintergrund auch im Recht.«

»Nur weil du aus Bulgarien kommst?«

»Zweifelst du das an, du Nazi?« Sascha baute sich provokant vor mir auf.

»Nein, nein, schon okay.« Da konnte ich nun nichts gegen sagen. Hauptsache, ich galt nicht als Nazi. Eine Verständnisfrage hatte ich dann aber doch noch. »Also, wenn Frauke als Frau, du als Migrant und ich als bio-deutscher Mann miteinander reden – egal worüber –, sind zwei Drittel der Teilnehmer am Tisch schon mal im Recht, weil sie in der Minderheit sind. Das verbliebene Drittel – also ich – ist in der Mehrheit und ist raus … Warum noch mal?«

»Weil du ein alter, weißer Mann bist.«

»Also darf ich aus Gründen meines Alters, meiner Rasse und meines Geschlechts diskriminiert werden, damit ich niemanden auf Grund seines Alters, seiner Herkunft oder seines Geschlechts diskriminiere. Klingt einleuchtend. Und wenn du und Frauke allein an einem Tisch sitzen würdet?«

»Sexismus sticht Rassismus. Mein männliches Geschlecht hebt meinen Migrationsbonus gegenüber Frauke leider auf. Es sei denn, Frauke hätte inhaltlich eine konservative Einstellung. Da gilt dann wieder links ist Trumpf.«

»Okay. Bezogen auf uns drei bedeutet das dann: Wenn wir zwei ältere Männer mit einer fet… einer junonischen jungen Frau über Panikmache in Sachen Klimakatastrophe gegenüber

Dreijährigen reden wollen, sind wir schon im Unrecht, selbst wenn du einen Migrationshintergrund hast?«

»Richtig.«

»Wir können uns das Gespräch also sparen?«, fragte ich fast resigniert.

»Auf keinen Fall!« Sascha grinste über beide Ohren. »Ich wollte dir nur kurz offiziell erklären, warum das, was gleich passiert, politisch nicht korrekt ist. Aber mit Sicherheit wird es sehr spaßig.«

Ich hatte nach Saschas Erklärung des Rechthaben-Schnick-Schnack-Schnucks ein leicht schlechtes Gewissen gegenüber Frauke bezüglich des geplanten Gesprächs. Mein inneres Kind nicht. Der kleine blonde Junge in Lederhose hatte immer noch unter den Folgen seiner in den siebziger Jahren politisch korrekten Erziehung zu leiden. Er wollte genau diese Erfahrung weiteren Kindern ersparen. Und da es der ausdrückliche Wunsch meines inneren Kindes war, Frauke zur Rede zu stellen, und das in unserer ersten Partnerschaftswoche, stellte ich meine Bedenken hintan. Der alte weiße Mann sollte einfach Ruhe geben. Inneres Kind sticht dicke Frau. Und das Kind in mir konnte die Diskussion kaum erwarten.

47 KINDHEIT

»Kinder haben keinen gesonderten Anspruch auf Zukunft.
Kinder haben einen gesonderten Anspruch auf Gegenwart.
Dieser Anspruch hat sogar einen gesonderten Namen.
Er heißt Kindheit.«

JOSCHKA BREITNER,
»DAS INNERE WUNSCHKIND«

WIR DREI – SASCHA, mein inneres Kind und ich – waren gespannt auf das Gespräch mit Frauke. Temperaturen mochten sich erhöhen. Pole konnten schmelzen. Meere dürften dann steigen. Arten würden verschwinden. Aber eines würde mit absoluter Sicherheit nicht geschehen: Die Erde würde nicht sterben. Nicht innerhalb der nächsten vier Milliarden Jahre. Und auch dann nicht wegen Fruchtquetschie trinkender Dreijähriger.

Ich hegte den Wunsch, meine Tochter möge eine unbelastete, unschuldige Kindheit erleben. Nicht der nahende Tod der Erde stand diesem Wunsch entgegen, sondern die Behauptung, meine Tochter sei schuld am Ende der Welt.

Diese Behauptung drückte damit schmerzhaft auf den blauen Fleck, den der »Deine Wünsche zählen nicht«-Button meiner Eltern in der Seele meines inneren Kindes hinterlassen hatte.

Ich hatte mit meinem inneren Kind allerdings vereinbart, auf diesen Druck nicht mit Gegendruck auf Frauke zu reagieren. Wir wollten Frauke so lange liebevoll umarmen, bis sie von sich aus mit dem Drücken aufhörte. Jedenfalls wollten wir so tun als ob. Ich hatte vor, das Gespräch mit Frauke in einer Atmosphäre zu führen, in der sich sowohl mein inneres Kind als auch Frauke wohlfühlten.

Im Internet hatte ich einen von Frauke geposteten Neujahrsgruß gefunden, der mich sehr bewegt hatte. Ein Selfie von ihr, vor einem Buffet, mit viel Meer im Hintergrund. Und der Unterschrift: »Euch allen ein frohes neues Jahr! Auch wenn mir die Zukunft der Welt Sorge macht. Aber an Bord der *Aida* bin ich für ein paar Tage weit weg von den Dingen. Juhu.«

Was für eine traurige Frau. Feuerwehrmänner, die selbst die Häuser anzündeten, bei deren Löschung sie sich anschließend als Held beweisen wollten, wurden wenigstens als Pyromanen anerkannt. Frauke hatte noch nicht einmal ein Krankheitsbild, das man ihr zugestand.

Ich wollte Frauke nicht wehtun. Ich wollte ihr helfen.

Ich hatte Sascha deswegen gebeten, Frauke in den Außenbereich des Kindergartens zu holen. Am Rande der Matschgrube ließ sich sicherlich unverkrampfter über den Weltuntergang reden als in seinem nach den Bedürfnissen von Erwachsenen eingerichteten Büro.

Sascha und Frauke kamen auf mich zu.

Dass Frauke Erzieherin werden wollte, hatte sicherlich auch eine Menge mit ihrem inneren Kind zu tun. So konnte Frauke auf Augenhöhe all das ausleben, was Frauke in ihrer eigenen Kindheit verwehrt worden war. Zum Beispiel, wegen ihres Vornamens nicht permanent verarscht zu werden. Welche Glaubenssprüche ihr auch immer von ihren Eltern eingebläut sein mochten: Die Abwehrrüstung von Fraukes innerem Kind war auch von außen beim besten Willen nicht zu übersehen. Sie bestand zu einem guten Teil aus Nahrung und Schminke. Die Angriffsrüstung schien ein gesteigertes Bedürfnis zu sein, die Welt zu retten.

»Hallo Frauke, schön, dass Sie Zeit haben.«

Frauke reichte mir irritiert die Hand. Ich beruhigte sie.

»Es ist gar nichts Weltbewegendes. Ich wollte nur eine Verständnisfrage mit Ihnen klären, die in der Elternschaft aufgekommen ist.«

»Gerne«, sagte Frauke, ein wenig nervös. »Worum geht es denn?«

Wir setzten uns über Eck auf zwei Balken des Sandkastens neben der Matschgrube. Sascha und ich auf den einen. Frauke auf den anderen.

»Sie sind sehr engagiert in Umweltthemen?«, fragte ich. Das schien für Frauke sicherer Boden unter den Füßen zu sein. Sie entspannte sich merklich.

»Richtig. Die Zukunft unserer Erde und ihrer Bewohner ist mir sehr wichtig.«

»Sehr gut. Das weiß ich als Betroffener zu schätzen«, lobte ich sie. »Sie haben in der Nemo-Gruppe den Zwei- bis Fünfjährigen den Zusammenhang zwischen Fruchtquetschies und Klimawandel erklärt, richtig?«

»Ja!«, sagte Frauke voller Stolz, dass ihr Engagement zur Kenntnis genommen wurde. Auf diesem Stolz ließ sich aufbauen. »Ich finde, auch unsere Kleinsten sollen ihren Beitrag zur Rettung der Welt leisten.«

»Vorbildlich.« Ich legte ihr anerkennend eine Hand auf die Schulter. Dass auch Kinder ihren Beitrag für eine politische Ideologie leisten konnten, war in Deutschland durch zwei Weltkriege, ein Kaiserreich und zwei Diktaturen bereits als Brauchtum anerkannt.

Ich versuchte, Fraukes Selbstbewusstsein weiter zu stärken.

»Aufgrund Ihres Engagements hat den Elternbeirat jetzt ein Brief von der UN-Vollversammlung erreicht. Die würde Ihnen in Bezug auf Ihr Fruchtquetschie-Engagement in der Nemo-Gruppe gern einen Vorschlag machen. Hätten Sie am nächsten Freitag Zeit?«

Sascha schaute mich tadelnd an. Schritt aber nicht ein. Unter anderem, weil er selber hören wollte, wie Frauke reagierte.

Frauke zögerte, schien aber nicht im Geringsten verwundert. »Hm ... nächsten Freitag? Ist da nicht Betriebsausflug?«

Die Welt zu retten war wichtig, aber bitte während der regulären Arbeitszeit. Nicht beim Betriebsausflug. Ich akzeptierte diese Haltung.

»Mist. Daran haben diese Egoisten von der UN mal wieder nicht gedacht. Okay ...« Ich tat kurz, als müsste ich überlegen. Dann zeigte ich auf Sascha und mich. »Damit Sie am Freitag nicht extra nach New York müssen, können wir beide Ihnen im Namen der Vereinten Nationen ja vielleicht hier und jetzt deren Vorschlag unterbreiten.«

Frauke freute sich gespannt und merkte gar nicht, wie Sascha lautlos die Frage an mich formulierte, ob ich noch alle Tassen im Schrank hätte.

Und ob ich die hatte.

Gemeinsam mit meinem inneren Kind hatte ich zur Vermeidung eines Fruchtquetschie-Verbots den gleichen schönen Lösungsansatz in Bezug auf deren CO_2-Fußabdruck gefunden wie fast alle Kreuzfahrtanbieter und Airlines: die Kompensation. Durch das Pflanzen von Bäumen zum Beispiel.

Nur dass Fruchtquetschies lediglich sehr kleine Bäume zur Kompensation erforderten.

»Was würden Sie davon halten, wenn wir Fruchtquetschies im Kindergarten nicht verbieten, sondern überkompensieren würden?«

»Was heißt überkompensieren?«

»Nun, das Pflanzen einer einzigen Tulpe in Amsterdam würde den CO_2-Ausstoß eines ganzen Fruchtquetschies kompensieren. Die Vereinten Nationen haben nun in Bezug auf die Fruchtquetschies in diesem Kindergarten vorgeschlagen, dass wir ganz neue Wege gehen. Wir werden für jedes im Kindergarten getrunkene

Fruchtquetschie nicht nur eine, sondern sogar zwei Tulpen in Amsterdam pflanzen lassen. Damit würde das Trinken jedes einzelnen Fruchtquetschies sogar zu einem Beitrag für eine bessere Welt. Wäre das okay für Sie?«

»Das wäre … toll!«

»Unsere Kinder sind also ab sofort nicht mehr schuld am Tod der Erde, sondern mit jedem Schluck deren Retter, abgemacht?«

»Abgemacht!«

Ich gab Frauke einen Block und einen Stift.

»Dann sind Sie ab sofort die offizielle Fruchtquetschie-Kompensations-Beauftragte von ›Wie ein Fisch im Wasser‹. Sie führen bitte gewissenhaft eine Strichliste über jedes getrunkene Fruchtquetschie. Und wir kompensieren das am Monatsende mit Tulpen in Amsterdam.«

Frauke war sprachlos. Vor Freude. Sascha war sprachlos. Über die Dreistigkeit meines inneren Kindes. Die er mir zurechnete. Ich war sprachlos. Dass das ganze Thema so einfach aus der Welt zu schaffen war.

Mein inneres Kind war nicht sprachlos. Es giggelte vor Freude.

48 UNTERSTÜTZUNG

»Der Satz ›Die Familie steht hinter dir‹ kann sowohl bedrohlich
als auch beruhigend sein. Es gibt Familien, die stehen hinter
einem, um einem schneller in den Rücken fallen zu können.
Und es gibt Familien, die stehen hinter einem, um einen
bei Bedarf aufzufangen.«

JOSCHKA BREITNER,
»DAS INNERE WUNSCHKIND«

ALS ICH DEN Kindergarten in Richtung Wohnung verließ, traf ich im Hausflur auf Peter Egmann. Auch er sah – wie Kurt heute Morgen – übernächtigt aus. Weil er – wie Kurt – die ganze Nacht lang auf den rauchenden Trümmern von Kurts ehemaligem E-Roller-Verleih verbracht hatte.

»Hi, Peter, wie geht's?«, fragte ich entsprechend locker.

»Offiziell oder inoffiziell?«

»Offiziell siehst du scheiße aus. Sagst du mir inoffiziell, warum?«

Peter ging einen Schritt auf mich zu und schob mich Richtung Kellereingang, um von anderen Eltern, die ihre Kinder abholten, nicht gehört zu werden.

»Offiziell habe ich mir die Nacht mit diesem E-Roller-Vollidioten um die Ohren geschlagen, von dem ich dir gestern erzählt habe.«

»Der Typ, der die Menschen ohne Ohren überfahren hat? Warum?«, fragte ich ungläubig.

»Seine Firma ist gestern Nacht abgebrannt. Der halbe Fuhrpark, ein Großteil seiner Roller. Schaden in siebenstelliger Höhe.«

»Arme Sau.«

»Na ja, wenn du in sechsstelliger Höhe verschuldet, aber in siebenstelliger Höhe versichert bist, bist du – ganz inoffiziell –

am Ende eines solchen Brandes keine arme Sau. Sondern eine reichere Sau als vorher.«

»Du meinst, der hat selber …«

»Uns hat er die ganze Zeit vorgeheult, das müsse ein Racheakt der Holgersons gewesen sein. Hat uns einen Zettel gezeigt, der angeblich am Vormittag unter seiner Windschutzscheibe geklemmt habe. Komischerweise wurden die Brandsätze aber sehr gezielt auf die teuersten Teile des Firmeninventars geworfen. Und wie mir die Kriminaltechnische Untersuchung gerade mitgeteilt hat, ist auf einer Scherbe der Molotowcocktails, die zum Einsatz kamen, sogar ein Fingerabdruck vom Firmeninhaber drauf. Wenn du mich fragst, musst du dich nicht wundern, wenn der sein Patenkind in Zukunft nicht mehr persönlich im Kindergarten abholt. Ist mir am Ende aber auch egal. Hauptsache, ich kann mal wieder eine Nacht durchschlafen.«

»Fall gelöst? Das ging ja schnell.«

»Ja, wenn alle Fälle so schnell zu lösen wären. Da fällt mir ein, wie sieht es mit deiner Aussage wegen der Sache auf der Alm aus?«

»Was für eine Sache auf der Alm?«, ertönte auf einmal Katharinas Stimme. Sie war gerade durch die Haustür gekommen, um Emily abzuholen. Ebenso wie ich kannte sie Peter aus dem gemeinsamen Jurastudium. »Hallo Peter.«

»Ach nichts, reine Routine. Hallo Katharina.«

»Welche berufliche Routine führt dich auf Almen?«, fragte Katharina skeptisch.

Da Katharina nicht nur meine zukünftige Ex-Frau, sondern seit gestern auch meine beste Freundin war, schlug ich die Flucht nach vorn ein.

»Peter ist von den Kollegen im Allgäu um Amtshilfe gebeten worden, um zu ermitteln, ob ich am Unfall des Kellners auf der Hütte schuld war.«

»Der verblödete Schnösel mit dem Glitzer-T-Shirt?« Katharina hatte den Herrn, den sie auf der Alm noch verteidigt hatte, also in Wahrheit als eher negativ abgespeichert. »Was ist mit dem?«

»Er ist tot«, sagte Peter sichtlich eingeschüchtert von Katharinas forscher Art. »Er ist von der Terrasse gestürzt und hat sich dabei das Genick gebrochen.«

Katharina hatte bislang nur vermutet, dass sich der Kellner ein Bein gebrochen hätte. Sie hatte aber, im Gegensatz zu mir, offensichtlich auch nie nach dem Unfall gegoogelt. Weil sie schlicht kein Interesse daran hatte, wie es dem Kellner ging. Oder, mangels Puls, eben nicht mehr ging. Auf die Nachricht des Todes eines Menschen, an dessen Leben sie ohnehin kein Interesse hatte, reagierte sie entsprechend emotionslos.

»Und was hat das mit dem Vater meiner Tochter zu tun?« Diese Formulierung war ein gutes Zeichen. Der Vater ihrer Tochter war ein guter Mann.

»Nun, Björn ist von einem Zeugen gesehen worden, wie er nach einer Auseinandersetzung, die er mit dem Kellner hatte, allein hinter die Hütte gegangen ist.«

»Welcher Zeuge soll das gewesen sein? Einer der besoffenen Bundeswehrsoldaten etwa?«

Interessanterweise konnte sich Katharina nicht nur an Details von dem Tag auf der Hütte erinnern, sondern auch an elementares Grundwissen aus ihrem Studium. Wenn man eine Zeugenaussage zunichtemachen will, muss man den Zeugen als unglaubwürdig und seine Aussage als unglaubhaft darstellen.

»Der Zeuge ist in der Tat Zeitsoldat«, gab Peter zu.

»Ich kann dir gern ebenfalls als Zeugin erzählen, in welcher Zeit sich der Soldat am Nachbartisch mit seinen fünf Kameraden zwei Dutzend Helle reingestellt hat. Habt ihr mal gemessen, wie viel Promille die auf der Alm hatten? Nein? Schade. Der Richter wird das bestimmt wissen wollen, um deren Aussagen einordnen zu können.«

»Es geht nur um eine kleine Stellungnahme von Björn, ob er allein hinter …«

»Nein. Ist er nicht. Björn war auf der Alm die ganze Zeit an meiner Seite. Er ist nicht allein hinter die Hütte gegangen. Schreib das bitte auf meinen Fragebogen. Mein Mann verweigert die Aussage.«

Katharina starrte Peter an wie eine Löwenmutter, die gerade von einer Hyäne an der Wasserstelle beim Füttern ihrer Jungen gestört wurde. Peter reagierte wie die Hyäne. Er trottete weg.

Ich war sprachlos. So hatte sich Katharina ehrlich gesagt noch nie für mich eingesetzt. Aber sie tat das ja auch nicht für mich, sondern für den Vater ihrer Tochter. Ich schaute sie fragend an. Sie schaute mich wissend an. Ich brach als Erster das Schweigen.

»Danke, dass du das für Emily getan hast.«

»Ich habe das nicht für Emily getan. Ich habe das für dich getan.«

Sie umarmte mich und sagte dabei ohne Worte den Satz, den ich mir als Kind immer vergeblich gewünscht hatte: »Egal, was du getan hast – es ist nicht schlimm.«

Zum ersten Mal in meinem Leben stellte sich ein erwachsener Mensch, der wusste, dass ich etwas falsch gemacht hatte, schützend vor mich. Was für eine Erfahrung. Ich habe keine Ahnung, wie viele Verletzungen meines inneren Kindes durch diese eine Geste geheilt wurden.

49 ZERSTÖRUNG

»Die beste Art und Weise, die Schönheit eines Planes zu zerstören,
ist die Absicht, den Plan umzusetzen.«

JOSCHKA BREITNER,
»ENTSCHLEUNIGT AUF DER ÜBERHOLSPUR –
ACHTSAMKEIT FÜR FÜHRUNGSKRÄFTE«

DIE KINDERGARTEN-BEIRATSSITZUNG fand in der Turnhalle des Kindergartens statt. Um eine offene Kommunikation zu gewährleisten, saßen wir im Kreis – in der einen Hälfte des Kreises die drei Gruppenleiterinnen und ihre Stellvertreterinnen, in der anderen Hälfte die beiden Elternvertreterinnen und ich sowie unsere Stellvertreterinnen. In der Mitte, zwischen beiden Gruppen, saß Sascha. Als Kindergartenleiter. Hinter Sascha stand ein Flipchart.

Laura hatte mich herzlich, aber für die anderen nicht erkennbar intimer als sonst begrüßt. Sie saß neben mir.

Ich war gespannt, ob wir das Interesse der anderen Mütter an unserer veralteten Heizungsanlage wie geplant liebevoll erlahmen lassen konnten. Soweit ich wusste, hatte Sascha unseren Plan von vorgestern mit viel Freude fürs Detail umgesetzt.

Er eröffnete die Sitzung.

»Wie Sie wissen, bin ich in diesem Kindergartenjahr zum ersten Mal von Anfang an als Leiter von ›Wie ein Fisch im Wasser‹ für den Kindergarten verantwortlich. Und ich würde gern *mit* unserem und *für* unseren Kindergarten ein Zeichen setzen.« Sascha baute eine Kunstpause ein, in der er der Reihe nach allen Anwesenden in die Augen schaute. Ich persönlich fand das übertrieben. Es kam aber gut an. Als Sascha mit seinen Augen einmal die Runde gemacht hatte, fuhr er fort. »Ich möchte gern, dass unser Kindergarten ...der erste ... plastikfreie und klimaneutrale Kindergarten ... der ganzen Stadt wird.«

Erstaunen und positive Verwunderung bei den nicht einge-weihten Damen.

Gespieltes Erstaunen und Wortbeitrag nach Drehbuch von mir: »Was für eine tolle Idee! Aber wird das nicht sehr schwierig?«

»Schwierigkeiten sind kein Argument für Untätigkeit. Wir leben auf einem Kontinent im Klimanotstand. Da müssen wir Schwierigkeiten für die Zukunft unserer Kinder überwinden und notfalls auch Opfer bringen.«

Die *Ver*wunderung wandelte sich in *Be*wunderung, als Sascha die erste Seite des Flipcharts umschlug, auf der die Eckpunkte seiner Visionen formuliert waren.

»Mit Ihrem Einverständnis können wir gemeinsam den Plastikgebrauch in unserem Kindergarten sofort um ein Drittel reduzieren, unseren Energiebedarf auf Ökostrom umstellen und ab heute auf fossile Brennstoffe verzichten.«

Ein positives Raunen ging durch die Gruppe.

»Da sind wir im Namen der Eltern sofort dabei«, unterstützte Petra jeden dieser Vorschläge, ohne auch nur eine Ahnung davon zu haben, wie diese Ziele erreicht werden sollten.

»Ich bin froh, dass ich mich da auf Sie verlassen kann. Dann ist das also beschlossene Sache.«

Sascha schlug die nächste Seite des Flipcharts um, auf der in Stichworten vermerkt war, wie die eben bejahten Ziele zu erreichen waren.

»Ein Drittel weniger Plastik erreichen wir sofort durch ein Drittel weniger Kinder. Wir werden gleich gemeinsam auslosen, welche Kindergartengruppe wir schließen.«

Die Sprachlosigkeit bei Petra und Co. stand in leichter Diskrepanz zu den Opfern, die sie vor einer Minute noch zu bringen bereit waren. Sascha tat so, als nähme er den Stimmungsumschwung nicht zur Kenntnis.

»Der Vorteil für die Kinder, die ab sofort zu Hause betreut werden, ist sicherlich die Wärme im Elternhaus. Wir werden im Kindergarten noch heute Abend die alte Ölheizung abschalten. Ich habe noch keine Ahnung, welche andere Heizungsart ökologisch sinnvoller ist. Aber nur weil der Winter vor der Tür steht, sollten wir uns nicht von unserem Ziel der CO_2-Neutralität abhalten lassen. Wofür gibt es Pullover?«

Die Eltern wurden langsam unruhig. Sascha ignorierte es und präsentierte die nächste Seite des Flipcharts. Sie zeigte eine Bauzeichnung des Kindergartens. Im Garten der Anlage stand auf der Zeichnung allerdings nun ein hundert Meter hohes Windrad.

»Und als weithin sichtbares Zeichen unserer Klimaneutralität werden wir unseren Ökostrom in Zukunft selber erzeugen. Wir werden ein eigenes Windrad im Außenbereich errichten. Also … im dann ehemaligen Außenbereich. Baurechtlich wird das vielleicht schwierig … aber der Chef vom Bauamt hat ja seine Kinder auch bei uns, da wird sich schon eine Lösung finden. In jedem Fall werden wir vor Einbruch des Winters schon mal die Vorarbeiten für die Aushebung der Grube für das Sockelfundament beginnen. Deswegen wird der Außenbereich ab nächster Woche geschlossen werden. Vorschlag angenommen?«

Sascha schaute strahlend in zehn schockierte Gesichter. Nur Laura konnte ein Kichern nicht verkneifen. Ich versuchte mein Lachen zu unterdrücken.

Petra fand als Erste die Sprache wieder. »Vielleicht … sollten wir uns über Details noch mal in Ruhe unterhalten …«

»Welche Details?«, wollte Sascha wissen.

»Das mit der Gruppenschließung, der Heizung und dem Windrad.«

»Die Schließung einer Kindergartengruppe ist ein Detail?«, bemerkte ich fragend.

»Nein«, verteidigte sich Petra, »natürlich ist eine Gruppenschließung kein Detail. Vielleicht sollten wir das ganze Thema ein wenig sacken lassen und … erst mal die anderen Themen besprechen.«

»Welche anderen Themen?« Sascha tat überrascht.

Dammrissnarben-Steffi sprang Petra zur Seite. »Wir haben noch ein paar Fragen zu den Gruppenfotos. Also, wie wollen Sie da sicherstellen, dass niemand die Persönlichkeitsrechte unserer Kinder verletzt?«

Sascha holte einen schwarzen Gegenstand aus Wolle aus seiner Tasche.

»Mit diesem kleinen Accessoire erfüllen wir alle Vorgaben der Datenschutzgrundverordnung. Sofern jedes Kind dies hier auf dem Kopf trägt, können wir wie gewohnt Gruppenfotos unserer Kinder machen, die sogar im Internet veröffentlicht werden können.«

»Was ist das?«, wollte Claudia wissen.

»Eine Kindergesichtsmaske aus Bio-Schurwolle.«

Wieder zehn ungläubige Augenpaare.

»Wenn sich jedes Kind beim Gruppenfoto diese Maske überzieht, wird kein einziges Persönlichkeitsrecht verletzt. Und damit schaffen wir sogar sehr nachhaltige Gruppenfotos. Auch eine zukünftige Diskriminierung wegen Alter, Geschlecht oder Herkunft wird aufgrund dieses Gruppenfotos nicht möglich sein. Und sollte Ihr Kind in ein paar Jahren feststellen, dass es im falschen Körper zur Welt gekommen ist, wird es auch nach der Geschlechtsumwandlung ohne Irritation auf sein altes Kindergartenfoto zurückblicken und voller Stolz sagen können: Das war ich!«

Mit der Energie, mit der Petra, Steffi, Claudia und Beate auf einmal von ihren Wünschen für einen plastikfreien und klimaneutralen Kindergarten sowie nach datenschutzgrundverordnungskonformen Gruppenfotos zurückruderten, hätte man den Kindergarten zwei Jahre lang heizen können. Mir tat es ein wenig leid, ihrem berechtigten Engagement durch das Angebot, ihre Wünsche zu erfüllen, den Wind aus den Segeln genommen zu haben. Aber zum Glück war damit vor allem der drohende Gruppenausflug in den Heizkeller vom Tisch.

Mein inneres Kind war glücklich.

50 SPUREN

»Alles ist vergänglich. Die Kindheit. Die Liebe. Das Leben.
Was bleibt, sind die Spuren, die Sie hinterlassen. Lebendig
in Ihren Kindern. Oder als Steine in einer Mauer.«

JOSCHKA BREITNER,
»DAS INNERE WUNSCHKIND«

AUF DEM BETT im engen Kellerraum vor uns saßen im Abstand von anderthalb Metern zwei Erwachsene. Sie wirkten desorientiert. Was an den zu engen Kindergesichtsmasken aus reiner Bio-Schurwolle liegen mochte, die sie verkehrt herum trugen und die sie am Sehen hinderten. Daran konnte keiner der beiden etwas ändern, da die Hände der beiden jeweils mit einer Eisenkette vor dem Bauch gefesselt waren. Jeder der beiden Männer hatte seine Arme mit derselben Eisenkette zusätzlich am Oberkörper fixiert. Diese Eisenkette führte außerdem durch einen frisch in der Kellerwand angebrachten Mauerhaken im Rücken jedes Herrn hinüber zum Mauerhaken im Rücken des jeweils anderen Herrn. Dort war sie mit einem Vorhängeschloss am Mauerhaken befestigt. In beiden Schlössern steckte der Schlüssel. Der mögliche Bewegungsradius der Hände der beiden Gefesselten reichte gerade bis zu diesem Schloss am Ende der Kette des jeweils anderen.

Also kurz gesagt: Jeder der beiden konnte die Fesseln des anderen aufschließen. Seine eigenen aber nicht.

Sascha und ich zogen synchron die beiden Masken von den Köpfen. Boris sah sich blinzelnd um und spuckte eine alte Socke aus. Als er Sascha und mich sah, wollte er sich sofort über seine Behandlung beschweren … als er aus dem Augenwinkel den Mann neben sich bemerkte: Kurt.

»Was macht dieser Vollidiot in meinem Keller?«

Mein Keller! Es war schön mitzuerleben, wie sich Boris mittlerweile mit seiner Lebenssituation identifizierte.

Kurt war auch nicht zufrieden damit, was er sah. Vor ein paar Stunden war er noch davon ausgegangen, Zeuge von Boris' Tod zu werden, um anschließend ein neues Leben anzufangen. Hier jetzt gefesselt neben Boris im Keller zu hocken, entsprach ganz und gar nicht seinen Vorstellungen.

Auch er spuckte eine Socke aus und begann zu brüllen. »Du hast mir versprochen, dass dieses Schwein stirbt. Dieses Arschloch hat kein Recht, länger zu leben.«

Weniger emotionale Menschen hätten sich in der gleichen Situation wahrscheinlich zunächst einmal darüber beschwert, gefesselt zu sein. Nicht so Kurt. Er hielt den Umstand wohl für ein unbedeutendes Missverständnis, das sich umgehend klären würde.

Ich konnte den Widerspruch zwischen Kurts Vorstellung und der Realität aufklären und suchte mit ein paar einleitenden Worten das Gespräch.

»Die Herren kennen sich ja bereits. Auf eine Vorstellungsrunde können wir also verzichten.«

»Was soll …?«, setzte Boris an, wurde aber von Sascha mit einem motivierenden Klatscher auf den Hinterkopf unterbrochen.

»Schnauze halten. Zuhören.«

»Wir hatten in dieser Woche alle ein paar Probleme miteinander. Kurt wollte unbedingt, dass wir Boris den Kopf absägen, ansonsten wollte er uns der Polizei melden. Sascha und ich wollen aber nicht mehr töten. Von der Polizei entdeckt werden wollten wir allerdings auch nicht. Und sobald Boris in Freiheit wäre, wäre unser Leben ohnehin beendet … Ihr versteht die Problematik?«

Weder Kurt noch Boris gingen auf meine rhetorische Frage ein.

Sascha übernahm das Wort. »Irgendwie hat uns Kurt durch sein Verhalten aber auch darauf aufmerksam gemacht, dass das mit Boris und uns auf die Dauer nicht funktioniert hätte. Weder innerhalb noch außerhalb des Kellers.«

Bevor einer der beiden Erwähnten dazu Stellung nehmen konnte, zeigte ich das moralische Dilemma auf, vor dem wir standen.

»Wir haben uns und Boris versprochen, Boris nicht umzubringen. Ich habe aber auch Kurt versprochen, dass er Zeuge sein kann, wie Boris stirbt. Und obendrein haben Sascha und ich uns gegenseitig versprochen, dass wir niemanden mehr ermorden. Ich weiß, was ihr jetzt sagen werdet. ›Wir sind alle erwachsene Menschen. Wir alle haben die Freiheit, unsere Wünsche zu überdenken ...‹ Und ihr werdet staunen: Sascha und ich haben genau das getan. Wir haben gewissenhaft darüber nachgedacht, euch beide Vollidioten einfach zu erschießen und gut ist. Aber dann haben wir uns dagegen entschieden. Wir wollen nicht mehr töten. Wir wollen euren Wünschen und unseren Versprechen aber auch nicht im Wege stehen.«

Weder Kurt noch Boris kamen von allein auf die so naheliegende Lösung.

»Deswegen wird jetzt Folgendes passieren ...«

Sascha holte zwei Fleischermesser hervor und legte sie auf den kleinen Beistelltisch. Sowohl Kurt als auch Boris zuckten zurück.

»Keine Panik«, beruhigte ich die beiden. »Ob diese Messer hier Teil der Lösung werden, hängt ausschließlich von eurem Willen ab. Jeder von euch ist mit einer Eisenkette gefesselt. Die Eisenkette führt von eurem Körper über die Haken hinter euch zum Haken des anderen. Dort ist jede Eisenkette mit einem

Schloss gesichert. In jedem Schloss steckt der Schlüssel. Jeder von euch kann also jederzeit den anderen befreien. Dumm ist halt nur, dass ihr in dem Moment dann selbst noch gefesselt seid. Der befreite eine könnte also mit dem gefesselten anderen machen, was er will. Zum Beispiel mit diesem schönen Messer hier.«

Sascha übernahm.

»Ihr könnt euch natürlich auch gleichzeitig gegenseitig befreien und schauen, was passiert. Vielleicht schafft ihr es ja, als Partner aus diesem Keller herauszukommen. Oder ihr bringt euch auf Augenhöhe um.«

»Oder ihr macht gar nichts. Dann tötet jeder von euch den anderen einfach durch Unterlassen. Ganz wie ihr wollt. Ihr seid erwachsen. Sascha und ich werden jetzt jedenfalls den Raum hier verlassen, die Tür hinter uns zuschlagen und den Eingang zumauern.«

»Aber das könnt ihr doch nicht …«, rief in diesem Moment Boris.

»Wie sollen wir denn …?«, fiel Kurt ihm ins Wort.

»Siehst du?«, sagte ich zu Sascha. »Kaum sind die beiden drei Minuten zusammen, ist aus den beiden schon ein *wir* geworden.«

»Man wird mich suchen«, echauffierte sich Kurt.

»Mich auch«, schloss sich Boris an. Wohl wissend, dass ihn seit sechs Monaten niemand vermisste. Genauso wenig wie Dragan. Es machte also bei Boris nun nachweislich keinen Unterschied, ob er tot oder lebendig war.

Aber für alle Fälle würde es für Boris und Kurt trotzdem eine etwas andere Begründung für deren Verschwinden geben als damals bei Dragan.

»Niemand wird euch suchen. Du, Kurt, hast dich umgebracht. Du, Boris, hast dich mit dem goldenen Kind aus dem Staub gemacht.«

»Ich? Mich umgebracht?« Kurt konnte offensichtlich nicht folgen.

»Mit dem ... was?« Boris war ebenfalls überfordert.

Ich wandte mich zunächst einmal Boris zu. »Die Holgersons haben vor einem Jahr die gestohlene Statue vom goldenen Kind bei dir versteckt. Du hast dich damit jetzt in den vergoldeten Ruhestand verabschiedet. Bist irgendwo in der Südsee. Alle Brücken abgebrochen. Ein großes ›Und Tschüss!‹ nach einem langen, erfüllten Berufsleben. Alle werden dich beneiden. Niemand wird dich suchen.«

»Wer soll dir das denn glauben?«

»Walter glaubt es schon. Er wird den Rest von Dragans Clan ganz ohne unser Zutun überzeugen. Deine Leute, Boris, werden sich dem anschließen. Wenn sie über längere Zeit nichts mehr von dir hören, ist das der beste Beweis, dass das Gerücht offensichtlich stimmt. Und die Polizei hält sich an die Fakten. Du bist weg. Das Kind ist weg.«

»Und was ist mit den Holgersons?« Boris meinte offenbar, einen Widerspruch in meiner Logik gefunden zu haben.

»Da nur die Holgersons wissen, dass du deren Statue nie hattest, werden sie sich wahrscheinlich über das unerwartete Geschenk dieser völlig falschen Fährte freuen und die Schnauze halten«, klärte ich ihn auf.

Kurt wollte sich auch an der Diskussion beteiligen. »Aber wenn die Holgersons herausfinden, dass du ihren Leuten ein Ohr abgeschnitten hast, werden sie hinter dir her sein.«

»Für jemanden, der vor seinem Selbstmord genau das Gegenteil davon in seinem Abschiedsbrief behauptet, bist du ganz schön vorlaut, Dreißig-Sekunden-Kurti«, entgegnete ich.

»Warum sollte ich mich umbringen?«

»In deinem Abschiedsbrief schreibst du, weil du im Auftrag

von Boris die beiden Holgersons getötet hast. Du kennst Boris seit über zwanzig Jahren. Erst als Bordellkunde und mittlerweile auch als Mieter. Du hast horrende Mietschulden. Und die hat Boris dir erlassen, weil du die beiden Holgersons getötet und den Mord als Verkehrsunfall getarnt hast. Auf Kosten eines deiner Fahrer. Hat leider nicht funktioniert.«

»Was ergäbe das für einen Sinn?«

»Was fragst du mich? Laut deinem Abschiedsbrief war das eine Idee von Boris. Vielleicht sind die beiden ihm ja bei den Fluchtplänen mit dem goldenen Kind in die Quere gekommen. Aber dein Mord an den Holgersons kam dir sehr gelegen. Nach dem tödlichen *Unfall* ihrer Dealer mit einem deiner Lkw hätten die Holgersons ein Motiv für die Brandstiftung gehabt, die du selber begangen hast. Und das wäre in deinem Interesse gewesen. Um die Versicherungssumme zu kassieren. Leider hat dir die Polizei das nicht geglaubt.«

»Was für eine saudumme Idee«, warf Boris ein.

»Nennt sich ›der schlaue Umweg‹. Erfindung von Kurt«, klärte Sascha ihn auf.

»Wie dem auch sei«, fuhr ich fort. »Schulden. Mord. Brandstiftung. Und nix davon hat geklappt. Da bringen sich selbst schlauere Menschen für weniger dumme Ideen ganz ohne Umweg um. Steht alles im Abschiedsbrief.«

»Ich werde dir diesen Abschiedsbrief nie schreiben.« Kurt blickte mich störrisch an.

Ich hob gelassen den Computerausdruck eines Briefes hoch, der von ihm unterschrieben war.

»Musst du gar nicht. Hast du ja schon. Blanko unterschrieben. Heute Morgen in meiner Wohnung. Und bei deiner Sauklaue wird selbst deine Schwester bestätigen, dass der abgetippte Brief echt ist. Noch nicht einmal Laura wird dich vermissen.«

Kurt war sprachlos.

Sascha füllte die Gesprächspause. »Bei Boris mussten wir wenigstens noch ein paar Monate so tun, als würde er leben. Bei dir ist das vollständig egal.«

Ich machte Anstalten zu gehen. »Lebt wohl. Wie lange auch immer.«

Boris und Kurt fanden gemeinsam die Sprache wieder.

»Aber das geht doch nicht ...«

»Hey, wartet! Ihr ...«

»Jetzt seid doch nicht kindisch ...«

Das Zuklacken der Zellentür beendete jeden weiteren Gesprächsanlauf.

Kindlich – nicht kindisch, dachte ich bei mir.

Basteln mit den eigenen Kindern hat etwas sehr Beruhigendes. Mein inneres Kind und ich errichteten Stein für Stein die Mauer vor der Kellertür. Ich hatte Sascha gebeten, oben auf uns zu warten. Ich schaute irgendwann beiläufig auf die Uhr. Es war bereits nach Mitternacht. Der Freitag war angebrochen. Die Partnerschaftswoche war rum.

Ohne jeden Vorbehalt freute sich mein inneres Kind über den Verlauf.

Auch ich war mit den Ergebnissen zufrieden.

Ich hatte mein inneres Kind entdeckt, Vertrauen aufgebaut, Glaubenssätze erkannt und überschrieben. Ich hatte meinem inneren Kind geholfen, seine Rüstung abzulegen, und es geführt. Ich hatte von seiner Kreativität profitiert und eine verlässliche innere Stimme gefunden.

Meine Probleme mit Katharina, mein Ärger mit meinem Job waren verschwunden. Der kleine blonde Junge in Lederhose mit zerkratzten Knien in mir musste keine Angst mehr vor der Zukunft haben. Mein inneres Kind hatte jetzt einen Partner an seiner Seite. Den großen Jungen, der aus dem kleinen blonden Jungen in all den Jahren geworden war.

Und jetzt, wo wir die hinteren Kellerräume nicht mehr brauchten, konnten wir in der Tat hier vorne mal die Heizungsanlage erneuern.

War das gerade ein Kettenrasseln hinter der Wand?

Das war vollständig egal.

Mein inneres Kind war aus seinem Keller befreit.

DANKSAGUNG

Das Kind in mir will achtsam morden ist ein Geschwisterkind. Es hat bei gleichem Genpool wie *Achtsam morden* seinen eigenen Charakter.

Der Wunsch, nach der Achtsamkeit ein weiteres ganzheitliches Thema als durchaus ernst gemeinten Ausgangspunkt für ein humorvolles Buch zu verwenden, war der Vater des Gedankens, mich mit der Thematik des inneren Kindes zu befassen.

Die Theorie vom »Inneren Kind« ist ein Erklärungsmodell. Ich halte dieses Modell für einen absolut nachvollziehbaren Ansatz. Um es mit Björn Diemel zu sagen: Es ist eine gute Methode, um die Ursache der Probleme zu ergründen, deren Folgen man täglich mit Achtsamkeit mindert.

Wie auch bei der Achtsamkeit gab es bei der Suche nach dem »Inneren Kind« unendlich viele Anregungen in Büchern, Blogs und Videos. Viele haben mich inspiriert, manche animiert, einige auch amüsiert.

Amüsiert hat mich nie der Ansatz, sondern manchmal das Erlösungsversprechen einiger Ratgeber.

Gute Ratgeber sind ein toller Einstieg, sich einem ganzheitlichen Thema zu nähern. Ich persönlich halte den Kontakt zu echten Menschen mit fundierter Erfahrung allerdings für unerlässlich, wenn man persönliche Erkenntnisse aus einem psychologisches Ansatz heraus erarbeiten möchte.

Niemand würde sich mithilfe eines Ratgebers selbst eine Platzwunde zunähen. Warum sollte das bei Verletzungen der Seele anders sein?

Deshalb geht Björn Diemel zu Joschka Breitner.

Und weil ich das immer wieder gefragt werde: Joschka Breitner ist in der Tat frei erfunden.

Ich möchte mich an dieser Stelle von Herzen bei allen Menschen bedanken, die *Das Kind in mir …* von vor der Schwangerschaft bis nach der Geburt begleitet haben.

Ich danke den Mitarbeiterinnen und Mitarbeitern des Heyne Verlags für die wunderbare Betreuung.

Ich danke den Buchhändlerinnen und Buchhändlern, die *Achtsam morden* so groß haben werden lassen, dass es nun *Das Kind in mir …* an die Hand nehmen kann.

Ich danke Oskar Rauch vom Heyne Verlag für die Balance aus Freiheit und Sicherheit, die ich zum Schreiben brauche.

Ich danke meinem Lektor, Heiko Arntz, für die wunderbare Arbeit an und mit meinem Text.

Ich danke meinem Agenten, Marcel Hartges, und seinem Team. Für alles.

Und ich danke Ihnen, dass Sie dieses Buch bis zu dieser Stelle gelesen haben.

Herzlichst

Ihr Karsten Dusse
nebst innerem Kind

ACHTSAM
ZUHÖREN

Gleich reinhören!

Karsten Dusse

Gelesen von Matthias Matschke

ACHTSAM MORDEN

Karsten Dusse

DAS KIND IN MIR WILL ACHTSAM MORDEN

Gelesen vom Autor

Gleich reinhören!

Als Download und auf CD

RANDOM HOUSE
AUDIO